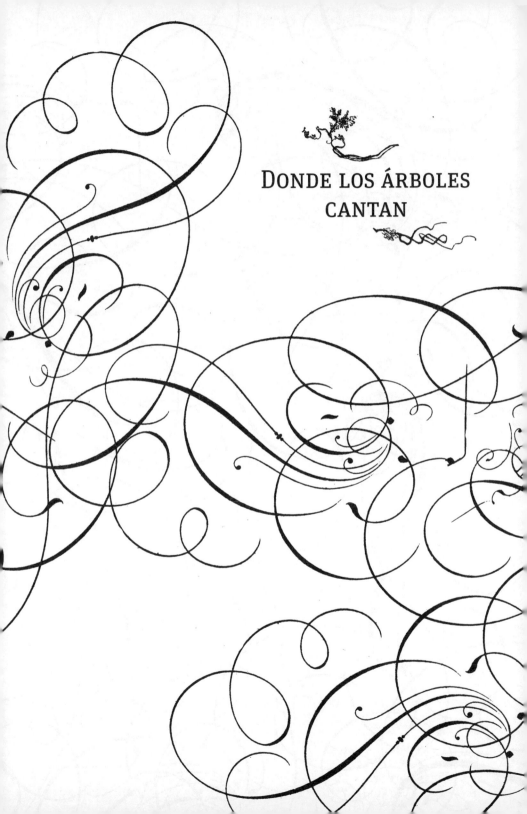

DONDE LOS ÁRBOLES CANTAN

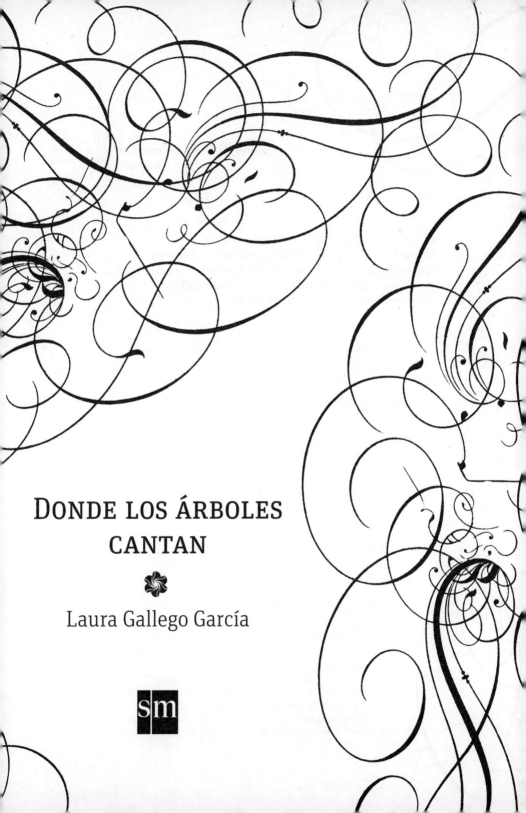

DONDE LOS ÁRBOLES CANTAN

Laura Gallego García

www.literaturasm.com

*El papel utilizado para la impresión de este libro
ha sido fabricado a partir de madera procedente de bosques
y plantaciones gestionados con los más altos estándares ambientales,
garantizando una explotación de los recursos sostenible
con el medio ambiente y beneficiosa para las personas.*

Dirección editorial: Elsa Aguiar
Coordinación editorial: Berta Márquez
Diseño: Pablo Núñez
Ilustración de cubierta: Cris Ortega

© Laura Gallego García, 2011
© Ediciones SM, 2011
    Impresores, 2
    Urbanización Prado del Espino
    28660 Boadilla del Monte (Madrid)
    www.grupo-sm.com

ATENCIÓN AL CLIENTE
Tel.: 902 121 323
Fax: 902 241 222
e-mail: clientes@grupo-sm.com

ISBN: 978-84-675-5003-0
Depósito legal: M-18622-2011
Impreso en la UE / *Printed in EU*

A Rafa Beltrán,
con cariño y agradecimiento
por introducirme en el mundo de caballerías,
magia y aventuras que inspiró esta novela.
Larga vida a don Belianís.

Querida Cinzia, espero
que disfrutes de este
libro tanto como yo
lo hice.
Es un libro precioso
y lleno de mensajes
importantes.

Primera parte
VIANA

Al segundo día atravesaron el País de los Árboles Cantores.
Cada uno de los árboles tenía una forma distinta,
hojas distintas, distinta corteza, pero la razón
de que se llamara así esa tierra era que se podía escuchar
su crecimiento como una música suave, que sonaba
de cerca y de lejos y se unía para formar un potente
conjunto de belleza sin igual en toda Fantasia.
Se decía que no dejaba de ser peligroso caminar
por aquella región, porque muchos se habían quedado
encantados, olvidándose de todo.

MICHAEL ENDE, *La historia interminable*

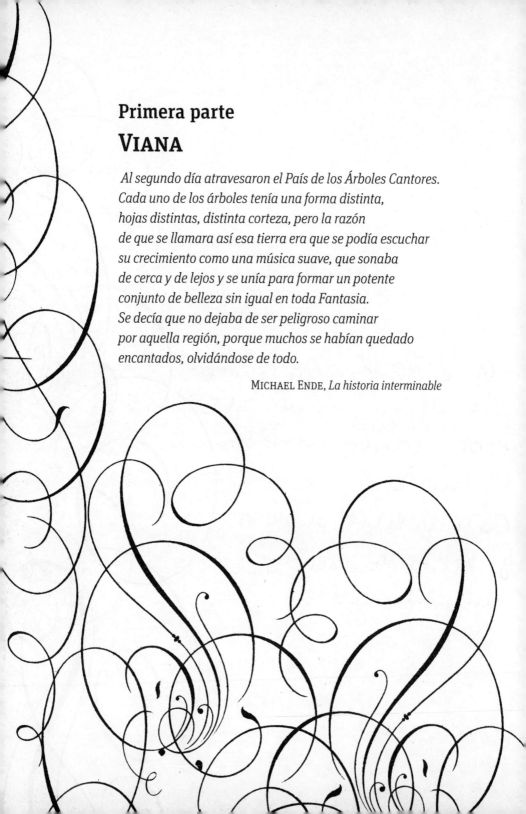

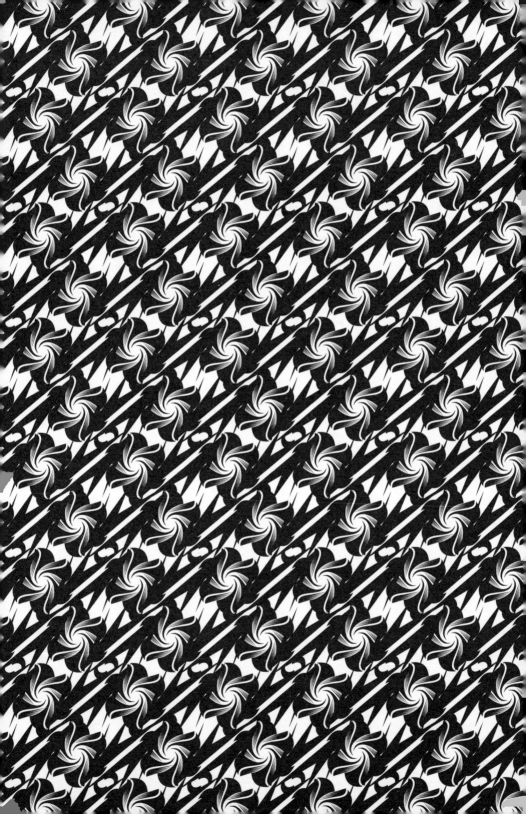

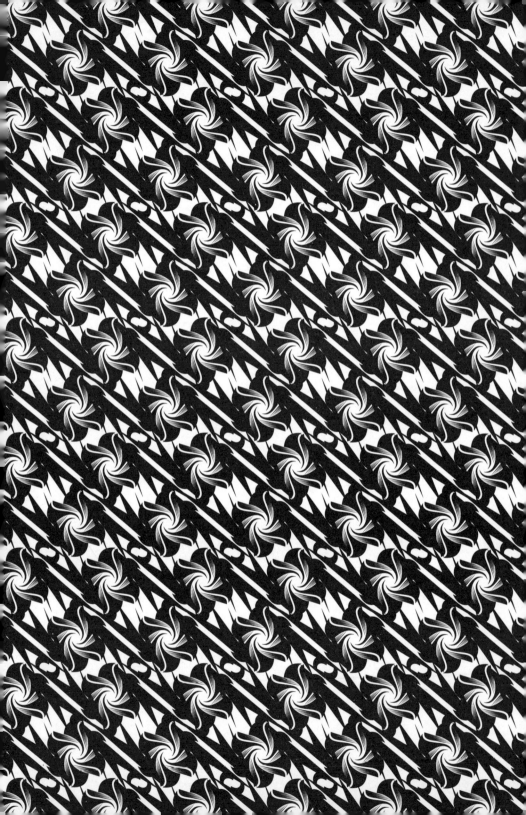

CAPÍTULO I

e la celebración,
del solsticio,
del relato del juglar
y de la advertencia
del caballero.

TODOS LOS AÑOS, la víspera del solsticio de invierno, el rey reunía a sus nobles en el castillo de Normont para conmemorar el aniversario de su coronación.

Había sido así desde que se tenía memoria. Todos los reyes de Nortia habían ascendido al trono en el solsticio de invierno, incluso si sus predecesores fallecían en cualquier otro momento del año. Por ello, con el tiempo, la celebración se había vuelto cada vez más festiva y menos solemne. Había justas durante el día, y un gran banquete con música y danza por la noche. Los barones del rey acudían con sus familias y sirvientes, por lo que, durante un par de jornadas, el castillo era un auténtico hervidero de gente.

También en la ciudad se respiraba un ambiente especial. Comerciantes de todas partes acudían a Normont aprovechando el momento, y en torno al castillo se formaba siempre un colorido y animado mercado.

Viana y su padre, el duque Corven de Rocagrís, nunca habían faltado a la fiesta del solsticio de invierno, ni siquiera el año en que se presentaron de luto riguroso por la muerte de la duquesa. Pero de aquello hacía ya mucho tiempo, y los malos recuerdos parecían haber quedado atrás. Ahora, Viana llegaba a Normont llena de ilusión porque sabía que, la próxima vez que sus ojos contemplaran las torres desde el recodo, en primavera, sería para casarse con su amado Robian.

Ambos habían nacido el mismo día, pero aquí se acababa el parecido entre ellos: Viana de Rocagrís había visto la luz de su primer amanecer en cuanto abrió los ojos, grises como el alba, y su pelo era del color de la miel más exquisita. Pero no pareció impresionarle demasiado el hecho de nacer, ya que pasó el resto del día durmiendo, y con el tiempo demostró ser un bebé dócil y somnoliento que dedicaba encantadoras sonrisas a todo el mundo. Robian de Castelmar, por el contrario, había llegado al mundo horas más tarde, cuando la noche ya se abatía sobre la tierra, y era un chiquillo inquieto y llorón, con una indomable mata de pelo castaño que con los años se encresparía, enmarcando un rostro afable y apuesto. Los padres de ambos eran buenos amigos, y habían combatido juntos en las guerras contra los bárbaros. Sin embargo, y aunque todo el mundo lo daba por hecho, no se habló de boda hasta después de que la madre de Viana muriera.

En aquel solsticio de invierno en el que Viana y su padre habían ido a la corte vestidos de luto, este había confesado que se veía incapaz de tomar otra esposa que sustituyera a su adorada Sidelia. Como no tenía hijos varones ni intención de engendrarlos con otra mujer, la opción más lógica era comprometer a Viana con el joven Robian y unir así los dominios de ambas familias.

Viana recordaba aún el momento en el que el rey Radis había dado su beneplácito al compromiso. Sus ojos habían buscado los de Robian, que se alzaba junto a sus padres, muy serio, al otro lado de la sala. Pero él le sonrió cálidamente al sorprender su mirada, y Viana se ruborizó al sentir de pronto como si un centenar de mariposas echaran a volar a la vez en el interior de su pecho, rozando su corazón con alas luminosas.

Y todo ello a pesar de que no era aquella la primera vez que se veían. Habían jugado juntos desde niños y compartido risas y confidencias, con una intimidad que en cualquier otra circunstancia habría resultado inadecuada entre dos jóvenes de distinto sexo. Pero sus progenitores habían alentado aquella amistad, previendo que con el tiempo se convertiría en algo más.

A Viana no le importaba que su futuro matrimonio con Robian fuese concertado. Al contrario, se sentía increíblemente afortunada. Su amiga Belicia, hija de los condes de Valnevado, solía bromear al respecto, vaticinando que, mientras Viana disfrutaría de las atenciones de un esposo joven y guapo, a ella la casarían con un caballero viejo y artrítico. Viana no podía menos que darle la razón. Además, ambos estaban profundamente enamorados. De hecho, Robian le había confesado en más de una ocasión que, si sus padres no los hubiesen comprometido, él mismo la habría secuestrado para casarse con ella.

La joven sonrió, recordando todos los momentos maravillosos que habían pasado juntos. Cuando su palafrén traspasó las puertas del castillo de Normont, su corazón se aceleró al preguntarse si Robian y su familia habrían llegado ya. Pero se comportó como toda una dama, serena y regia, cuando ella y su padre desmontaron en el patio y acudieron con sus servidores más cercanos al salón del trono para rendir pleitesía a la familia real. Después se reunieron con los demás nobles en la explanada donde se iban a celebrar las justas. El campo presentaba un aspecto magnífico: todo, desde las tiendas de los participantes a los cadalsos en los que se situarían los espectadores, proclamaba la riqueza y prosperidad de Nortia. Más allá se extendía el mercado; Viana no tenía permiso para mezclarse con la plebe, pero en una ocasión, ella y Belicia lo habían visitado en secreto, y la joven había quedado prendada de aquel mundo tan diferente al suyo. En aquel momento, sin embargo, las columnas de humo, los penetrantes olores y los toldos multicolores no le llamaron la atención. Sus ojos buscaban a Robian entre la multitud, pero fue Belicia quien corrió hacia ella con los ojos brillantes.

–¡Viana! ¡Viana! –la saludó, tomándola de las manos–. ¡Qué alegría verte de nuevo! ¿Has visto al príncipe Beriac? ¡Está más apuesto que nunca!

Viana sonrió. Cuando eran niñas, ambas solían soñar con un futuro brillante: Viana se casaría con su amado Robian, y Belicia sería la elegida del príncipe Beriac, que la convertiría en princesa de Nortia, y después, en su reina.

Ambas sabían que eso no iba a suceder jamás, y que Beriac se casaría con la hija del rey de algún lejano país. Pero en secreto seguían llamando al príncipe «el futuro esposo de Belicia», y Viana sospechaba que su amiga estaba de verdad enamorada de él, aun sabiendo que Beriac jamás podría corresponderla.

Viana admiraba la entereza de Belicia y la forma en que fingía que todo aquello no era más que un juego.

–¡Y va a participar en la justa, Viana! –siguió parloteando–. Seguro que este año me pide una prenda. «Otorgadme vuestro favor, mi dama, y con él venceré en esta batalla» –recitó, imitando la voz del príncipe–. «Oh, por supuesto, mi señor, derrotad a vuestros enemigos por mí» –concluyó con tono afectado, extendiendo ante ella un pañuelo de encaje como si se lo ofreciera a un pretendiente invisible.

Viana se echó a reír y las dos se abrazaron, emocionadas por estar juntas otra vez. Los territorios de sus respectivas familias se encontraban demasiado lejos como para que pudiesen verse a menudo, y los mensajeros no llevaban sus cartas con la celeridad que ellas habrían deseado. Y, aunque Belicia había pasado el verano en Rocagrís, a ambas les parecía que había transcurrido mucho tiempo desde entonces.

–He visto a Robian en el patio delantero –le confió Belicia con una sonrisa traviesa–. Iba de camino a las caballerizas.

El corazón de Viana empezó a latir como un corcel desbocado.

–Anda, ve –la animó su amiga–. Nos encontraremos después, en el palco.

19

Viana corrió hacia las cuadras, ante los gestos de desaprobación de algunas viejas damas y la mirada benevolente de su padre.

Se topó con Robian cuando este salía de los establos, y se lanzó literalmente a sus brazos. El muchacho la sujetó por la cintura y la alzó en volandas, ante las exclamaciones de sorpresa de Viana. Después la tomó de la mano y tiró de ella hasta llevarla a un rincón más apartado, lejos de miradas indiscretas.

–¡Viana! –exclamó, con los ojos brillantes de alegría–. ¡Cómo te he echado de menos!

–Y yo a ti –susurró ella.

Los dos se fundieron en un beso apasionado. A Viana no le importó que Robian oliese a sudor, a cuero y a caballo; había cabalgado desde muy lejos para llegar hasta allí.

–Es extraño –le dijo–. Tengo la sensación de que pasábamos más tiempo juntos cuando éramos niños que ahora que estamos prometidos.

–Entonces las cosas eran más sencillas –respondió Robian con un suspiro pesaroso–. Pero ya soy casi un caballero, y tengo responsabilidades en Castelmar. He de aprender a administrar el dominio porque, algún día, será mío.

–De los dos –corrigió Viana, radiante de felicidad al pensar, una vez más, en su futura vida en común.

Robian asintió, sonriente.

–Pero después de la boda... estaremos juntos para siempre –le prometió.

La muchacha hundió los dedos en el cabello rizado de Robian y, sin poder resistirse a la tentación, lo besó de nuevo. Él rio, sorprendido por su audacia, pero correspondió a su beso.

Y justo entonces sonaron las trompetas llamando a las justas. Robian suspiró y se separó de su prometida, contrariado.

—Ve —lo animó ella—. Es tu oportunidad para demostrar a todo el mundo que mereces ser armado caballero.

El muchacho sonrió. Ambos sabían que tendría que hacerlo muy mal en las justas para que el rey cambiase de idea al respecto. Aquella tarde, el príncipe Beriac recibiría las armas, y otros jóvenes, entre los que se encontraba Robian, serían armados junto a él.

Viana lo despidió con un último beso y luego se reunió con Belicia en el palco. Allí saludó también a la duquesa de Castelmar, su futura suegra, y a Rinia, la hija de esta, de seis años. Ambas estaban muy pendientes del torneo, en el que participarían Robian y su padre, el duque Landan.

No tardó en dar comienzo la competición. Viana ató una prenda a la lanza de Robian cuando este se lo pidió, y lo vio marchar, admirando el magnífico porte que presentaba a caballo.

El príncipe Beriac pidió el favor de la reina, para desencanto de Belicia.

—Bueno, no es tan grave —le cuchicheó a Viana—. Mientras sea su madre y no una princesa cualquiera...

Las dos rieron discretamente.

Todos disfrutaron mucho de aquella jornada. Robian tuvo una actuación extraordinaria, e incluso llegó a golpear al príncipe en el último encuentro. Y, para finalizar, el mismo rey Radis se hizo armar para romper una lanza con su hijo. Fue uno de los duques del sur quien se alzó con la victoria en el torneo, pero los jóvenes lo habían hecho muy bien; el rostro de Viana resplandecía de orgullo al contemplar a Robian, y no dejaba de repetirse que era muy afortunada.

–Ah, sí, ha sido una buena justa –afirmó el duque Corven–. Pero los combates eran mucho más emocionantes en la época del conde Urtec.

–¿Quién es el conde Urtec? –preguntó Viana con curiosidad.

–Era el mejor guerrero que ha tenido nunca Nortia –respondió su padre, complacido por su interés–. Fue el maestro de armas del rey y se convirtió en su mano derecha en las guerras contra los bárbaros. De eso hace ya mucho tiempo, y en aquel entonces, nuestro soberano era muy joven. Quién sabe lo que habría pasado si no hubiese tenido a Urtec de Monteferro a su lado para guiarlo en aquella época oscura –añadió, bajando un poco la voz.

–Ah –respondió Viana impresionada–. ¿Y qué ha sido del conde Urtec?

El duque entornó los ojos.

–Murió –dijo simplemente; había tal poso de amargura en su voz que Viana no se atrevió a preguntar más.

La celebración continuó en el interior del castillo. El príncipe Beriac y los jóvenes nobles fueron armados caballeros al caer la tarde en una solemne ceremonia. Viana contempló a Robian mientras se ceñía una espada que había pertenecido a su abuelo y se inclinaba ante el rey para recibir su bendición. Aquello era un paso más en el camino de su futura felicidad: oficialmente, Robian era ya un hombre y, como tal, podía tomar esposa.

Viana sabía que no tendría oportunidad de acercarse a su prometido hasta el momento de la danza. Pero eso sería después de la cena, en la cual las damas se sentarían en una parte de la estancia, y los caballeros, en otra.

Viana tomó asiento junto a Belicia y la madre de esta. Pronto, los criados empezaron a traer platos, mientras los invitados del rey comentaban con alegría los sucesos de la jornada y el vino corría generosamente. Se sirvieron pastelillos de piñones, crema de guisantes, perdices escabechadas, cochinillos asados, potaje, cordero a la miel... Cuando sacaron el guiso de carne de buey, Viana estaba tan llena que dejó de prestar atención a la cena para charlar con Belicia; las dos contemplaban disimuladamente a los jóvenes caballeros aparentando disfrutar de la música que amenizaba la velada.

Robian y Viana intercambiaban miradas repletas de ternura, y tuvieron que soportar por ello las burlas cariñosas de sus compañeros, pero a ninguno de los dos le importó. Ambos ardían en deseos de que comenzara el baile para estar juntos otra vez.

En aquel momento, entró en la sala un personaje vestido con ropas ajadas y estrafalarias, cuyo llamativo sombrero de colores repiqueteaba con docenas de cascabeles a cada paso que daba. El hombrecillo se plantó ante el rey y le dedicó una ostentosa reverencia en la que la punta de su nariz casi rozó el suelo.

–Saludos, majestad, señor y monarca de las tierras del norte –dijo, con una voz serena y solemne que contrastaba con su disparatado atuendo.

Nadie se burló de él, sin embargo. Por el contrario, los nobles celebraron su llegada con vítores y aplausos. Viana también batió palmas, encantada.

Todos conocían a Oki, el juglar, y lo respetaban profundamente porque, pese a su aspecto chistoso y sus modales festivos, nadie sabía tantas historias y canciones como él, ni las interpretaba de igual modo. Oki no pertenecía a la corte del rey Radis; en realidad, Oki no pertenecía a ningún lugar. Distaba mucho de parecerse a los estúpidos bufones que entretenían a otros monarcas con payasadas. Oki era un espíritu libre que viajaba de un lado para otro aprendiendo historias; tenía algo de pícaro, algo de comediante, algo de explorador, algo de brujo y algo de mercader. Había quien decía, incluso, que su baja estatura y sus ojillos vivaces sugerían que algunas gotas de sangre de duende corrían por sus venas, pero nadie habría podido decir con seguridad si era cierto o se trataba de un cuento más, inspirado en las leyendas que él mismo relataba.

Oki no rendía cuentas a nadie y, sin embargo, nunca se perdía las celebraciones del solsticio de invierno.

–¡Cuéntanos historias de la batalla de Piedrafría, Oki! –bramó uno de los guerreros.

–¡No! –lo contradijo otro–. ¡Mejor cántanos los himnos del héroe Lorgud y sus siete bravos compañeros!

–¡Este año toca una balada de amor, Oki! –intervino Belicia con picardía–. ¡Cuéntanos del valiente príncipe Eimon y de la dulce doncella Galdrid!

Un sonoro coro de carcajadas acogió su petición, mientras Viana sentía que se ruborizaba: todos sabían que la historia de Eimon y Galdrid era un relato muy picante.

Pero Oki alzó una mano con seriedad, y se hizo el silencio de inmediato.

–Mis señores –dijo–. Mis hermosas damas –añadió, con una galante inclinación hacia la reina y el resto de mujeres–. Hoy hay luna nueva. Es noche de brujas y espantos, de milagros y maravillas. No es, pues, una historia de amor o de batallas lo que he venido a relatar aquí.

Inspiró profundamente, volvió a colocarse el sombrero y alzó su viejo bastón con gesto teatral. Hasta el rey estaba pendiente de cada una de sus palabras.

–No –prosiguió Oki–. Hoy ha llegado el momento de hablar de los misterios del Gran Bosque.

Hubo un murmullo de temor entre los comensales. Viana reprimió un escalofrío.

El Gran Bosque se extendía por toda la zona occidental de Nortia y delimitaba el reino, de la misma forma que el océano establecía la frontera oriental. En los mapas era una inmensa mancha oscura que se sabía dónde comenzaba, pero no dónde terminaba. Nadie que se hubiese atrevido a explorarlo había regresado para contarlo. Según las leyendas, todo tipo de monstruos y extrañas criaturas recorrían sus umbríos senderos. El Gran Bosque, se decía, era refugio de trols y de trasgos, de brujos y hechiceras, de hadas y elfos, de espectros y fantasmas. Se cernía, silencioso, como una sombra amenazadora en el horizonte de Nortia, y era un territorio ignoto e incómodo al que los sucesivos monarcas del reino habían dado la espalda, fingiendo que no existía, como si de una infranqueable cadena de montañas se tratase. Nadie hablaba del Gran Bosque, como no fuera para asustar a los niños pequeños con historias de terror que se relataban a la luz de la lumbre. Todos los muchachos habían fanfarroneado alguna vez con la posibilidad de internarse en él y desvelar sus misterios, pero ninguno había osado pasar más allá de la tercera fila de árboles. Era, sencillamente, demasiado espeso e impenetrable.

–¿Qué vas a contarnos acerca del Gran Bosque? –preguntó el rey Radis, y su voz sonó un poco más áspera de lo normal.

Oki sonrió enigmáticamente, sin sentirse en absoluto cohibido por el tono amenazante del rey.

–Una historia, oh gran señor, que se gestó en el amanecer de los tiempos, cuando aún no había reyes ni reinas, cuando las más grandes ciudades no eran más que humildes aldeas asentadas en el barro.

Radis pareció relajarse un tanto y se recostó en su sillón. Parecía pensar que nada tan antiguo podía llegar a afectarle a él o a su reinado.

–En aquel entonces –prosiguió Oki, y Viana tuvo la sensación de que habría continuado de todas formas, aun sin el permiso tácito del rey–, Nortia no existía como tal, pero el Gran Bosque ya era el Gran Bosque. Sin embargo, las personas no lo sabían, porque aún no habían llegado hasta él. Habitaban en tierras más meridionales, de clima benigno, de largos veranos y suaves inviernos.

»Pero un día, a finales del otoño, un viajero cruzó por primera vez el turbulento río Piedrafría y se adentró en las anchas llanuras que hoy conforman vuestro reino. Se trataba del último vástago de un clan que había sido destruido por sus rivales. Mientras él siguiera con vida para reclamar su herencia, sus enemigos no dejarían de buscarlo, y por esta razón se había visto obligado a escapar a un lugar donde nadie pudiera encontrarlo, lejos de toda tierra conocida, más allá de los límites que señalaban los mapas. Tenía ante sí un futuro incierto, pero dejaba atrás una muerte segura, y por eso no vaciló en vadear el río y proseguir su camino hacia el mundo frío e inhóspito que lo aguardaba al otro lado.

»Ciertamente, era un hombre intrépido, pero no un loco; por eso se detuvo al borde del Gran Bosque y contempló con temor las altas copas de los árboles, las sombras imposibles que bailaban en la espesura, el laberinto de sinuosas sendas que se perdían en la oscuridad. No osó internarse en él, aunque sospechaba que sus enemigos jamás lo encontrarían allí. Resolvió, por el contrario, proseguir su camino hacia el norte rodeando el Gran Bosque –probablemente, fue él el primero que lo llamó de este modo– y buscar fortuna en tierras más septentrionales.

»Acampó, pues, al borde de la espesura, decidido a no dejarse atemorizar por los extraños sonidos que surgían de ella. Tomó una cena frugal y curó sus pies llagados de tanto caminar, y cuando ya se disponía a echar una cabezada antes de continuar su huida... hete aquí que se le acerca una figura encorvada desde la oscuridad.

Un murmullo de inquietud recorrió la sala. Oki dejó que su audiencia se hiciera preguntas sobre la identidad del misterioso visitante, pero solo durante un momento. Después prosiguió, imitando con gran acierto las voces de sus personajes:

–«¿Quién va?»... «Solo una pobre anciana que se ha perdido por estos parajes, mi señor»... «¿Y de dónde vienes, mujer?»... «Oh, no de muy lejos, señor, no de muy lejos... Pero tengo hambre y frío. ¿Me permitiríais compartir vuestro fuego y vuestro pan por una noche?». El viajero dudó de las palabras de la mujer, porque sospechaba que no había ninguna aldea cerca. Sin embargo, movido a compasión, aceptó finalmente a la anciana junto a su fuego y le tendió un mendrugo de pan y el poco queso que le quedaba. Después de tanto tiempo huyendo en solitario, agradecía un poco de compañía humana, aunque fuera la de una vieja repulsiva como aquella.

»Porque, en efecto, nobles amigos, la anciana era indescriptiblemente fea –subrayó Oki ante los gestos espantados de su auditorio–. Su rostro arrugado estaba lleno de verrugas, su nariz era peluda y ganchuda y estaba tuerta de un ojo. Apenas unos cuantos cabellos grises y desgreñados adornaban su cabeza, y su cuerpo, seco y raquítico como una pasa, se mostraba horriblemente torcido. La vieja sonrió, mostrando sus únicos cuatro dientes, al contemplar la expresión asqueada de su benefactor. «La vida no me ha tratado bien, mi señor», le dijo. «Y espero no estar abusando de vuestra generosidad si os pido que me permitáis tenderme a vuestro lado esta noche...».

–¡Entonces sí era una historia de amor! –exclamó de pronto Belicia, arrancando una carcajada de la concurrencia. Pero se calló enseguida, cuando Oki la fulminó con la mirada. Había olvidado algo muy importante acerca del gran juglar: detestaba que lo interrumpieran.

–«... si os pido que me permitáis tenderme a vuestro lado esta noche –continuó Oki cuando las risas se apagaron–, porque hace mucho frío y mis pobres huesos me duelen mucho». El viajero iba a negarse, pero de nuevo se sintió conmovido. «Haz lo que quieras, mujer», dijo; se envolvió en su capa y se echó junto al fuego. Pronto sintió que la vieja se acurrucaba a su espalda; oía su dificultosa respiración, sentía sus cabellos haciéndole cosquillas en la nuca y hasta podía oler su aliento putrefacto. Sin embargo, no dijo nada. Cerró los ojos con fuerza, se arrebujó todavía más en su manto y trató de dormir. Le resultó difícil, porque la mujer no dejó en toda la noche de roncar, toser y lanzar ventosidades. Pero nuestro fatigado caminante no tuvo valor para echarla de su lado, pues la noche era en verdad muy fría. Por fin, se durmió cuando faltaban ya pocas horas para el amanecer.

»Cuando se despertó, cansado y entumecido, no vio a la vieja por ningún sitio. Desconcertado, recogió sus cosas y fue a asearse al arroyo. Y cuál no sería su sorpresa cuando, al asomarse al agua, vio en su reflejo el rostro de una joven extraordinariamente bella que le sonreía alentadoramente. «¿Quién sois vos, hermosa doncella, y qué hacéis dentro del agua? ¿Sois acaso una visión o un delirio de mi extenuada mente?». «Soy», respondió ella, «la vieja a la que tan amablemente disteis cobijo anoche».

Los comensales no pudieron reprimir exclamaciones de sorpresa. Viana, en cambio, había anticipado aquel desenlace. Su madre le había relatado muchos cuentos populares cuando era niña, y en algunos de ellos los seres mágicos se presentaban ante el héroe bajo apariencia humilde para probar la bondad de su corazón. «Ahora le ofrecerá un premio por su compasión», se dijo.

–El caminante no podía creer las palabras de aquella hermosa mujer –continuó Oki–. «Pero ¿cómo es posible que hayáis cambiado tanto de la noche a la mañana?», le preguntó. Ella rio, como ríe el arroyo cuando baja desde las altas montañas. «Porque las cosas no son nunca lo que parecen, mi buen amigo. Especialmente aquellas que surgen del corazón de este bosque. Y puesto que habéis probado ser bueno y fiel a vuestra palabra, os otorgaré un don que os ayudará a libraros de esos enemigos que os persiguen». El viajero pensó que, sin duda, una dama capaz de cambiar de aspecto de forma tan sorprendente debía de tener maneras de saber aquello que él no le había contado. Tal vez fuera un hada o una hechicera. Tal posibilidad lo inquietó; pero se sentía tan cautivado por sus hermosos ojos verdes que no expresó ningún temor. «¿Cómo podrá ser eso, mi señora?», quiso saber. Los ojos de ella se oscurecieron un poco y su expresión se tornó grave, pues estaba a punto de desvelar uno de los secretos mejor guardados del Gran Bosque. «Debéis ser valiente», le dijo, «y viajar al corazón de este bosque, hasta el lugar donde los árboles cantan, donde ningún ser humano ha llegado jamás. Allí encontraréis el legendario manantial de la eterna juventud. Si bebéis de sus aguas, seréis invulnerable para siempre». El viajero se sentía maravillado, pero al mismo tiempo un tanto escéptico. «¿Cómo sé que es cierto lo que me contáis, mi dama? Vos misma habéis afirmado que se trata de una leyenda». Pero ella solo respondió: «Tened fe, mi buen amigo, y recordad que las cosas no son siempre lo que aparentan». Y, con estas palabras, desapareció.

Oki calló de pronto. Su público aguardó un instante, pero, como él no continuó hablando, el rey preguntó:

–¿Y ya está? ¿Es ese el final de la historia?

–¿Qué sucedió con el viajero? –quiso saber el príncipe Beriac–. ¿Encontró el manantial de la eterna juventud?

Oki le dedicó una mueca que podría haber sido una sonrisa.

–Eso lo ignoramos, alteza –respondió–, porque nadie ha seguido sus pasos desde entonces. Dice el cuento que sus enemigos no lograron darle caza jamás, pero no aclara si fue porque se había vuelto invulnerable o si, por el contrario, se debió a que no salió vivo del Gran Bosque.

—Entonces —se atrevió a preguntar Viana con timidez—, ¿la dama lo engañó para que siguiera un camino equivocado?

Los ojillos de Oki contemplaron a la muchacha con aprobación.

—Tal vez —admitió—, pues es bien sabido que uno no debe fiarse de los regalos envenenados de las hadas.

El rey gruñó algo y se removió en su asiento, incómodo. Parecía claro que el final del relato lo había decepcionado. Sin embargo, ni siquiera él osó cuestionar al gran Oki; cabeceó, conforme, y elogió su actuación con una salva de aplausos. El resto de los comensales lo imitaron, y el juglar lo agradeció con una reverencia.

—Siéntate a compartir nuestra mesa, Oki —lo invitó el rey, como hacía todos los años.

Y, también como todos los años, Oki declinó la propuesta.

—Me siento muy honrado por vuestra majestad, pero, si no es molestia, preferiría comer con la servidumbre.

El rey no se ofendió. Antes que él, su padre había hecho el mismo ofrecimiento y recibido idéntica respuesta año tras año. De hecho, si algún día Oki aceptaba la invitación, él mismo sería el primer sorprendido.

—Retírate, pues, con nuestro beneplácito —dijo—, y que se te sirva en las cocinas todo aquello que precises para saciar tu apetito, porque hoy, amigo Oki, te lo has ganado.

También esta era una fórmula ritual, pero Viana intuyó que el rey no la pronunciaba de corazón; al menos, no aquella noche.

Oki volvió a inclinarse ante los nobles y abandonó la sala entre los vítores de los comensales. Viana pensó, con pena, que no volverían a verlo hasta el año siguiente.

Cuando el sonido de las campanillas del juglar se apagó, el rey dio una palmada sobre la mesa.

—Y ahora —anunció—, continuaremos con el banquete. ¡Que suene la música!

—No —interrumpió una voz áspera desde la entrada—. Que no suene. No aquí. No hoy.

Todos los comensales se volvieron, atónitos, hacia la puerta, por la que entraba un hombre de rasgos duros y afilados, cabellos negros, que ya plateaban en las sienes, y mirada de halcón. Viana lo observó con sorpresa, preguntándose quién sería, ya que no recordaba haberlo visto nunca en la corte, y se estremeció al descubrir que le faltaba una oreja; un recuerdo, quizá, de alguna de las muchas batallas que parecía haber librado. Su porte era noble y orgulloso, pero vestía desgastadas ropas de cuero, más propias de un cazador o de un montaraz. Llevaba una espada al costado, pero también un arco y un carcaj al hombro.

—¡Lobo! —aulló el rey Radis, furioso—. ¡Cómo te atreves a interrumpir de esta manera la celebración del solsticio!

Viana miró a Robian, pero este estaba pendiente del recién llegado, igual que el resto de los invitados.

—He oído hablar de él —le susurró Belicia al oído—. Posee una tierra yerma al pie de las Montañas Blancas y vive en un torreón que parece un nido de cuervos. En realidad, dicen que fue un cuervo el que le arrancó la oreja izquierda de un picotazo.

–¿Y por qué vive allí? –quiso saber Viana.

Belicia no tuvo tiempo de responder, ya que Lobo, que no parecía en absoluto afectado por la cólera del monarca, declaró con gravedad:

–Mi rey, no es tiempo de celebraciones. Vengo de las fronteras septentrionales del reino, de más allá de las Montañas Blancas, y no traigo buenas noticias: los pueblos bárbaros han vuelto a unirse.

La sala se llenó entonces de murmullos de consternación. Viana palideció; no sabía gran cosa acerca de los clanes bárbaros, puesto que ella aún no había nacido cuando la última guerra los expulsó definitivamente de Nortia, pero sí estaba al tanto de que habían sido los más temibles enemigos del reino en muchas generaciones.

–Que se unan, si es lo que quieren –declaró Radis con orgullo–. Volveremos a derrotarlos y a echarlos de aquí como a perros, igual que hicimos antaño. Ese no es motivo para estropear la fiesta, Lobo.

El hombre llamado Lobo esbozó una media sonrisa llena de amargura.

–No os dejéis confundir por los ecos de la gloria de antaño, mi señor. Esta vez es diferente. Tienen un nuevo caudillo, uno que se llama a sí mismo «rey» y que, según dicen, jamás ha perdido una batalla. De las heladas estepas acuden más y más clanes a unirse a él, y han conformado una fuerza poderosa y temible. Afirman los rumores, además, que su nuevo señor no tiene intención de detenerse aquí; ha prometido a su gente que, cuando haya conquistado vuestro reino, seguirá hacia el sur, más allá del Piedrafría, para someter bajo su yugo a las tierras meridionales. Resuenan ya los tambores de guerra en las estribaciones de las Montañas Blancas; si aguzáis el oído, majestad, incluso podréis escucharlos desde aquí.

Los hombres del rey expresaron su opinión al respecto en un caos de juramentos, exclamaciones de ira e insultos hacia los bárbaros. Pero fue la voz de la reina la que se alzó por encima de las demás:

–¡Caballeros, que hay damas presentes!

Ellos refrenaron su lengua, pero sus ánimos no estaban ni mucho menos calmados.

–¡No podemos permitir que los bárbaros vuelvan a cruzar las montañas!

–¡Y no lo haremos, por el honor de Nortia!

–¡Por el honor de Nortia! –bramaron todos.

Viana se había encogido en su asiento. También Robian había participado en aquel juramento, tan resuelto a luchar como cualquiera de los guerreros del rey. Un oscuro temor empezó a formarse en el fondo de su corazón, pero, antes de que pudiera manifestarlo de alguna manera, el rey lo hizo por ella:

–Está decidido, pues –declaró–. Señores, cuando terminen las celebraciones del solsticio, todos y cada uno de los caballeros a mi servicio regresarán a sus tierras y reclutarán a su gente, y formaremos un ejército que plantará cara a los bárbaros cuando llegue la primavera.

Los nobles rugieron mostrando su acuerdo; Viana, sin embargo, no podía dejar de pensar en sus planes de boda, y en si se verían alterados de alguna forma. Notó entonces la mano de Belicia sobre su brazo.

—Lo siento mucho —susurró su amiga, y Viana comprendió que no se casaría con Robian en primavera... porque él acababa de ser armado caballero y tendría que partir a la guerra junto a su padre, como todos los nobles que habían jurado fidelidad al rey de Nortia.

—Pero... —empezó.

Sin embargo, no pudo terminar la frase, porque la voz de aquel hombre al que habían llamado Lobo retumbó en la sala:

—¡En primavera será demasiado tarde! ¡No hay tiempo para los preparativos, ni tampoco para las celebraciones! ¡Debemos ponernos en marcha ya, y tal vez los frenemos antes de que crucen las montañas!

Algunos de los caballeros se burlaron de su pretensión. Viana miró a su padre de reojo y descubrió que él, al contrario que los demás, mostraba una expresión grave.

—¿Acaso no sabes qué día es hoy, Lobo? —exclamó el padre de Robian, y varios nobles se rieron a mandíbula batiente ante algo que les resultaba obvio—. Pronto caerán las primeras nieves, y es bien sabido que el invierno no es tiempo de guerra.

—¡Poco les importan las nieves a los bárbaros, Landan de Castelmar! —replicó Lobo con un gruñido—. Viven en las tierras de los hielos perpetuos. El invierno no los detendrá.

–Jamás podrán cruzar las Montañas Blancas en esta época del año –concluyó el rey Radis con rotundidad–. No seas pájaro de mal agüero, Lobo, y regresa a tu torreón. Sabes que no estás invitado a las celebraciones del solsticio, pero, ya que te has tomado la molestia de venir hasta aquí, quédate si quieres a cenar antes de emprender el viaje de vuelta. Verás pasar a nuestro ejército camino del norte en primavera, y entonces reconocerás que tus temores eran infundados y te arrepentirás de haber estropeado la fiesta esta noche.

Lobo sacudió la cabeza.

–Lo lamentarás, Radis –masculló–. Lo lamentarás.

Viana se quedó asombrada ante su insolencia. ¿Cómo osaba tutear a su soberano? El rey, sin embargo, apretó la mandíbula, pero no dijo nada. El resto de los nobles contemplaron a Lobo con expresión sombría mientras este daba media vuelta y abandonaba la sala, rezongando entre dientes.

–¿Entiendes ahora por qué vive tan lejos de la corte? –dijo Belicia cuando Lobo se hubo marchado–. Es evidente que está loco.

Viana tuvo lástima de él, y al mismo tiempo se sintió inquieta. ¿Y si tenía razón? ¿Y si en primavera ya era demasiado tarde para frenar a los bárbaros? Trató de apartar aquellos pensamientos oscuros de su mente. Quizá los rumores de los que hablaba Lobo no fueran otra cosa que rumores, y tal vez no hiciera falta que los caballeros del rey partieran a la guerra en primavera. Y, en cualquier caso, nada aseguraba que Robian tuviera que marcharse también.

Enseguida volvió a sonar la música, y los sirvientes comenzaron a sacar más platos a la mesa. Sin embargo, a la hora del baile, la muchacha vio que su prometido estaba más serio de lo habitual. Se sentaron juntos durante uno de los descansos, y Viana le preguntó sobre la guerra contra los bárbaros.

–¿Tendrás que ir a luchar?

El joven afirmó con la cabeza.

–Ahora soy un caballero del rey, Viana. Le he jurado fidelidad, y mi espada debe servirle allí donde él la requiera.

Viana tragó saliva. Robian sonrió al ver su expresión abatida.

–Pero no sufras por mí –prosiguió–. Hemos derrotado a los bárbaros en otras ocasiones, y lo haremos de nuevo ahora. Mira cuántos guerreros tiene Nortia, entre soldados y caballeros. Somos mejores; poseemos buenas armas y hemos sido entrenados en la lucha desde niños. Cuando nos reunimos, formamos un ejército poderoso y bien organizado. Nada pueden hacer contra nosotros esos salvajes.

Viana sonrió también, alentada por su confianza. Robian le tendió de nuevo la mano para sacarla a bailar la siguiente pieza.

Y Viana bailó y bailó, olvidando los cuentos de Oki sobre el Gran Bosque y las historias de Lobo acerca de la amenaza que procedía del norte.

Pero aquella noche, alojada en una habitación del ala de invitados del castillo, soñó con bárbaros aullantes y viejas hechiceras. Al despertarse sintió frío, y al mirar a través de la ventana descubrió que había nevado sobre Normont.

Vio volar un cuervo negro sobre las montañas y se estremeció, porque le parecía que se trataba de un mal presagio.

Capítulo II

n el que se relata
la invasión de Nortia
por los bárbaros,
el llamamiento
de Viana a la corte
y lo que sucedió después.

LA FIESTA DEL SOLSTICIO ACABÓ y todos los nobles se dispusieron a regresar a sus tierras. Viana lo hizo con el ánimo triste; tardaría mucho en ver de nuevo a Belicia y a Robian y, además, cuando llegaran a casa, su padre debería reunir a todos sus soldados y guerreros para unirse en primavera al ejército del rey. Viana intentó sonsacarle información durante el viaje de vuelta, pero el duque Corven respondió con evasivas. Su actitud inquietó a la joven todavía más. Parecía sumido en profundas reflexiones, y su rostro era la viva imagen de la preocupación. ¿Habría tomado en serio las advertencias de Lobo?

El invierno llegó para quedarse en el dominio de Rocagrís, y fue especialmente duro y frío. Viana languidecía junto a la ventana, bordando las prendas de su ajuar y arrancando notas melancólicas a su laúd. No podía hacer otra cosa que esperar. Robian le había prometido que iría a verla antes de que llegara la primavera, pero la muchacha tenía un oscuro presentimiento al respecto, y temía que aquella visita no llegara a producirse. Su padre había cumplido el mandato del rey y estaba sometiendo a sus guerreros a un duro entrenamiento con la intención de prepararlos para la contienda que se avecinaba. Los ominosos presagios de Lobo parecían haber ensombrecido el ánimo de todos.

Por fin, cuando el invierno estaba ya en pleno apogeo, llegó a Rocagrís un mensajero del rey. Había galopado a toda prisa por los caminos helados, pese al riesgo que ello suponía para él y para su montura, porque tenía noticias urgentes que comunicar. Y no eran buenas nuevas.

Los bárbaros, dijo, habían atravesado las montañas. Los pasos estaban bloqueados por la nieve, pero ellos se las habían arreglado para cruzarlas contra todo pronóstico, y habían arrasado ya las tierras que se extendían a sus pies. Tomados por sorpresa, los soldados de los puestos fronterizos no habían sido capaces de detenerlos.

El duque Corven asintió, como si hubiera esperado aquella noticia. Sin apenas pronunciar palabra, lo dispuso todo para la partida.

Viana asistió a los preparativos con el corazón en un puño. Cuando su padre y sus guerreros se marcharan, el castillo quedaría protegido solo por un pequeño destacamento de guardia que estaría a sus órdenes. La muchacha sabía que era así como se hacían las cosas: los hombres se iban a la guerra y las damas ejercían como señoras del dominio en su ausencia. Pero ella había crecido en tiempos de paz, y sería la primera vez que se quedara allí sola. Notó la mano tranquilizadora de Dorea en su hombro y se sintió algo mejor. Dorea, que había sido su nodriza y que después se había convertido casi en una segunda madre para ella, estaría a su lado y la acompañaría hasta el regreso del duque.

Las dos acudieron al patio para despedir a los caballeros. Viana era vagamente consciente de que quizá aquella era la última vez que veía a su padre, pero trataba de no pensar demasiado en ello. Los bárbaros habían invadido Nortia, sí, pero, como Robian afirmaba, el ejército del rey Radis era muy superior.

Robian... También él iría a la guerra. Era joven y fuerte, y un diestro guerrero, pero carecía de experiencia. A menudo, desde la noche del solsticio, Viana había tenido pesadillas acerca de enormes y fieros bárbaros, peludos como bestias, que mataban a su padre en la batalla; otras veces, el muerto era su prometido, y en ocasiones caían los dos. Pero ahora, a punto de despedirse del duque, todo aquello se le antojaba lejano, casi irreal, tan impalpable como la niebla que se había alzado desde el arroyo aquella mañana. Los hombres irían a la guerra, lucharían y regresarían triunfantes. No podía ser de otro modo; Viana se aferraba a aquella esperanza.

El duque Corven se inclinó para besar la frente de su hija.

–Sé fuerte, Viana –dijo–. Estoy seguro de que sabrás cuidar bien del castillo. Si todo va bien, estaremos de vuelta antes de que llegue la primavera.

–Si todo va bien... –repitió Viana con un susurro.

El duque la contempló un instante.

–Regresaremos –afirmó–. Te lo prometo.

Viana sospechaba que un guerrero no debía hacer nunca tales promesas, pero no se lo dijo. Se limitó a asentir sin una palabra.

Cuando el duque ya echaba un pie al estribo de su caballo, Viana lo detuvo un momento:

–Espera, padre. Por favor, dile a Robian... –le falló la voz.

Pero él entendió sin necesidad de más palabras.

–No te preocupes, Viana. Él ya lo sabe.

La joven asintió de nuevo.

Por fin, el duque Corven y sus hombres se pusieron en marcha. Viana se quedó mirando cómo se alejaban hasta que desaparecieron por un recodo del camino, envueltos en una nube de barro y escarcha. Entonces suspiró, sacudió la cabeza y dio media vuelta para regresar al castillo.

Dorea la acompañaba. La tomó del brazo en señal de consuelo, pero no la tranquilizó asegurándole que volverían, porque sabía lo que era una guerra y, a diferencia del duque, pensaba que no tenía sentido crearle falsas esperanzas.

Tras la partida de los guerreros, Rocagrís quedó silencioso y frío. Viana se dedicó a ejercer su labor como señora del castillo, esperando noticias de la guerra y deseando que tanto Robian como su padre estuviesen bien. No se atrevía a conjeturar cómo debía de ser el campo de batalla, y cuando lo hacía, lo imaginaba similar a las justas, pero con algo más de sangre; así de ingenua era su visión del asunto.

De este modo pasaban los días, deslizándose lenta y perezosamente, como las aguas del río que regaba las tierras del duque Corven; hasta que por fin llegó un mensajero al castillo de Rocagrís. Llevaba varios días sin dormir, porque no pensaba detenerse hasta haber alertado del peligro en todos los rincones de Nortia. Su pobre caballo murió de agotamiento sobre el portón levadizo antes de poder alcanzar el establo.

Viana atendió al recién llegado lo mejor que pudo, pero él se detuvo solo para tomar un trago de agua y una escudilla de estofado, y en el tiempo en que tardaban en ensillarle un caballo de los establos, les contó las terribles noticias.

El ejército del rey había caído. Tanto él como el príncipe Beriac habían muerto en la batalla. Los bárbaros habían llegado hasta el corazón del reino, dejando tras de sí un reguero de terror y destrucción, y habían ocupado Normont y el castillo real. Su líder, un hombre llamado Harak, se había proclamado nuevo rey de Nortia.

Viana lo escuchó horrorizada.

–¡Pero no es posible! –pudo decir al fin–. ¡El ejército del rey es invencible!

El visitante esbozó una sonrisa cansada.

–No, mi señora, ya veis que no. Huid ahora que aún podéis. Escapad de aquí antes de que sea demasiado tarde. Yo debo proseguir mi camino.

–¡Espera! –lo detuvo Viana–. ¿Qué hay de mi padre? ¿Y de Robian, el hijo del duque Landan de Castelmar?

Pero el mensajero no supo decirle nada.

Cuando abandonó el castillo, Viana se sintió tan débil que tuvo que apoyarse en Dorea para no caer al suelo.

–No puede ser... –murmuró–. Los bárbaros...

–Niña, debéis marcharos –dijo Dorea–. Haced caso del consejo que os han dado y escapad lejos de aquí, donde esos bárbaros no puedan encontraros.

Pero Viana tragó saliva y negó con la cabeza.

—No, Dorea —dijo—. Le prometí a mi padre que cuidaría del castillo en su ausencia, y eso voy a hacer. Además, no sabemos si él o Robian están vivos. He de quedarme aquí por si regresan.

Dorea no dijo nada. Sin embargo, en los días siguientes trató de convencer a Viana de que no debía esperar al duque; él preferiría, sin duda, verla a salvo de aquellos salvajes. Pero Viana se mantuvo en su decisión; además, era demasiado ingenua e inocente como para sospechar que pudiesen hacerle nada malo. Oh, claro que conocía las historias de muchachas forzadas por los guerreros victoriosos que invadían un nuevo territorio, pero siempre había creído que aquellas cosas les pasaban a las campesinas; que los bárbaros la respetarían porque hasta ellos sabrían reconocer que ella, como mujer noble que era, merecía un destino mejor.

Y, en cierto modo, no se equivocaba.

Cinco días después, dos hombres se presentaron ante las puertas del castillo.

No eran oriundos de Nortia. Lucían largas cabelleras, eran anchos y fornidos y vestían ropajes de cuero y bastas pieles. No parecían tan simiescos como los había imaginado Viana en sus sueños; en realidad, presentaban un gesto serio y solemne que, de alguna manera, incluso ennoblecía un poco la rudeza de su aspecto. No bramaban enloquecidos, echando espuma por la boca, ni trataron de derribar el portón con sus hachas. Por el contrario, se detuvieron ante la muralla y uno de ellos proclamó:

−¡El rey Harak saluda a la señora del castillo y requiere su presencia en Normont en un plazo de tres días desde hoy!

Hablaba el idioma de Nortia, aunque con un fuerte acento gutural que delataba su procedencia extranjera. Viana, que había estado atisbando junto a la ventana, sin asomarse del todo, sintió la necesidad de responder. Salió al balcón antes de que Dorea pudiera detenerla y observó desde allí a los bárbaros con detenimiento. El portavoz lucía un largo bigote y llevaba el pelo recogido en una trenza. El otro era un poco más alto, y su rostro quedaba ensombrecido por una hirsuta melena y una barba que le confería cierto aspecto feroz.

El del bigote la saludó con un gesto que pretendía ser galante, pero que carecía de la gracia y desenvoltura que exhibía hasta el más torpe de los caballeros de Nortia. Sin embargo, Viana apreció el esfuerzo, sobre todo teniendo en cuenta que el segundo bárbaro permanecía apartado, encerrado en un silencio hosco.

−¿Sois vos la hija del señor de estas tierras, o acaso su esposa? −quiso saber el emisario.

−¿Dónde está mi padre? −preguntó Viana a su vez; calló enseguida al darse cuenta de que había revelado información importante sin darse cuenta.

−No lo sé, señora; no conozco el destino de todos los hombres de Radis que pelearon contra nosotros. Acudid a la corte, tal y como mi rey ha ordenado, y allí saldréis de dudas.

Viana apretó los dientes.

−¿Para qué desea verme tu señor? −preguntó.

49

–Como nuevo rey de Nortia, es natural que desee conocer a sus súbditos. Ha enviado emisarios a todos los señoríos y ha convocado a todos los nobles y a sus herederos para reorganizar sus tierras.

A Viana no le gustó esto último.

–¿Y si no atiendo a su petición?

El bárbaro se encogió de hombros.

–No es una petición, señora; es una orden. Si la ignoráis, se considerará que os habéis rebelado contra la voluntad de vuestro rey, y él enviará a sus guerreros para tomar este castillo a la fuerza.

Viana calló de nuevo, tratando de fingir que su amenaza no la había afectado. No sabía qué responder. ¿Debía acudir a la corte como había ordenado aquel caudillo bárbaro que se hacía llamar «el nuevo rey de Nortia»? ¿O, por el contrario, se esperaba de ella que mostrase resistencia y se negara a obedecer al usurpador?

–Tenéis hasta el amanecer para decidiros –dijo el bárbaro, adivinando su vacilación–. Entonces volveremos para recibir vuestra respuesta. Si obedecéis al requerimiento del rey Harak, os escoltaremos hasta Normont y nos aseguraremos de que lleguéis sana y salva. Por tanto, no necesitaréis acompañamiento alguno. Tales son las instrucciones de nuestro señor.

Viana asintió en silencio. Los bárbaros se despidieron con una inclinación de cabeza, volvieron grupas y se alejaron por el camino. El corazón de la joven continuó latiendo con fuerza hasta mucho después de que ellos hubiesen desaparecido tras el recodo.

–¿Qué debo hacer? –susurró.

–¡Debéis escapar de aquí, mi señora! –la apremió Dorea, pálida como un fantasma–. Esos dos bárbaros no podrán tomar el castillo ellos solos. ¡Todavía estáis a tiempo de marcharos antes de que lleguen los demás!

–¿Y entregarles Rocagrís ? –Viana sacudió la cabeza–. No puedo; debo luchar por conservar el patrimonio de mi familia hasta que mi padre regrese.

–¿Y si no regresa, niña? –murmuró su nodriza.

Viana tragó saliva.

–Entonces, yo soy la heredera, y con mayor motivo debo defender nuestras tierras. Pero quizá... –dudó un momento antes de proseguir–, quizá debería acudir a la corte para averiguar si mi padre...

–¡No, no, mi señora, eso nunca! ¡Os pondréis en manos de los bárbaros!

–Para ser bárbaros me han parecido bastante... corteses y comedidos –respondió ella–. No tengo otra opción, Dorea. Si huyo, los bárbaros se apoderarán del dominio de mi padre sin necesidad de presentar batalla. Y si no acudo al llamamiento de ese Harak, me considerarán rebelde, atacarán el castillo... y yo no podré defenderlo. Quién sabe... quizá... quizá en la corte pueda descubrir cuál es mi situación actual. Tal vez me permitan quedarme con mi propiedad... hasta que mi padre regrese... o si no regresa.

Dorea se mordió los labios, inquieta, pero no dijo nada.

–Si el rey Radis ha muerto, y también el príncipe Beriac –prosiguió Viana–, ¿qué habrá sido de la reina? ¿Y del príncipe Elim?

–Mi señora, el príncipe Elim es demasiado joven para ejercer como rey de Nortia y, sin embargo, es el heredero –musitó Dorea–. Cualquiera que quiera ceñirse la corona deberá pasar por encima de él. Y no es tan difícil: solo tiene siete años.

Viana tardó un poco en asimilar lo que ella estaba insinuando.

–¿Quieres decir... que tal vez lo hayan...?

Dorea no respondió, pero sacudió la cabeza con pesar.

Viana no durmió aquella noche. No dejó de dar vueltas en la cama preguntándose qué debía hacer. Una parte de ella deseaba seguir el consejo de su nodriza y escapar lejos, donde los bárbaros no pudieran encontrarla. Pero eso supondría abandonar el señorío a su suerte y, por otro lado, necesitaba saber que su padre y Robian estaban bien.

Fue el deseo de salir de dudas, de descubrir qué había sido de sus seres queridos, lo que la hizo levantarse bien entrada la madrugada, pálida y con profundas ojeras, decidida a acudir al llamamiento de Harak, el bárbaro. Dorea ahogó un gemido de consternación cuando Viana le pidió que la ayudara a preparar el equipaje, pero no dijo nada.

–Hay algo que debo hacer antes de marcharme –recordó la muchacha.

Rebuscó en el fondo de su arcón y extrajo de él un estuche forrado de terciopelo negro.

–Las joyas de vuestra madre –susurró Dorea al reconocerlo.

Viana lo abrió. En su interior había diversas alhajas, pendientes y gargantillas que relucían bajo la luz de las velas. No eran gran cosa, comparadas con la riqueza de algunas damas de la corte, pero habían pasado de madres a hijas, de generación en generación, dentro de la familia de Viana, y tenían un gran valor histórico y sentimental para ella.

—No puedo dejarlas aquí —dijo Viana—, por si atacan Rocagrís mientras estamos fuera. Pero tampoco las llevaré conmigo a una corte llena de bárbaros. ¿Qué puedo hacer?

Dorea contempló las joyas, pensativa. Después corrió hacia la cama de Viana y la desplazó un par de pasos hacia un lado. La muchacha la observó desconcertada.

—Mirad, mi señora —dijo entonces la buena mujer—, aquí hay una losa suelta. La vi hace tiempo mientras limpiaba. Podemos ocultar las joyas debajo.

Viana se arrodilló sobre el suelo de piedra. A continuación, ella y Dorea retiraron la losa, no sin dificultad, y descubrieron un hueco lo bastante amplio como para esconder el estuche. Cuando volvieron a colocar la piedra en su sitio, apenas sobresalía un poco.

—Aquí estará bien hasta que regresemos —dijo Viana satisfecha.

Pero no había tiempo que perder, porque, en cuanto el sol empezó a despuntar por el horizonte, los dos emisarios del nuevo rey de Nortia se plantaron otra vez ante el puente levadizo.

—¡Señora del castillo! —llamó el portavoz—. Hemos regresado para que nos hagáis saber cuál es vuestra decisión.

Viana no se asomó al balcón esta vez. En lugar de eso, y por toda respuesta, mandó bajar el portón. Las monturas

53

ya estaban ensilladas para entonces: su palafrén blanco y dos mulas, una que cargaba con el equipaje y otra que llevaría a Dorea sobre su lomo.

Cuando el bárbaro vio salir a las dos mujeres, asintió sin una palabra. Sin embargo, su huraño compañero, que no había hablado hasta entonces, despegó los labios para señalar a Dorea y preguntar, con un gruñido, algo que ninguna de las dos entendió. El otro le respondió en el mismo idioma, una lengua brusca y áspera; ambos discutieron unos instantes hasta que el segundo hombre sacudió la cabeza y no replicó más. El más cortés se volvió de nuevo hacia ellas.

–En marcha, pues –dijo–; si nos damos prisa, llegaremos a la ciudad mañana al atardecer.

Viana se dio cuenta entonces de que eso significaba que tendrían que hacer noche por el camino. No se había detenido a pensar en que estarían solas, a merced de aquellos dos hombres. Titubeó un instante; pero ya era tarde para volverse atrás, de manera que espoleó a su caballo y cruzó la puerta. Dorea la siguió.

Antes de alejarse, sin embargo, Viana volvió la cabeza para mirar a los sirvientes, que se habían reunido en el patio para verlas partir. Había dejado instrucciones para que cuidaran de la propiedad mientras ella estaba fuera, y también los guardias tenían orden de defender Rocagrís con sus propias vidas; pero todos sabían que, a menos que el duque y sus caballeros regresaran a casa, poco podrían hacer si los bárbaros decidían atacarlos. Viana contempló sus semblantes, inquietos y consternados, y les sonrió, tratando de infundirles un valor que ella misma estaba lejos de sentir.

–Volveré –les aseguró.

Y, respirando hondo, siguió a sus escoltas por el camino.

No sabía que tardaría mucho tiempo en poder cumplir aquella promesa.

El viaje hasta Normont se les hizo interminable. Las dos estaban muy nerviosas, pese a que los dos bárbaros no les dieron motivo de preocupación. Las trataron con respeto y la mayor parte del tiempo se limitaron a ignorarlas.

Llevaban un buen ritmo; no se detuvieron a descansar ni un solo momento, ni siquiera a la hora del almuerzo; los bárbaros les entregaron un pedazo de carne en salazón, un mendrugo de pan y un pellejo lleno de una cerveza fuerte y turbia. Viana apenas probó nada, porque todo le producía arcadas. Uno de sus escoltas, el más callado, le dirigió una mirada de desdén, pero el otro le dedicó una media sonrisa.

–Tendréis ocasión de descansar y de tomar una cena más abundante en el castillo de Normont, señora –le dijo.

Viana no respondió, aunque reprimió un suspiro de desaliento, porque no llegarían a la ciudad hasta el día siguiente. ¿Las obligarían a marchar también durante la noche? Se estremeció solo de pensarlo. Aunque quizá aquello fuera mejor que tener que pernoctar con los bárbaros. Llevaban poco equipaje. ¿Habrían cargado solamente una tienda? ¿Tendrían que dormir todos juntos? ¿Y si...? Viana no se atrevía a preguntar, pero tampoco osaba seguir imaginando el resto.

De pronto, al girar un recodo, uno de los bárbaros se detuvo de golpe y ordenó a los demás que hicieran lo mismo.

–¿Qué...? –empezó Viana, pero el otro hombre la mandó callar con un gesto brusco.

Ella obedeció, con el corazón en un puño, mientras los bárbaros escudriñaban el bosque a su alrededor con la atención de dos perros de presa al acecho.

Entonces, súbitamente, un grito rasgó el silencio:

–¡Por Rocagrís!

–¡Por Rocagrís! –corearon varias voces más.

Y de entre los árboles surgió un grupo de hombres armados que atacaron a los bárbaros con fiereza y decisión. Viana se asustó al principio, hasta que los reconoció: eran algunos de los guardias del castillo. Leales hasta el final, habían acatado la decisión de su señora de acompañar a los invasores hasta la corte, pero después no habían soportado la idea de abandonarla en sus manos y habían acudido al rescate. Eran al menos una docena; sin duda acabarían con sus enemigos y la llevarían de vuelta a casa.

Acercó su montura a la de Dorea, temblando, y ambas se apartaron un poco de los hombres que peleaban. Pero, si Viana esperaba un rescate rápido y limpio, como los que había leído en algunas de sus novelas predilectas, sufrió una decepción.

Porque resultó que, pese a su superioridad numérica, los nortianos estaban perdiendo. Los bárbaros, implacables y feroces, habían desenfundado sus armas, y en comparación con ellas, las de los guardias de Rocagrís parecían de juguete. Sus movimientos, seguros y contundentes, cercenaban miembros y hacían brotar profusos chorros de sangre de los cuerpos de sus contrarios. Antes de que Viana pudiese asimilar lo que estaba sucediendo, los cadáveres de sus hombres yacían en el suelo, como muñecos rotos y ensangrentados.

Viana gritó, horrorizada. Jamás había presenciado una escena semejante, tan violenta y brutal. Dorea trató de sujetarla, pero ella siguió chillando, histérica, como si así pudiese despertar de aquella pesadilla, sin apartar los ojos de los cuerpos de aquellos hombres buenos y leales.

Los bárbaros limpiaron sus armas y las guardaron con indiferencia, como si participar en una carnicería de aquel calibre fuese algo que hiciesen todos los días. El de la barba le gritó algo a Viana, pero ella apenas lo escuchó.

—Mujer, haz callar a tu señora —le dijo el otro a Dorea—. Hemos de seguir adelante.

Viana dejó de gritar, pero estalló en sollozos. Su nodriza la consoló como pudo y consiguió que la muchacha apartara la vista de aquella macabra escena.

—Vamos, niña —susurró Dorea—. Ya no podemos hacer nada por ellos.

Viana enterró la cara entre las manos mientras los bárbaros arrastraban los cuerpos a ambos lados del camino. Después, los dos hombres las obligaron a proseguir la marcha. La joven aún temblaba cuando dejaron atrás el recodo donde había tenido lugar la pelea.

Apenas fue consciente del paso de las horas. Se sentía como si flotase en medio de un extraño y horrible sueño. En algún momento, se repetía a sí misma una y otra vez, tendría que despertar; mientras tanto, se limitaba a dejarse llevar, como una sonámbula, hacia un destino incierto.

Finalmente, cuando se puso el sol y la muchacha estaba ya tan cansada que casi no podía mantenerse sobre la silla, los bárbaros se detuvieron. Viana volvió a la realidad cuando la ayudaron a desmontar, y se esforzó por mantenerse alerta. Encendieron una hoguera en un claro no lejos del camino; la joven confirmó que no llevaban ninguna tienda cuando les dieron un par de mantas ásperas y les recomendaron que se acomodaran en el suelo como buenamente pudiesen. Uno de los hombres se alejó y regresó al cabo de un rato con una perdiz y un conejo, que asaron al fuego. Viana tenía tanta hambre que empezó a devorar su parte, sin preocuparse por mantener los modales que le habían enseñado. Pero entonces, de pronto, se acordó de los guardias muertos y ya no pudo comer más. Sintió que el estómago se le cerraba y que la sola visión de la carne le producía arcadas.

—Descansad, señoras —les aconsejó el bárbaro cuando las dos mujeres se envolvieron en las mantas con cierto reparo—. Mañana será un día muy largo.

A pesar de que se sentía agotada, Viana tardó mucho en conciliar el sueño. Uno de sus escoltas dormía profundamente, pero el otro, el más adusto, se mantenía sentado junto a la hoguera, vigilando, y las llamas arrancaban reflejos siniestros de sus ojos acerados. Dorea se había echado muy cerca de ella y también estaba alerta, asegurándose de que los dos hombres mantenían las distancias.

Por fin, Viana se durmió, y el suyo fue un sueño incómodo y plagado de pesadillas.

Se despertó de golpe cuando sintió que alguien le tocaba el hombro. Dio un respingo y retrocedió con un grito de alarma. Pero solo se encontró con la sonrisa burlona del guerrero de la barba negra, que se limitó a decirle algo en su lengua incomprensible mientras señalaba el cielo, donde se veían ya las primeras luces del alba.

Viana entendió que era hora de partir y se levantó, todavía temblando. Cuando el bárbaro no miraba, se aseguró de que toda su ropa seguía en su sitio, reprochándose a sí misma el haberse rendido al sueño.

–Todo está en orden, niña –le susurró Dorea.

Ella se relajó un tanto, aunque se sintió todavía más culpable por haberse dormido cuando parecía evidente que su nodriza había estado velándola toda la noche.

Sus acompañantes les permitieron acercarse un momento al arroyo para asearse, pero después, tras un desayuno frugal, reanudaron la marcha. A Viana le dolía todo el cuerpo, pero aun así estaba un poco más tranquila que el día anterior. Pronto llegarían a la corte, un lugar que ella conocía, y quizá allí encontrara algunas caras amigas.

Así, al caer la tarde, divisaron por fin las murallas de Normont.

Viana contempló las torres del castillo. Recordó que la última vez que había recorrido aquel camino, la víspera del solsticio de invierno, había soñado con su futura boda con Robian. Ahora se veía obligada a acudir a la corte antes de lo previsto, y en unas circunstancias que jamás habría llegado a imaginar. Y Robian...

Le estaba costando mucho asimilar todo aquello. Ni siquiera se había hecho a la idea de que probablemente su prometido estaba muerto, por lo que no podía llorarle. Albergaba la esperanza de poder encontrarlo en la corte, o tal vez en cualquier otro lugar. A lo largo de aquel viaje había imaginado que un grupo de bravos caballeros del rey, entre los que se encontraban Robian y su padre, aún resistía a los bárbaros en alguna parte.

Tuvo que parpadear rápidamente para contener las lágrimas cuando llegaron a las puertas de Normont: cuánto había cambiado su vida en tan poco tiempo y cuántas cosas había perdido...

Las calles estaban vacías. Todavía quedaban rastros de la lucha que los bárbaros habían mantenido con la guardia de la ciudad, pero todo parecía seguir en buen estado. En contra de sus costumbres, los bárbaros no habían prendido fuego a las casas y hasta parecía que habían respetado a sus habitantes, porque los únicos cadáveres que ardían en la pira de la plaza eran los de los soldados. Sin embargo, los ciudadanos se mantenían ocultos en sus viviendas, y solo algunos curiosos osaban asomar la nariz por entre las contraventanas para verlos pasar.

«Los bárbaros no han venido a destruirlo todo», comprendió entonces Viana. «Es cierto que ese Harak quiere convertirse en nuestro rey, y no tiene sentido arrasar la tierra que aspira a poseer». Eso renovó sus esperanzas. Quizá, después de todo, Robian y su padre aún siguieran vivos. Cuando la comitiva entró en el castillo, Viana recordó desalentada la alegría que había reinado en el lugar durante su última visita, en las celebraciones del solsticio de invierno. Y tuvo que reconocer que ni en sus sueños más optimistas podía imaginar que todo volviera a la normalidad.

Los bárbaros las ayudaron a descabalgar en el patio. Viana miró con aprensión a los hombres que rondaban por allí. Incluso el muchacho que se ocupó de llevar sus monturas a los establos parecía rudo y fiero, y eso que no debía de superar los trece años. Se estremeció.

Ella y Dorea caminaron muy juntas a través de los corredores del castillo, en pos de los dos bárbaros que las habían guiado hasta allí. Todo estaba más silencioso, más vacío, pero relativamente intacto. Las señales de lucha que podían apreciarse aquí y allá (una cortina rasgada, una mancha de sangre en la pared, una ventana rota) desaparecerían en pocos días si alguien se tomaba la molestia de limpiar un poco. Quedaba claro que los bárbaros no se habían ensañado: Harak deseaba establecerse definitivamente en el castillo de Normont.

Pero ¿qué habría sido de la reina y del príncipe?

Finalmente, y para alivio de las dos, los bárbaros las dejaron en una gran sala llena de damas y doncellas. Todas ellas estaban pálidas y asustadas, pero parecían encontrarse sanas y salvas.

–Aguardad aquí a que os llamen –les dijo el bárbaro antes de marcharse.

Cerraron la puerta tras ellas, pero a Viana el hecho de estar atrapada no le importó. Conocía a muchas de las mujeres que había allí. Todas ellas eran hijas y esposas de nobles de diferente rango y condición. Los hombres de sus familias habían acudido a la batalla junto al rey Radis. ¿Qué habría sido de todos ellos, y por qué los bárbaros habían reunido allí a sus mujeres?

–¡Viana! ¡Oh, Viana! –la llamó entonces una voz.

La muchacha se echó a llorar de alegría al ver a Belicia, que corría hacia ella desde el otro extremo del salón. Se abrazaron temblando.

–¡Ha sido horrible, Viana! –exclamó Belicia, muy alterada–. ¿Quién va a ayudarnos ahora?

–Pero ¿qué es lo que ha pasado aquí?

Belicia suspiró y echó un vistazo crítico a las dos recién llegadas.

–Parecéis agotadas –dijo sobreponiéndose–. Venid, nos sentaremos allí al fondo, junto a la ventana. Hay una mesa con viandas; me imagino que tendréis hambre.

Viana lo agradeció enormemente. Bebió casi con ansia, y solo cuando ella y Dorea hubieron comido un par de pastelillos de miel y almendras, Belicia empezó su relato:

–Ese tal Harak ha enviado a sus hombres por todos los dominios de Nortia y ha ordenado que todas las damas y doncellas de alcurnia nos presentemos ante él –dijo–.

Mi madre y yo llegamos esta mañana, y por el momento nos han tratado bien... Hemos podido dormir y descansar, y la comida es buena porque a los cocineros reales se les ha permitido continuar con su trabajo... Pero no sabemos por qué estamos aquí. Algunas de las damas temen que los bárbaros quieran forzarnos a todas, y están muy trastornadas. Mi madre se encuentra ahora junto a la marquesa Arminda, que se desmayó nada más llegar y lleva todo el día traspuesta...

–¿Y qué ha sido de la reina? ¿Y el príncipe?

–Ah... –Belicia titubeó; tomó las manos de Viana y las apretó con fuerza para darle ánimos antes de continuar–. Verás, la guardia de la ciudad resistió a los bárbaros heroicamente, y los soldados del castillo hicieron cuanto pudieron para impedirles entrar, pero fue inútil. Ese tal Harak llegó hasta el salón del trono, donde la reina se había encerrado, y echó la puerta abajo. Dicen que ella se comportó con gran valor y dignidad y le ordenó que volviese por donde había venido. Pero Harak respondió que él era el nuevo rey de Nortia y que, por tanto, estaba allí para sentarse en el trono y reclamarla como esposa legítima. Traía la corona del rey Radis y se la puso ante ella, como si ese gesto le otorgara todo tipo de derechos –concluyó Belicia con disgusto.

–¿Y qué hizo la reina? –preguntó Viana conteniendo el aliento.

–Respondió que, tras la muerte del rey Radis y del príncipe Beriac... –titubeó, y un suspiro casi imperceptible estremeció su pecho al recordar al amor perdido; Viana se dio cuenta de lo mucho que le costaba hablar, por lo que esperó a que se sobrepusiera–; tras la muerte de Beriac, dijo, la corona correspondía al príncipe Elim por derecho de nacimiento. Parece ser que, antes de que los bárbaros entrasen en la ciudad, la reina había confiado al príncipe a un grupo de soldados leales, que debían llevarlo lejos del castillo por una salida secreta para ponerlo a salvo. De modo que ella esperaba que su hijo hubiera logrado escapar de los bárbaros. Pues bien... –Belicia tragó saliva–, Harak alzó un saco que llevaba colgado del cinto y extrajo de él... la cabeza del príncipe Elim –concluyó en un susurro.

Viana y Dorea lanzaron una exclamación horrorizada.

–Se la mostró a la reina –prosiguió Belicia con los ojos anegados en lágrimas– y le dijo que, puesto que aquella cabeza ya no estaba en situación de sostener ninguna corona, él reclamaba el derecho de portarla en su lugar.

Viana lloraba al imaginar la escena. Belicia se secó las lágrimas y continuó:

–Pero la reina... ¡la reina no desfalleció! Dicen que contempló... lo que quedaba del príncipe Elim con semblante pálido, pero no lloró ni se desmayó, sino que se limitó a mirar a ese tal Harak con profundo desprecio. Y entonces, él insistió en que quería casarse con ella, y trajo a un brujo de su tribu, o algo parecido, para que celebrase el matrimonio según las creencias de los bárbaros.

–¿Y la reina consintió? –preguntó Viana, horrorizada.

–Ella no pronunció palabra en toda la ceremonia, y nadie le preguntó su opinión al respecto. Según los ritos bárbaros, es el hombre el que toma esposa, y la mujer no puede negarse si su padre está de acuerdo. Pero la reina no tenía ningún padre que pudiera hablar por ella.

»Después se retiró a sus aposentos, mientras los bárbaros vociferaban y se emborrachaban en el comedor para celebrar la boda de su rey... Y cuando Harak acudió a su alcoba para consumar el matrimonio... la encontró muerta: se había quitado la vida con una daga.

De nuevo, Dorea y Viana lanzaron una exclamación ahogada.

–¡No puede ser! –pudo decir la joven–. ¿Quieres decir que toda la familia real ha muerto? ¿Que no queda nadie que pueda disputarle el trono a Harak?

Belicia negó con la cabeza.

–Él ya se ha ocupado de eliminar a todos los nobles que pudieran tener pretensiones al trono. Los que no le han jurado fidelidad y sobrevivieron a la batalla han sido ejecutados. Nuestros padres... –concluyó, y se echó a llorar otra vez, incapaz de continuar.

Viana sintió que se le contraía el estómago. No osó preguntar por el destino del conde de Valnevado, y tampoco por el de Robian o su propio padre. Sencillamente, no estaba preparada para asumir que pudiera haberles sucedido algo tan terrible. A pesar de la espantosa escena que había presenciado durante su viaje, había albergado la esperanza de que se pudiese razonar con el líder de los bárbaros. Sin embargo, el relato de Belicia la había hecho estremecerse de puro espanto. ¿Qué piedad podía esperarse de un hombre que decapitaba a un niño de siete años y luego mostraba la cabeza a su horrorizada madre? Tampoco podía olvidar a los guardias de Rocagrís, y lamentaba profundamente que hubiesen perdido la vida por intentar rescatarla. Parecía que todos los que se atrevían a oponerse a los bárbaros estaban condenados sin remedio.

–¿Qué harán con nosotras? –se preguntó, mientras ella y Belicia se abrazaban, asustadas–. ¿Por qué nos han traído aquí?

Dorea, que había permanecido en silencio hasta entonces, movió la cabeza con pesar.

–¿No es evidente, mis señoras? La reina ha muerto y no puede engendrar ya a los vástagos del usurpador. De modo que él está buscando una nueva esposa.

A Viana se le cayó el mundo encima ante la posibilidad de que acabara casada con aquel horrible bárbaro en lugar de ser la esposa de Robian, como había soñado desde niña. Todas aquellas desgracias... solo podían ser producto de una cruel y horrible pesadilla. Hundió el rostro entre las manos y estalló en sollozos incontenibles. Belicia se abrazó a ella con gesto desdichado.

–Tened valor, niñas –susurró Dorea. Pero no había mucho más que pudiera decir para consolarlas.

Momentos más tarde, un grupo de guerreros bárbaros entró en el recinto y condujo a todas las mujeres hasta el salón del trono. Viana caminaba, asida al brazo de Belicia, como si ambas acudieran a recibir una sentencia de muerte. La madre de Belicia no tardó en unirse a ellas. Le dio el pésame a Viana, aunque ella respondió, con un hilo de voz, que no tenía confirmación de que su padre y su prometido estuviesen muertos. Pero la condesa le dirigió una mirada de profunda conmiseración.

Las mujeres cruzaron las puertas, temerosas. Sentado en el trono que solía ocupar el rey Radis estaba ahora un hombre imponente, de rasgos duros y mirada astuta y penetrante, que se había colocado en la cabeza la corona de los reyes de Nortia. A diferencia de la mayoría de sus guerreros, Harak no llevaba barba, sino que lucía un rostro perfectamente afeitado; sin embargo, algo en su expresión lo hacía todavía más temible que ellos. Los ojos del usurpador recorrieron la fila de temblorosas damas, evaluándolas. Las más valientes ocultaron tras ellas a las más niñas, apartándolas de la mirada de aquel hombre sanguinario.

Viana no fue capaz de moverse. Se quedó allí, paralizada, sin apartar los ojos del bárbaro, como un ratón hipnotizado ante la serpiente que va a devorarlo.

Entonces Harak se levantó, y Viana comprobó, sobrecogida, que era mucho más alto y terrible de lo que le había parecido en un primer momento.

–Bienvenidas a mi humilde morada, mis damas –las saludó con una ladina sonrisa. Nadie le contestó–. Espero que hayáis disfrutado del viaje. He escogido como embajadores a aquellos de mis hombres que mejor conocían los usos y costumbres de vuestro país, para que no os sintierais incómodas en su compañía. Confío en que os hayan tratado con la cortesía que merecéis.

Viana recordó a los dos bárbaros que la habían sacado de su castillo, y se le revolvió el estómago. Era verdad que habían manifestado cierta caballerosidad, aunque algo burda; pero después, durante la emboscada de los soldados, habían demostrado que, por debajo de aquel barniz de civilización, seguían siendo bárbaros.

−Habéis sido llamadas ante mi presencia −prosiguió Harak− para rendir homenaje al que es ahora vuestro nuevo rey y señor. Y, como sin duda debéis de saber, todo rey necesita una reina.

Los ojos de Viana se desviaron hacia el sitial de la reina, ahora vacío. Allí reposaba la diadema que ella solía lucir, y que ahora esperaba una nueva dueña.

En otras circunstancias, en tiempos más felices, cuando ambos príncipes vivían, la mitad de las doncellas de Nortia habían suspirado por ceñirse aquella diadema y reinar en el futuro junto al apuesto Beriac. Pero en aquellos momentos ninguna de ellas se movió, y algunas, incluso, retrocedieron un tanto, tratando de pasar inadvertidas.

Harak lanzó una risotada seca y desagradable y volvió a acomodarse en el trono que había conquistado por la fuerza.

−¡Troylas! −bramó−. Es la hora.

Un hombrecillo pálido y tembloroso acudió prestamente ante él e inclinó la cabeza en señal de sumisión; llevaba un viejo y pesado libro que mostraba en la cubierta el escudo de armas de los reyes de Nortia: un halcón peregrino sobrevolando un castillo de plata en campo de azur.

−Es el archivero real −susurró Belicia−. Como muchos de los sirvientes del rey Radis, temía por su vida y ha jurado lealtad al bárbaro.

Viana asintió. Lo conocía de vista, aunque hasta aquel momento no había sabido cuál era su nombre ni su función en la corte. Y tampoco entendía por qué razón alguien como Harak podría estar interesado en sus servicios.

No tardó en descubrirlo. Con voz aguda, Troylas empezó a llamar a las damas, una a una. Los hombres de Harak empujaban a las más reticentes, de modo que todas ellas terminaban acercándose al trono cuando eran reclamadas. Una vez allí, Troylas recitaba el nombre de la dama, su título, linaje y posesiones. Y, ante la mirada horrorizada de las demás, Harak la examinaba con detenimiento y la emparejaba con uno de sus hombres. Viana pronto se dio cuenta de que las mujeres eran un premio al valor y la lealtad de los guerreros. Los jefes de los clanes se llevaban a las damas de más alta cuna. La belleza no tenía nada que ver con su elección; lo que el caudillo bárbaro estaba regalando eran tierras, patrimonio y un título nobiliario. Los señores de los clanes bárbaros engendrarían en aquellas damas y doncellas hijos de su estirpe que heredarían los distintos dominios de Nortia. En un par de generaciones, serían los dueños legítimos de todo el reino y nadie podría echarlos de allí nunca más.

Viana no podía hacer otra cosa que permanecer allí de pie, paralizada, como una res a punto de ser conducida al matadero. Sabía que tarde o temprano llegaría su turno, y no se le ocurría nada que pudiera hacer para evitarlo.

—¡Analisa de Belrosal! —anunció entonces Troylas.

Una niña de unos nueve o diez años avanzó por la sala, temblando de puro terror. Pero, con un grito, su madre se abalanzó tras ella y se interpuso entre Harak y la pequeña.

–¡Piedad, señor! –suplicó–. Analisa no es más que una niña. Tomadme a mí en su lugar.

Un murmullo recorrió el grupo de las damas.

–La marquesa de Belrosal es hermana de la difunta reina y prima del rey Radis –murmuró Belicia, aunque Viana ya lo sabía–. Está doblemente emparentada con el linaje real de Nortia.

Harak no dijo nada. La marquesa se quedó ante él, abrazada a Analisa, mientras Troylas recitaba la larga lista de títulos de la niña. Finalmente, el caudillo bárbaro anunció:

–Analisa de Belrosal será nuestra nueva reina.

Lo repitió en su propio idioma para que todos sus hombres lo entendieran, y ellos lo celebraron ruidosamente. La marquesa imploró a Harak que reconsiderara su decisión, pero sus argumentos se volvieron en su contra.

–Vos sois ya una mujer madura, señora marquesa –replicó Harak con una torcida sonrisa–. Analisa es una niña, sí, pero las niñas crecen. Y tiene mucho tiempo por delante para engendrar hijos sanos y fuertes.

La marquesa lanzó un grito desesperado, pero no pudo hacer nada por evitar el destino de su hija. Se le permitió, sin embargo, quedarse en la corte para cuidar de ella como dama de compañía.

Viana lo sentía mucho por la pobre Analisa; pensó en Rinia, la hermana pequeña de Robian, y se preguntó, con el corazón encogido, si la obligarían a casarse también. Pero no la vio por ninguna parte, ni tampoco a su madre, la duquesa de Castelmar. Se preguntó si eso era una buena señal. También albergó por un momento la esperanza de que, ahora que Harak ya había encontrado a su reina, las demás mujeres pudieran volver a casa.

No fue así. Se sintió desfallecer cuando oyó que el siguiente nombre pronunciado por Troylas era el suyo.

Trató de sacar fuerzas de flaqueza. La marquesa se había dirigido a Harak y este la había escuchado, aunque no hubiese concedido su petición. Tal vez ella podría razonar con él. Se deshizo suavemente de las manos de Dorea y Belicia, que intentaban retenerla a su lado, y avanzó por el salón con la vista fija en el suelo, sin atreverse a mirar al terrible bárbaro.

–Viana –dijo Troylas– es la hija del duque Corven de Rocagrís, que cayó en la batalla y no tenía más hijos, ni varones ni doncellas. Es la única heredera de su dominio.

La muchacha apenas escuchó cómo el archivero describía detalladamente sus títulos y propiedades. La noticia de la muerte de su padre había caído como un mazazo sobre ella. Había sabido desde el principio que era muy poco probable que el duque hubiese sobrevivido al combate y, sin embargo, aún albergaba cierta esperanza de volverlo a ver. Cerró los ojos para retener las lágrimas y estuvo a punto de desfallecer, pero entonces la voz de Harak la devolvió a la realidad.

–Bien; será una buena esposa para Holdar.

Un enorme jefe bárbaro, que lucía una encrespada barba pelirroja y llevaba un hacha cruzada a la espalda, dedicó al rey un vítor entusiasmado. Un grupo de guerreros de su clan lo secundaron.

Viana estaba absolutamente horrorizada. ¿La iban a casar con aquel monstruo? ¿Serían los hijos que tuviera con ese Holdar los herederos de Rocagrís? ¡No podía permitirlo!

—Mi señor... —se atrevió a decir—. No puedo casarme con ese hombre.

Harak la miró sorprendido y un tanto molesto. Hasta aquel momento, solo la marquesa de Belrosal se había atrevido a objetar sus decisiones, y era hasta cierto punto comprensible, porque estaba defendiendo a su hija y porque tenía sangre real. Los bárbaros acogieron la pretensión de Viana con un coro de risotadas, pero Harak las detuvo con un gesto y se inclinó un poco hacia delante. Sus ojos acerados contemplaron a la joven sin pestañear, y ella se sintió de pronto tan minúscula como una mota de polvo. Algo en su interior se rebeló ante aquella circunstancia. Después de todo, por imponente que pareciera, aquel hombre no era más que un bárbaro usurpador. Se esforzó por alzar la cabeza y sostener su mirada. Harak frunció el ceño.

—¿Cómo osas contradecir mi voluntad? —gruñó.

—Yo... —a Viana le temblaba la voz, pero se las arregló para proseguir—. Os pido disculpas, señor, pero ya estoy prometida con otra persona. Nuestros padres así lo decidieron hace mucho tiempo —añadió, recordando que, según el relato de Belicia, aquellos bárbaros tenían en cuenta la opinión del padre de la doncella en los asuntos matrimoniales.

Harak miró a Troylas, que pasaba las hojas de su libro con cierto nerviosismo.

—No consta aquí, señor —dijo el archivero finalmente.

—Entonces, ¿la muchacha está mintiendo?

—Yo no diría tanto. Seguramente dice la verdad, pero incluso aunque tal unión contara con el beneplácito del rey, si no consta en el libro es porque todavía no se ha hecho efectiva.

—¿Y eso quiere decir que aún no están casados?

—Así es, señor.

Harak volvió a centrar su atención en Viana.

—Es muy posible que tu prometido muriera en la guerra —dijo—. ¿Eres consciente de ello, muchacha?

Viana asintió, tratando de disimular el hecho de que le temblaban las piernas.

—Yo tengo la esperanza de que haya sobrevivido, señor —respondió.

—¿Y quién es el afortunado, si puede saberse?

—Robian de Castelmar, hijo del duque Landan —declaró ella, sintiéndose más segura con cada palabra que pronunciaba.

—¿Robian? —repitió Harak, alzando una ceja con una sonrisa.

Viana no entendía qué era lo que le parecía tan divertido. Asintió, mientras sentía que sus mejillas enrojecían. Esperaba que Troylas consultara su libro para informar a su nuevo señor acerca de la identidad de su prometido, pero el archivero ni siquiera hizo ademán de volver a abrirlo. Y Viana no tardó en descubrir por qué.

—¡Robian de Castelmar, hijo de Landan! —bramó Harak en medio del regocijo general.

Todos se volvieron hacia un rincón de la sala en el que Viana no había reparado. Allí había varios hombres, pero no eran bárbaros, sino caballeros nortianos. Los conquistadores parecían tan enormes y ruidosos que aquel grupo había pasado totalmente desapercibido. Además, tampoco parecían dispuestos a llamar la atención. Permanecían en la sombra y rehuían la mirada de las damas, como si se sintieran avergonzados.

–¡Robian! –llamó de nuevo Harak–. ¡Aquí hay una damita que pregunta por ti!

Hubo un movimiento en el grupo de nobles nortianos, y el corazón de Viana dio un vuelco. ¿Podría ser verdad? ¿Robian estaba vivo?

Apenas unos instantes después lo vio, avanzando pesadamente hacia su nuevo rey. Viana reprimió una exclamación de alegría. ¡Era Robian, su Robian! No cabía duda. Parecía más serio y cansado que nunca, su cabello estaba desgreñado y sus ropas presentaban algunas salpicaduras de sangre, pero estaba sano y salvo.

Viana se contuvo para no correr a sus brazos, y su rostro se iluminó de felicidad. Había hecho bien en conservar la esperanza y en informar a Harak de que estaba comprometida, pensó. Robian la salvaría del matrimonio con aquel horrible bárbaro. Le dedicó una sonrisa radiante; pero, ante su desconcierto, el joven apenas la miró.

–¿Mi señor? –dijo, inclinándose ante Harak.

–Muchacho, tras la muerte de tu padre eres el heredero de Castelmar. Si conservas aún tu dominio es porque preferiste vivir para servirme antes que morir a mis manos. ¿Es así?

—Así es, mi señor —respondió el joven con voz neutra.

Viana contemplaba la escena sin saber cómo debía sentirse al respecto. Robian era un traidor y probablemente un cobarde, pero estaba vivo. ¿Habría preferido ella que su prometido muriese en la batalla como un héroe, igual que su padre, a quien no volvería a ver nunca más?

—Juraste aceptar que siempre serías un recién llegado —prosiguió el bárbaro—, y que tu posición estaría por debajo de la de mis hombres. Tienes, pues, menos derechos que ellos.

—Lo recuerdo —asintió Robian en voz baja.

—Le he prometido a mi buen Holdar que le entregaría a esta muchacha por esposa. Ella es joven y de buena estirpe, y tiene grandes propiedades. Holdar, por su parte, es un bravo guerrero, valiente y leal, y lidera uno de los clanes más poderosos entre los Pueblos de las Estepas. En cambio, tú eres un vulgar traidor. Creo que no mereces desposar a esta doncella. ¿Estás de acuerdo conmigo?

Robian frunció los labios, pero respondió:

—Naturalmente, mi señor. El jefe Holdar será un buen esposo para Viana.

La muchacha lanzó una exclamación consternada, sin creer lo que acababa de escuchar. Harak sonrió.

—No parece que ella esté dispuesta a creerlo. ¿Renuncias a ser su esposo, Robian de Castelmar? Dilo aquí y ahora.

El joven caballero se incorporó para mirar a Viana, que lo contemplaba suplicante. Pero bajó la cabeza enseguida, como si no se atreviera a sostener su mirada.

−Renuncio a ella, mi rey. El compromiso que acordaron nuestros padres queda anulado.

−Bien −asintió Harak, satisfecho−. Muy bien.

Viana lanzó un grito desesperado y llamó a Robian, pero él no levantó la vista. La entregarían a Holdar, el bárbaro, sin que su prometido hiciera nada para evitarlo.

La selección de esposas para los jefes de los clanes continuó hasta bien entrada la noche. Entonces llegó un bárbaro mucho más bajo y con una complexión más frágil que los demás. Pese a ello, todos callaban a su paso y lo trataban con respeto y veneración. Viana lo observó con cierta aprensión. Le llamaron la atención su largo cabello gris, trenzado con esmero, y las pinturas que adornaban su rostro. Nunca había visto a nadie como él.

−Es el brujo −susurró alguien, y la muchacha se estremeció sin saber por qué.

Pronto descubrió que aquel hombre, poseyera o no el poder mágico que le atribuían los demás bárbaros, tenía autoridad para oficiar bodas. Celebró primero la de Harak y la desdichada Analisa, que no dejaba de llorar, y después casó al resto de las parejas sin que a ninguna de las mujeres se le permitiera objetar nada al respecto. Ahora, Harak era el rey, y él dictaba las leyes; y, según las costumbres de su pueblo, aquellos matrimonios eran perfectamente válidos.

Después, Viana tuvo que acompañar a su nuevo esposo y no hubo tiempo para las despedidas. También a Belicia la habían casado con uno de los jefes bárbaros; Viana alcanzó a ver cómo su amiga replicaba a su nuevo marido con insolencia y este le cruzaba la cara de un bofetón para ponerla en su lugar. Se estremeció de miedo y lanzó una última mirada suplicante a Robian, que hacía todo lo que podía por ignorar su presencia en la sala. «Tal vez», se dijo a sí misma, «haya trazado un plan para derrotar a Harak y por eso debe seguirle la corriente ahora. Seguro que no tardará en venir a rescatarme».

Pero aquella noche, en la que ella y Dorea durmieron en un pequeño cuarto de invitados del castillo real, Robian no fue a visitarla. Su nuevo marido tampoco, afortunadamente, pero Viana no se hacía ilusiones al respecto y sabía que no tardaría en exigirle que cumpliera su deber de esposa.

Cuando, al día siguiente, Holdar lo dispuso todo para partir en dirección a una de las muchas propiedades que su rey le había entregado, Viana montó sobre su palafrén, desolada, sin poder hacer otra cosa que seguirlo hacia una nueva vida que adivinaba llena de pena y miseria.

Hasta el último momento estuvo girando la cabeza por si veía a Robian en alguna parte, tal vez despidiéndola desde las almenas o desde algún ventanal del castillo, quizá oculto entre la gente que se asomaba a la plaza principal de Normont, o puede que acechando en la espesura, junto al camino, dispuesto a emboscar a la comitiva para rescatar a su doncella. Con una fe inquebrantable, Viana soñó que Robian la salvaba de mil maneras distintas. En ningún momento se atrevió a imaginar lo que sucedería si eran los bárbaros quienes vencían en la lucha, como había ocurrido cuando los guardias de Rocagrís se habían enfrentado a ellos; en su corazón todavía quedaba un resquicio para la esperanza. Pero al caer la tarde llegaron a su destino, y Robian no había acudido al rescate.

Ni lo haría jamás, comprendió de pronto Viana.

Su prometido la había abandonado en manos de aquel bárbaro. Estaba sola.

Todos sus sueños se habían hecho pedazos para siempre.

Capítulo III

ue trata de la vida
de casada y de cómo
puede complicarse
una disputa conyugal.

VIANA HABÍA CREÍDO que su nuevo esposo la llevaría de vuelta a casa, dado que Harak le había entregado Rocagrís y todo el antiguo dominio del duque Corven. Pero Holdar también había recibido otras propiedades. Entre ellas se encontraba Torrespino, el castillo que escogió finalmente como residencia, que contaba con una poderosa muralla y estaba encaramado en lo alto de un risco de difícil acceso, no muy lejos de los límites del Gran Bosque. Rocagrís, por otro lado, era un recinto pensado para resultar lo más cómodo y habitable posible, dado que la familia del duque pasaba allí la mayor parte del tiempo, pero resultaba más vulnerable ante un posible ataque. Viana comprendió enseguida que su marido valoraba más las posibilidades defensivas de una morada que el hecho de que fuera confortable, y suspiró, pesarosa, al comprobar que compartiría su habitación con él, una estancia amplia, pero húmeda y fría, situada en lo alto del torreón erizado de espinos que daba su nombre al lugar.

Holdar apenas había dirigido la palabra a su joven esposa, como no fuera para darle órdenes, y de todas formas tampoco podía hablar mucho con ella, porque apenas conocía unos cuantos vocablos en el idioma de Nortia. Cuando Viana le suplicó que le permitiera conservar a Dorea como sirvienta, el bárbaro gruñó algo y se encogió de hombros, como dando a entender que le era indiferente si la nodriza los acompañaba o no. Durante el viaje, él y sus hombres se dedicaron a beber y a cantar a voz en grito en aquella lengua áspera que Viana no comprendía; a juzgar por sus risotadas, sospechaba que lo que cantaban eran baladas subidas de tono, o bien cantares de gesta y batallas, o bien ambas cosas. En cualquier caso, se alegró de no poder entenderlos.

Por otro lado, aquellos hombres apenas las miraban a ella y a Dorea, como si no las encontrasen atractivas, y Viana sintió renacer su esperanza. Pero esta no duró mucho; apenas había tenido ocasión de echar un vistazo desconsolado a su nueva habitación cuando Holdar dijo:

—Tú abajo. Cenar.

Viana había visto el estado en el que se encontraban Holdar y sus guerreros, y no dudaba que la cena que planeaban sería similar a la que había podido atisbar en el castillo del rey, después de que Harak casara a todas las damas de Nortia con sus rudos guerreros. No tenía ninguna gana de unirse a la celebración.

—No. No —repitió—. Yo... me duele la cabeza. Estoy cansada del viaje —lo repitió varias veces, gesticulando mucho, hasta que Holdar lo entendió.

—Mujer débil —opinó con un resoplido de desdén.

Viana no supo si pensaba que todas las mujeres en general eran frágiles o si se refería a ella en particular, pero no le importaba. El bárbaro se dio la vuelta para marcharse. La joven iba a suspirar, aliviada, cuando Holdar pareció acordarse de algo y la miró desde la puerta.

–Yo subo luego –gruñó, y le hizo un gesto grosero cuyo significado quedó bien claro hasta para una doncella como Viana.

Ella quedó tan horrorizada que no fue capaz de responder. Cuando el bárbaro se marchó, cerrando la puerta tras de sí, la muchacha se dejó caer sobre el camastro y rompió a llorar desconsoladamente. ¿Qué podía hacer? Jamás sería capaz de escapar de allí. Holdar no la había encerrado con llave, pero el castillo estaba repleto de bárbaros, y no podría llegar hasta el patio sin que la vieran. Descolgarse por la ventana tampoco era una opción, ya que el torreón estaba muy alto. Pero se negaba a someterse a su destino. ¿Tendría valor para seguir el ejemplo de su reina y quitarse la vida antes que perder su honor? De todas formas, tampoco había ninguna daga a su alcance. Se preguntó si podría usar la cuerda de su propio cinturón para ahorcarse...

No, no, jamás se atrevería. Temía demasiado a la muerte.

Permaneció un largo rato tendida sobre la cama, lamentándose de su suerte y preguntándose qué se suponía que debía hacer, hasta que se quedó dormida de puro agotamiento.

Se despertó varias horas más tarde, sobresaltada, cuando la puerta se abrió de golpe. Viana tardó apenas unos instantes en asimilar la situación en la que se encontraba: en el torreón de un solitario y lúgubre castillo, en la habitación de su esposo, el bárbaro, que se hallaba en la entrada, a todas luces borracho como una cuba. Viana se levantó de un salto y retrocedió, asustada. Holdar, con el rostro totalmente colorado y el aliento apestando a alcohol, farfulló algo incomprensible en su tortuosa lengua natal y avanzó hacia ella tambaleándose. Viana se había propuesto ser fuerte y soportar estoicamente el destino que le había sido reservado, pero su miedo y su aprensión pudieron más que ella, y siguió retrocediendo, aterrorizada, hasta que su espalda chocó contra la pared. El bárbaro se rio estruendosamente y trató de alcanzarla...

... Pero dio un traspié y cayó de bruces al suelo. Viana se quedó quieta, conteniendo el aliento. Sin embargo, Holdar no se levantaba. La muchacha se atrevió a dar un pequeño paso, pero enseguida se detuvo, asustada, cuando su marido dejó escapar un eructo y un estruendoso ronquido, todo al mismo tiempo. Con el corazón latiéndole con fuerza, Viana aguardó un poco más. Pero Holdar ya no se movió. Aliviada, la joven avanzó poco a poco, esquivando el cuerpo del hombretón, hasta llegar a la puerta. Una vez allí, se quedó quieta otra vez. ¿A dónde iría? ¿Qué se suponía que debía hacer ahora? ¿Y si Holdar se despertaba y no la encontraba en la habitación? ¿Se enfurecería y la pegaría, como había hecho con Belicia su marido bárbaro? Observó a Holdar con inquietud. Ni siquiera parecía respirar. ¿Y si había muerto?

Viana se acercó un poco más al bárbaro caído y lo empujó con la punta del pie.

Él no se movió.

¡Quizá sí estuviera muerto! Viana no sabía muy bien qué había sucedido, pero las consecuencias de aquello se desplegaron en su mente como una baraja de naipes. Si Holdar estaba muerto, ella era libre. Como mujer viuda, podría recuperar sus posesiones y regresar a Rocagrís si así lo deseaba. Pero ¿y si el rey usurpador la casaba con otro bárbaro? No, no, eso no podía permitirlo... Quizá podría escapar ahora que su marido estaba muerto... o dormido... o inconsciente. Pero todos sus hombres seguían abajo y la verían. ¿Y cómo iba a explicar lo que le había sucedido a Holdar? ¿Y si la acusaban de haberlo asesinado? Aunque, con un poco de suerte, estarían todos dormidos o borrachos, y no la echarían en falta.

«Tengo que marcharme de aquí antes de que me encuentren», resolvió. Se abalanzó hacia la salida, pero, antes de que pudiera escapar, la puerta se abrió de golpe, y Viana lanzó una exclamación de miedo.

–¡Sssshh, no temáis, mi señora, soy yo! –susurró Dorea entrando en la estancia.

La muchacha se tranquilizó. Al llegar a Torrespino, su esposo había decretado que una mujer casada no necesitaba más compañía que la de su marido, por lo que había enviado a Dorea a alojarse con el resto de los sirvientes.

Viana la había echado muchísimo de menos.

–¡Dorea! –exclamó, con un punto de pánico en la voz–. ¡Holdar ha estado a punto de...! ¡Pero se ha desmayado, y creo que está muerto!

La nodriza lanzó un vistazo crítico al cuerpo del bárbaro, sin mostrarse sorprendida en absoluto.

–No os preocupéis, señora, solo duerme. No tenemos mucho tiempo. Os ayudaré a desvestiros.

–¿Cómo dices? ¡Dorea, con todo lo que ha pasado sería incapaz de dormir!

Pero la buena mujer sacudió la cabeza y empezó a aflojar las cintas del vestido de su ama. Viana, todavía trastornada por todo lo que había vivido en los últimos días, la dejó hacer. Sin embargo, su sorpresa fue mayúscula al ver que Dorea arrojaba el vestido a un rincón de cualquier manera y, no contenta con ello, rasgaba la camisa de la muchacha por delante, dejando su pecho al descubierto.

–¿¡Pero qué haces!? –chilló ella, tapándose lo mejor que pudo.

–Calmaos, niña, es por vuestro bien. Ayudadme a llevar a vuestro esposo a la cama.

–Pero... pero... ¡mira cómo estoy! ¿Y si despierta?

–No despertará hasta bien entrada la mañana, os lo aseguro. Confiad en mí.

La voz suave y sosegada de Dorea tranquilizó a Viana. Las dos mujeres cargaron como pudieron con el enorme bárbaro y lo arrojaron al lecho, que crujió bajo su peso. Sin embargo, Holdar no se movió.

–¿Seguro que no está muerto? –preguntó Viana con aprensión.

Dorea negó con la cabeza.

–Está profundamente dormido, mi señora. Le he echado un bebedizo en la copa. Pero, cuando despierte, deberá creer que se ha consumado el matrimonio, o volverá a intentarlo de inmediato.

Viana entendió entonces la jugada de su nodriza y la abrazó, llorando de puro alivio y agradecimiento.

–¡Oh, Dorea...! ¿Qué haría yo sin ti?

–Aún no hemos acabado, niña –dijo ella, apartándola con suavidad pero con firmeza.

Viana vio que tenía un cuchillo de cocina en la mano y soltó una exclamación ahogada. Pero Dorea no apuñaló al bárbaro, sino que se hizo un corte en el dedo y dejó caer unas gotas de sangre sobre las sábanas.

–Será la prueba de que ya no sois doncella –le explicó gravemente.

Viana contempló la mancha roja, anonadada.

–Pero todo el mundo pensará que él...

–Es mejor que lo piensen, niña, a que suceda de verdad.

Viana se mostró de acuerdo, aunque aún se sentía conmocionada. Se empeñó en vendar el dedo de Dorea con su propio pañuelo.

–Ya has hecho mucho por mí –murmuró–. Debería haberme cortado yo misma y...

–No –interrumpió ella–. Holdar no es tonto, aunque lo parezca. Una herida en vuestra delicada mano llamaría mucho la atención. Pero no tiene nada de particular que una vieja sirvienta se corte con un cuchillo de cocina mientras trocea las verduras para el puchero.

Viana la abrazó de nuevo, conmovida.

–Gracias, gracias... Esto nunca lo olvidaré.

Dorea sonrió.

–Administraré el somnífero a vuestro marido todas las noches para asegurarnos de que no vuelve a intentarlo

–dijo–, pero no tardará en empezar a sospechar. Así que más vale que estéis encinta para entonces.

–¿Encinta? –repitió Viana alarmada.

–No de verdad, por supuesto –la tranquilizó Dorea–. Será otra de las muchas cosas que fingiremos estos días. Pero su propósito es engendrar un heredero en vos y, si cree que ya lo ha conseguido, quizá pierda el interés. De todas formas, le diremos que se trata de un embarazo delicado y que debéis guardar reposo. Eso debería mantenerlo alejado por unos meses.

–¿Y después?

Pero Dorea se encogió de hombros.

–Después, mi señora, ya se verá.

No era una solución definitiva, pero ahorraría a Viana el mal trago de compartir el lecho con Holdar, aunque no del todo...

–Debéis dormir a su lado, señora, o sospechará –le indicó Dorea–. No os preocupéis, no despertará en mitad de la noche, y mañana se sentirá demasiado indispuesto como para poneros la mano encima.

A Viana le revolvía el estómago la sola idea de yacer junto a aquel grandullón que apestaba a alcohol y a sudor, pero confiaba en su nodriza y estaba dispuesta a hacer todo lo que ella le indicara. De modo que se tumbó en la cama, de espaldas a Holdar, y se acurrucó lo más lejos de él que pudo. Dorea echó un último vistazo a la habitación para asegurarse de que todo estaba en orden, le dirigió a Viana una sonrisa alentadora y se marchó, cerrando la puerta tras de sí.

La joven sintió un acceso de pánico al verse sola con aquel hombre, pero luchó por dominarse y permanecer inmóvil.

Y así estuvo durante horas, sin osar mover un músculo, mientras Holdar dormía con un sueño tan profundo que probablemente no se habría despertado ni aunque Viana se hubiese puesto a dar saltos sobre la cama. Era ya casi mediodía cuando el bárbaro se estremeció y masculló algo en su idioma. Tras un último ronquido, se despertó con una sacudida y se volvió para mirarla con ojos legañosos.

Viana, aterrorizada, le devolvió la mirada, acurrucada en el otro extremo de la cama. Le dolía todo el cuerpo debido a la tensión a la que había estado sometida, pero Holdar no se percató de ello. Confuso todavía a causa del narcótico administrado por Dorea, se incorporó un poco y parpadeó mientras trataba de ponerse en situación. Pareció desconcertado al ver a Viana en su cama, probablemente porque no recordaba cómo había llegado hasta allí. Entonces reparó en la camisa desgarrada de la muchacha y en las sábanas, hechas un revoltijo. La mancha de sangre, ya reseca, era claramente visible entre ellas.

Una sonrisa de satisfacción iluminó la cara de Holdar, que se puso en pie de un salto –tuvo que apoyarse en la pared porque aún se sentía algo indispuesto– y lanzó un grito de triunfo. Viana, aún tapándose con la sábana, lo contempló asustada, pero él le dirigió una mirada de desdén y salió a trompicones de la habitación, ignorándola por completo.

Viana aguardó un instante; cuando parecía claro que Holdar no iba a regresar, exhaló un profundo suspiro de alivio.

Dorea tenía razón: el bárbaro todavía acusaba los efectos del bebedizo, que él atribuiría, sin duda, a la resaca que sufría tras los excesos del día anterior. Por otro lado, no parecía estar realmente interesado en ella. Solo quería una esposa con la que engendrar hijos que heredaran las tierras que Harak había conquistado. Una vez que pensara que había quedado encinta... tal vez la dejara en paz.

Respiró lentamente, tratando de aclarar las ideas. La noche anterior, el plan de Dorea le había parecido una locura, pero se había dejado llevar porque estaba asustada y porque no sabía qué otra cosa hacer. Ahora, sin embargo, a la luz de la mañana y pensándolo detenidamente, se dijo que podría funcionar...

Pasó el resto del día tratando de hacerse invisible para su marido. Encontró un refugio en las cocinas, donde habían colocado a Dorea y donde Holdar nunca entraba por considerarlo territorio de mujeres. Además, la mayor parte de los criados que trabajaban allí eran gente de Nortia, obligados a servir a los bárbaros, y sentían gran simpatía por la nueva señora de la casa, cuyo destino lamentaban de corazón.

Sin embargo, ni Dorea ni ella compartieron su plan con nadie. Para que saliera bien, ambas debían ser sumamente discretas y llevarlo a cabo con gran cuidado.

Aquella mañana, Holdar mostró la sábana manchada a sus hombres y fanfarroneó sobre algo que en realidad no podía recordar. Los bárbaros siguieron holgazaneando todo el día, y también el siguiente, exigiendo sin cesar comida y bebida a los criados. Holdar subió de nuevo a su habitación bien entrada la noche, y ahí estaba Viana, temblando de miedo. En esta ocasión, el bárbaro logró llevarla hasta la cama, pero se quedó profundamente dormido en cuanto tocó las sábanas.

La noche siguiente, ni siquiera aguantó tanto: cayó pesadamente sobre las escaleras mientras subía a la alcoba, y Viana tuvo que arrastrarlo hasta la cama con ayuda de un par de criados.

La muchacha contaba los días, deseando que llegara pronto el momento de fingirse embarazada; temía que un día Holdar resistiese más de lo habitual y el somnífero le hiciera efecto demasiado tarde.

Para asegurarse, Dorea aumentó la dosis, de modo que, las noches siguientes, el bárbaro no llegó a levantarse de la mesa por su propio pie.

Durante todo aquel tiempo, Viana seguía fingiendo que su marido se las arreglaba para mantener con ella unas relaciones que era incapaz de recordar. Pero las dos mujeres sabían que no podrían continuar con aquella farsa durante mucho tiempo.

Y el plazo terminó antes de lo que ellas habían calculado.

Resultó que los banquetes amenizados con cánticos y borracheras no eran algo cotidiano entre los bárbaros, y que todo aquello había formado parte de las celebraciones por la conquista de Nortia. Pero llegó un momento en que Holdar decidió que ya estaba bien de haraganear y puso firmes a todos sus hombres. De la noche a la mañana, los bárbaros comenzaron a patrullar los alrededores de Torrespino para pacificar el territorio, sofocando todo atisbo de rebelión y asegurándose de que los campesinos estaban al tanto de que tenían un nuevo señor. Holdar pasaba todo el día fuera, recorriendo sus nuevas tierras y examinando con detalle cada aldea, cada camino y cada campo de labranza. El único lugar al que no se acercaron fue el Gran Bosque, pero eso no tenía nada de particular: nadie lo hacía.

Así pues, los bárbaros empezaron a parecerse más a los temibles guerreros que habían derrotado al ejército de Nortia y menos a la panda de borrachos que habían demostrado ser en los últimos días. Holdar estaba mucho más lúcido, y empezó a mirar a Viana con cierto aire de sospecha.

Por fortuna para ella, poco después de su boda empezaron a llegar más bárbaros desde el otro lado de las Montañas Blancas, incluyendo a las mujeres.

Al verlas, Viana empezó a entender por qué aquellos rudos guerreros no encontraban atractivas a las damas nortianas. Las mujeres bárbaras eran duras, fuertes y musculosas como ellos. Tenían la piel tostada por el sol y llevaban el cabello suelto y salvaje, y solo algunas se lo recogían en largas trenzas que llevaban casi siempre medio deshechas. Sus escotes generosos y sus modales desenvueltos, casi vulgares, las asemejaban más a mozas de taberna que a delicadas doncellas. A su lado, Viana parecía endeble y remilgada, una muchacha de rostro redondo y dulce y carnes blancas y blandas. Una flor de invernadero que no encendía tanto la pasión de los bárbaros como sus enérgicas y ardientes mujeres.

Cuando algunas de aquellas mozas del norte se instalaron en el castillo, bien como criadas o bien porque estaban casadas con los guerreros, Holdar fue perdiendo su interés por Viana. Aún acudía a su alcoba por la noche, porque consideraba que era su obligación engendrar un heredero, pero parecía que le resultaba fastidioso, sobre todo teniendo en cuenta que, por alguna extraña razón, no conseguía recordar los detalles de sus noches conyugales.

Dorea decidió entonces adelantar el falso embarazo de Viana.

–Pero ¿y si no se lo cree? –preguntó ella, inquieta–. Estos días ha estado ocupado con la ordenación del señorío, pero sé que me considera un asunto pendiente y que no va a dejar las cosas así. Ya debe de pensar que es extraño que duerma tan profundamente por las noches, sobre todo ahora que no bebe tanto como antes.

–Dejádmelo a mí, señora –replicó su nodriza–. Si todo va bien, esta será la última noche que paséis en la alcoba de vuestro esposo en mucho tiempo.

Animada por aquellas palabras, Viana se fue a dormir más temprano de lo habitual. Se despertó cuando, un rato después, Holdar entró tambaleándose y se derrumbó a los pies de la cama, pero no se molestó en moverlo de ahí. La perspectiva de poder mantenerse alejada de aquel hombre durante un largo período de tiempo la llenaba de fuerzas y de esperanza.

Al amanecer, Dorea entró en el cuarto, pasó por encima del cuerpo de Holdar y despertó a Viana con suavidad. Traía un tazón con un líquido humeante.

—¿Qué es? —quiso saber Viana.

—Os ayudará a fingir la indisposición de las mujeres encinta, mi señora. Pero antes, ayudadme a colocar a vuestro esposo sobre la cama.

Las dos mujeres cargaron con Holdar y lo dejaron caer sobre el lecho. Dorea obligó a Viana a tomar la infusión antes incluso de permitirle recuperar el resuello.

—No tenemos mucho tiempo —susurró—. Bebedla toda, es importante.

La muchacha obedeció, pese a que era horriblemente amarga y aún estaba tan caliente que le quemó la lengua. Después, a instancias de su nodriza, volvió a tenderse en el lecho junto a su esposo. Dorea se marchó, cerrando la puerta tras de sí, y a ella no le quedó más remedio que esperar.

Holdar despertó poco después. Iba desarrollando cierta tolerancia al somnífero que le administraba Dorea, de modo que cada día se levantaba un poco más temprano y un poco menos desorientado.

—Esposa —la saludó en cuanto la vio.

Viana se incorporó un poco, dispuesta a alejarse de él si fuera necesario, pero se le revolvió el estómago y sintió unas horribles arcadas. Se levantó como pudo y se abalanzó sobre el bacín que había junto a la ventana para vomitar allí.

Holdar la contempló desconcertado. Viana se sentía tan mareada que tuvo que apoyarse en la pared para no desplomarse. Trató de decir algo, de avanzar hacia la puerta para ir en busca de Dorea, pero no fue capaz. Tras un par de pasos, todo empezó a darle vueltas y se desmayó sin poder evitarlo.

Cuando se despertó, un rato después, se encontraba en otra cama, en una habitación diferente, un poco más pequeña que la suya, pero soleada y bien aireada. Dorea estaba a su lado.

–Lo siento mucho, niña, pero era necesario –le susurró mientras le secaba el sudor de la frente.

–¿Es... por la infusión que me has dado? –preguntó ella en el mismo tono; pero Dorea le indicó silencio, y Viana se dio cuenta de que había más personas en la habitación.

Una de ellas era su marido, que estaba recostado contra la pared, visiblemente incómodo. La otra era un bárbaro a quien Viana conocía de vista: se trataba de uno de los pocos guerreros del castillo capaces de chapurrear un poco el idioma de Nortia.

–¿La dama está enferma? –quiso saber el intérprete–. ¿Qué le pasa?

–La dama está encinta –declaró Dorea– y ha empezado a sufrir los rigores de su estado. Podéis dar la enhorabuena a vuestro señor: pronto, su esposa dará a luz a su hijo.

Viana se estremeció ante la sola posibilidad de que eso pudiera ser cierto. Pero el bárbaro las miró con desconfianza.

–¿Encinta? ¿Quieres decir que está embarazada? –contempló a Viana con disgusto y profundo desdén–. Mi esposa ha parido cinco hijos. Nunca guardó cama. Trabajó hasta el último momento. Así son las mujeres de nuestro pueblo –concluyó con desafiante ferocidad.

Pero Dorea no se inmutó.

–Bueno, pero tu señor no ha escogido por esposa a una mujer de su condición –dijo–, sino a una dama noble de Nortia. Ellas son diferentes, más finas y delicadas. Además, hay algo en este embarazo que no termina de gustarme. Probablemente la señora tendrá que guardar reposo hasta que dé a luz.

–¿Guardar reposo? ¿Quieres decir que estará ahí tumbada todo el día?

–O perderá al bebé –asintió Dorea.

El bárbaro frunció el ceño e informó de las novedades a Holdar, que había entendido solamente unas pocas palabras de aquella conversación. El saber que iba a ser padre pareció complacerle, pero, al igual que a su compañero, el hecho de que su esposa fuera tan floja lo disgustaba enormemente. Sin embargo, Dorea continuó insistiendo y, como Holdar estaba convencido de que las mujeres nortianas eran débiles por naturaleza, no le costó persuadirlo de que la vida del bebé peligraba y de que Viana debía descansar.

Finalmente, Holdar se encogió de hombros y salió de la estancia, seguido del otro bárbaro. No parecía que fuera a echar de menos a Viana, pero sí estaba muy interesado en el hijo que ella podía darle, de modo que no discutió con Dorea al respecto.

Para guardar las apariencias, Viana siguió en cama durante unos días más, y Dorea continuó suministrando a Holdar su somnífero por las noches, ya que habría resultado sospechoso que se hubiese librado de un día para otro de aquel profundo sopor que lo aquejaba en los últimos tiempos. También Viana tomaba las infusiones de su nodriza con regularidad. Algunas de ellas le revolvían el estómago y la ayudaban a fingir las náuseas y vómitos de la embarazada, pero había una en concreto que debía beber a diario y que Dorea manejaba con gran cuidado.

—Evitará que tengáis las molestias del mes —le explicó en voz baja.

Viana la contempló con un nuevo respeto. Quiso saber por qué no le había facilitado antes aquella tisana en particular, pero su nodriza sacudió la cabeza y la miró con severidad.

—No se debe jugar con esas cosas —la regañó—. Es un bebedizo muy potente; administrado en grandes dosis o de forma continuada durante mucho tiempo, podría hacer que perdierais para siempre la capacidad para concebir.

Viana pronto empezó a encontrarse tan mal que nadie sospechó que estuviese fingiendo. La muchacha se juró a sí misma que se lo pensaría dos veces antes de tener que sufrir otro «embarazo», ya fuera real o simulado.

Los primeros días, Holdar iba a menudo a visitar a su esposa, pero ella intuía que se debía solamente a que temía por la vida de su heredero. Poco a poco, Dorea fue reduciendo las dosis y la joven empezó a sentirse mejor, aunque aún estaba pálida y marchita, y se mareaba si permanecía demasiado tiempo en pie. Al ver que el «embarazo» parecía progresar, Holdar dejó de prestar atención a Viana y empezó a ocuparse de otros asuntos, de modo que ella pudo llevar una vida más relajada. Daba cortos paseos por el castillo, preferentemente cuando su marido estaba fuera, y hasta salía al patio los días de sol. También pasaba bastante tiempo en la cocina con Dorea y las demás criadas, que se desvivían por cuidarla. Se le había permitido dormir en otra alcoba, junto a su nodriza, así que por las noches descansaba mejor.

Durante aquel tiempo tuvo por fin la oportunidad de asimilar todo lo que había sucedido y reflexionar sobre ello.

Su vida, eso estaba claro, nunca volvería a ser igual. Su padre estaba muerto, los bárbaros le habían arrebatado su hacienda y su posición y Robian la había traicionado, dejándola en manos de aquel bruto que apenas sabía juntar dos palabras en el idioma de Nortia. Ya no volvería a ser Viana de Rocagrís. De hecho, probablemente ni siquiera se le permitiría adoptar el título de Viana de Torrespino. Estaba condenada a ser solo la esposa de Holdar... para siempre.

Los primeros días lloró mucho al saberse tan desgraciada, mientras se sentaba junto a la ventana a contemplar el horizonte y soñaba que Robian acudiría a rescatarla; imaginaba que él solamente estaba fingiendo lealtad a Harak, de la misma manera que ella simulaba su embarazo ante Holdar, y que tarde o temprano encontraría la manera de llegar hasta su prometida. Pero el tiempo transcurría sin noticias de Robian.

El invierno fue duro en toda Nortia, y a Viana le pareció particularmente largo y oscuro. Por las noches, en las que solo escuchaba el silbido del viento septentrional y los aullidos de los lobos, la muchacha recordaba la felicidad de tiempos pasados y se sentía víctima de una pesadilla de la que no podía despertar. El dolor y la pena oprimían su alma, de la misma forma que los espinos asfixiaban el torreón donde trataba de dormir en aquellas frías noches.

Por fin llegó la primavera, pero las cosas no mejoraron. Pronto pasó la fecha en que, de no haber sido por la invasión bárbara, Viana se habría casado con Robian. Y con ella se evaporaron sus últimas esperanzas. Lloraba a menudo, preguntándose qué habría hecho ella para merecer tal destino. Recordaba todos los momentos que habían pasado juntos: sus juegos infantiles, sus sueños de futuro, sus besos a escondidas. Le costaba imaginar que el maravilloso Robian que ella conocía fuese el mismo joven que la había abandonado a su suerte. Revivía una y otra vez el momento en el que él la había entregado a los bárbaros, repasando cada gesto y cada palabra, en busca de algo que le hiciera concebir nuevas ilusiones. Pero siempre concluía que todo era tal y como parecía: Robian había renunciado a luchar por ella.

No la amaba tanto como ella creía. Y, desde luego, mucho menos de lo que ella lo amaba a él. Eso en el caso de que él la hubiese querido alguna vez, cosa que empezaba a dudar.

Así, poco a poco, fue haciéndose a la idea de que su historia de amor había acabado para siempre. Y, a medida que su vientre y sus pechos se iban abultando con el relleno falso que Dorea le había proporcionado, las lágrimas acabaron por secarse y una nueva llama se encendió en su interior: la chispa del odio y la rabia empezaba a prender en ella.

Al principio lamentó no ser varón para poder luchar en aquella guerra y tratar de recuperar lo que había perdido. Si estuviera en el lugar de Robian, cavilaba, si tuviera la oportunidad de hacer algo, pelearía hasta el último aliento, tal y como había hecho su padre, en lugar de unirse a las filas de los cobardes y los traidores. Pero entonces empezó a preguntarse si realmente ella habría tenido el valor suficiente para plantar cara hasta el final. Sentía que se había dejado llevar en todo momento, y hasta su pequeño acto de rebeldía, aquel embarazo fingido, se lo debía a Dorea. De no ser por ella, probablemente a aquellas alturas estaría embarazada de verdad. Recordó que ni siquiera había sido capaz de quitarse la vida emulando a su reina, y comprendió que los bárbaros tenían razón cuando decían de ella que era débil y pusilánime.

Y entonces nació en su corazón el deseo de ser diferente. Empezó a contemplar de reojo a las mujeres bárbaras del castillo y, si bien la disgustaba su actitud desvergonzada, comenzó a admirar su fuerza y su energía.

A medida que transcurrían los meses y el verano alcanzaba los últimos rincones de Nortia, Viana empezó a ser consciente de que iba a necesitar algo de esa fuerza bárbara si quería afrontar lo que sucedería en otoño, cuando saliese de cuentas y Holdar se encontrase con que no había ningún bebé creciendo en su interior. Dorea y ella habían hablado largamente del asunto. La buena mujer opinaba que lo mejor era fingir un parto complicado y declarar que el bebé había nacido muerto. Tratarían de que Holdar concediese a Viana un tiempo prudencial para recobrarse y después iniciarían de nuevo el ciclo de las relaciones simuladas y del narcótico en la bebida para anunciar poco después que Viana había vuelto a quedar en estado. Pero la joven dudaba de que aquello pudiera funcionar por segunda vez. En primer lugar, hacía tiempo que habían dejado de suministrarle al bárbaro su somnífero, y si de pronto regresaban el sueño pesado y los recuerdos borrosos acerca de sus noches conyugales, Holdar no tardaría en darse cuenta de que algo marchaba mal. Por otro lado, Viana no se sentía capaz de pasarse el resto de su vida aparentando un embarazo tras otro. Tenía que haber otra solución.

Pero no la encontraba por ninguna parte.

Para despejar los temores de Holdar de que su esposa diese a luz un hijo enfermizo, Dorea era generosa a la hora de preparar el relleno abdominal de Viana. Así, después de apenas seis meses de su falso embarazo, la joven mostraba un aspecto tan rotundo como si fuese a ponerse de parto al día siguiente. Dorea le había explicado a Holdar que ello se debía a que, probablemente, el bebé había heredado la constitución de su padre y crecía grande y fuerte como un toro, lo cual complacía mucho al bárbaro. Así que la nodriza aprovechó para insinuar que seguramente por eso la criatura estaba consumiendo tan deprisa las escasas fuerzas de su madre, más delicada, y amenazaba con apagarla por completo antes de que el embarazo llegara a término. Esto alarmó a Holdar y reforzó en él la idea de que Viana debía permanecer en reposo cuanto fuera necesario.

De modo que Viana seguía descansando; se quedaba en cama, vagaba por el castillo como un alma en pena o bien se sentaba junto a la ventana. Pero, pese a su aspecto lánguido y melancólico, su mente bullía de actividad. Tenía mucho tiempo para pensar, y los bárbaros se habían acostumbrado a su silenciosa presencia, por lo que también se le presentaban muchas ocasiones para escuchar. Con el tiempo, había aprendido algo de la lengua de los conquistadores. Cuando se dio cuenta de que a menudo hablaban de la situación del reino, se esforzó todavía más por comprender lo que decían. No tardó en enterarse de que Nortia había sido totalmente sometida. Todos los dominios de los antiguos nobles estaban ahora en manos de los jefes de los clanes bárbaros, y a los caballeros del rey Radis que habían jurado fidelidad a Harak se les había permitido conservar una parte de sus posesiones. «Robian», pensó Viana.

Las cosas iban bien para los bárbaros, pero Viana percibió cierta incomodidad en ellos, como si estuvieran descontentos. Comprendió que les hacía falta acción: guerras, batallas, luchas... Lo que echaban de menos era la emoción de nuevas conquistas. Por lo que Viana sabía, Harak tenía intención de emprender una nueva campaña hacia el sur, más allá del río Piedrafría, pero los días pasaban y el rey bárbaro no movilizaba a sus tropas. Viana escuchaba... y reflexionaba.

A medida que pasaba el tiempo, los bárbaros de Holdar se sentían cada vez más inquietos. Sus correrías por el dominio incluían ahora aterrorizar a los campesinos, prender fuego a graneros y secuestrar a las mozas de las aldeas. Por lo que Viana sabía, Harak había sido muy claro al respecto: su gente debía respetar a sus nuevos vasallos porque ahora estaban bajo su responsabilidad y porque eran parte de su patrimonio. Pero en algunos señoríos, como el que ahora poseía Holdar, aquella norma no se seguía a rajatabla.

Viana hervía de ira. Nunca se había ocupado de las condiciones de los campesinos, aunque sabía que muchos de ellos vivían en la pobreza y pasaban hambre cuando la cosecha era mala, pero su padre jamás había abusado de ellos ni sembrado el terror en las aldeas de aquella manera.

Sin embargo, no se atrevió a enfrentarse a su esposo ni a hacérselo notar... hasta que se le presentó una ocasión que no fue capaz de desaprovechar.

Sucedió a finales de verano, cuando apenas faltaban un par de meses para el supuesto alumbramiento del hijo de Holdar y Viana. Ella apenas salía de su alcoba por aquellos días. Pero esa tarde cayó una gran tormenta, tan intensa que los hombres de Holdar no salieron del castillo.

Aquella era una peculiaridad de los bárbaros: no temían las inclemencias del tiempo y podían cabalgar con nieve, viento, calor extremo o un frío glacial, pero la lluvia los molestaba sobremanera. Naturalmente, no habrían dejado de pelear en una batalla solo porque los hubiese sorprendido un aguacero inoportuno, pero en aquellos días no tenían gran cosa que hacer y hasta empezaban a aburrirse de mortificar a los campesinos. De modo que decidieron organizar un gran festín en el castillo, como los de los primeros tiempos de la conquista. Holdar exigió que, por muy avanzado que estuviese el estado de buena esperanza de su esposa, su obligación era supervisar el banquete, de modo que Viana, con un gran suspiro, bajó a las cocinas para asegurarse de que todo marchaba bien.

Al principio no hubo grandes problemas. De tanto fingir que estaba fatigada por el embarazo, casi se había acostumbrado a estar siempre sentada, por lo que se dejó caer sobre un taburete junto a la mesa, como si portara una pesada carga, y empezó a dirigir los preparativos desde allí. Apenas unos meses antes, no habría tenido idea de cuánto tiempo debía permanecer el asado al fuego, o de cómo de crujiente tenía que ser el pan, o de la cantidad de hortalizas que era necesario trocear para la sopa. Pero había pasado tantas horas en las cocinas charlando con Dorea y el resto de las sirvientas que había terminado por desarrollar un gran interés por todo lo que allí se hacía.

Aquella noche habían preparado un cerdo asado. Lo habían cocinado relleno y con una guarnición de manzanas que despedían un delicioso olor dulzón. Era el plato favorito de Holdar.

Estaba terminando de dorarse en el horno cuando uno de los guardias entró por la puerta que daba al patio. Tras él iba una mujer harapienta rodeada de niños. Viana contó hasta seis; el más pequeño de ellos era un bebé de pecho. Estaban empapados y tiritaban de frío.

–Han venido por las sobras –dijo el guardia con brusquedad–. Dales algo de sopa y que se vayan.

Una de las costumbres de los nobles de Nortia consistía en compartir algo de su comida con los campesinos más pobres de su dominio. Solía hacerse sobre todo en las grandes celebraciones porque siempre sobraba mucho para repartir, y normalmente era la dama del castillo la que se encargaba de ello. Viana lo había hecho cuando vivía con su padre, pero Holdar no veía con buenos ojos aquella práctica. No era ningún secreto que los bárbaros despreciaban a los mendigos y a todo aquel que no podía ganarse el pan por sí mismo.

Con el tiempo, Holdar había permitido que Viana abriese las puertas de Torrespino a los menesterosos, con la condición de que se les diera solo alimentos básicos: algunos mendrugos de pan, algo de queso, quizá un plato de sopa clara. Pero nada de carne, que estaba reservada a los hombres de verdad, a los guerreros. La carne alimentaba no solo sus poderosos cuerpos, sino también su ferocidad en la batalla. No valía la pena desperdiciarla en seres débiles que no iban a luchar.

Viana suspiró; ordenó que se los situara cerca del fuego y se les sirviera sopa a todos. Después, se sentó a la mesa con ellos, porque el aspecto desamparado de la mujer la había conmovido profundamente.

–¿Son todos tuyos? –le preguntó, refiriéndose a los niños.

–No, mi señora, soy solo madre de cuatro de ellos. Los otros dos son mis sobrinos; perdieron a sus padres el último invierno.

Viana pensó que había sido muy generoso por su parte acogerlos a pesar de que era evidente que apenas podía alimentar a sus propios retoños.

–¿No tienes marido? –quiso saber.

La mujer miró a su alrededor antes de decir en voz baja:

–No, mi señora. Murió en el último asalto a la aldea.

–¿Asalto? ¿Quién os atacó? –preguntó Viana, aunque ya lo sospechaba.

Ella se puso a temblar de miedo y no se atrevió a contestar.

La aldea más grande del dominio se llamaba Campoespino y, al ser también la más cercana al castillo de Holdar, había sido la más atormentada por sus guerreros.

–Fueron los hombres de mi esposo, ¿verdad?

La mujer permaneció en silencio y con la cabeza baja, temerosa de que fueran a castigarla si acusaba a las huestes de Holdar. Aferró con fuerza a su bebé y atrajo hacia sí las dos cabecitas infantiles que encontró más cerca, quizá temiendo que alguien fuera a hacerles daño.

No hizo falta que respondiera. Viana entendió muy bien que su marido era el responsable de la desgracia de aquella gente.

Sintió que la ira estallaba en su interior y no pudo evitar comparar el asado que acababan de sacar del horno con las tristes escudillas de sopa aguada que estaba cenando aquella familia.

–Alda –llamó a la cocinera–, corta una de las patas traseras para repartir entre nuestros invitados.

–¿Nuestros invitados? –repitió ella sin comprender–. Oh –dijo finalmente al ver que su ama se refería a los mendigos–. Ah –añadió cuando empezó a vislumbrar las consecuencias de aquella orden–. Señora, ¿estáis segura?

–Hazlo –insistió Viana.

Estaba tan furiosa que no le importó lo que diría Holdar al ver su cerdo mutilado. De hecho, una parte de ella deseaba fastidiarle la cena.

Si Dorea hubiese estado presente, sin duda le habría sacado aquella idea de la cabeza. Pero había ido al patio para llenar dos cubos de agua del pozo y no tuvo ocasión de intervenir.

Aún dudando, Alda y otra de las cocineras cortaron una de las patas traseras del cerdo y lo sirvieron a la hambrienta familia, que contempló el jamón como si una de las hadas del Gran Bosque lo hubiese hecho aparecer allí por arte de magia.

–Adelante –los animó Viana–. Comed.

La madre dudó, intuyendo que su anfitriona se metería en problemas por aquel gesto; pero no podía seguir ignorando el hambre de sus pequeños por más tiempo, de modo que le dio las gracias efusivamente y empezó a repartir la carne entre los niños.

–¿Qué hacemos con el asado, señora? –se atrevió a preguntar Alda.

–Servidlo en el salón.

–¿Así, como está?

–Así, como está.

Las cocineras lo consultaron entre ellas en voz baja, pero fue finalmente Alda quien se armó de coraje y tomó la fuente de la cena.

Transcurrieron unos angustiosos instantes, durante los cuales la cocina permaneció en silencio a excepción del crepitar del fuego y el ruido que hacían los niños al masticar.

Y entonces se oyó un rugido procedente del salón y algo que caía al suelo con un estrépito metálico y un grito. Viana temió que Holdar hubiese hecho daño a Alda, y empezaba a arrepentirse de su pequeño acto de rebeldía cuando su marido irrumpió en la estancia arrastrando a la cocinera del brazo. Estaba loco de ira; su rostro parecía tan rojo como su barba, y movía los ojos en todas direcciones en busca de un culpable. Vio entonces a la familia de campesinos, que se encogían de miedo en un rincón; el hueso del jamón era lo único que quedaba de su cena, pero para Holdar fue suficiente. Con un aullido de rabia, se abalanzó hacia ellos...

... Y se topó con Viana, que se erguía ante él, serena y desafiante.

–No, esposo –afirmó–. Yo les di la pata del cerdo para que cenaran.

Esperaba que él se enfureciera y le preguntara a voz en grito el motivo de semejante atrevimiento; pero Holdar era hombre de pocas palabras: cruzó la cara de su esposa con un sonoro bofetón que la arrojó contra la mesa, cuyo canto se le clavó profundamente en las costillas.

A Viana jamás le habían puesto la mano encima, y mucho menos con semejante brutalidad. Se quedó sin aliento y tardó unos instantes en comprender lo que estaba pasando. Pero cuando resbaló hasta el suelo y un hilo de sangre empezó a brotar de su labio partido, todo el dolor estalló de pronto en su cuerpo con tanta fuerza que ni siquiera fue capaz de gritar. Jadeó y logró exhalar un gemido aterrorizado.

—¡Mi señora!

Las criadas se abalanzaron hacia ella, y fue la más joven quien se arrodilló primero a su lado. Antes de que Viana pudiera detenerla, la chica tentó su enorme barriga para asegurarse de que el bebé estaba bien. Una expresión de desconcierto asomó a su rostro cuando su mano se hundió en el blando relleno que simulaba el embarazo de su ama. Al ver la mirada horrorizada de Viana, trató de disimular su reacción, pero era demasiado tarde. Tal y como Dorea había dicho, y a pesar de que a menudo mostrara la bestialidad de un enorme oso de las cavernas, Holdar no era, ni mucho menos, estúpido. Entendió enseguida que pasaba algo raro entre las dos mujeres y, sin que Viana pudiese evitarlo, apartó a la sirvienta de un empujón, se inclinó junto a su esposa y palpó su vientre con su gran manaza. Viana ahogó un grito al sentir que la otra mano del bárbaro rebuscaba bajo sus faldas hasta extraer el relleno que había hecho pasar por un falso bebé.

La joven comprendió que todo había terminado cuando un relámpago de ira cruzó el rostro de su marido.

Pero entonces se oyó una exclamación consternada: Dorea acababa de regresar del patio y, alarmada por lo sucedido, había dejado caer el balde con el agua, que rodó por el suelo, derramando su contenido.

Aprovechando aquella distracción, Viana agarró el atizador del fuego y asestó con él un formidable golpe a Holdar en la cabeza. No fue un gesto consciente, sino una reacción instintiva, algo que hizo sin pensar. Imprimió en aquella agresión toda la fuerza de su miedo y su desesperación, porque intuía que, si no reaccionaba, no vería un nuevo amanecer.

Naturalmente, aquello no bastó para que Holdar perdiera el sentido, pero aun así lo tomó por sorpresa y lo hizo retroceder. Sin embargo, quiso la mala suerte que el bárbaro tropezara con el cubo que Dorea había dejado caer; resbaló, cayó hacia atrás y se golpeó la cabeza contra la repisa de piedra del horno.

Se oyó un desagradable crac... y el bárbaro se desplomó en el suelo. Bajo su nuca se formó rápidamente un charco de sangre.

Viana se incorporó a duras penas, aterrorizada.

–¿Qué... qué está pasando? –logró balbucir, como si acabara de despertar de un sueño.

–Mi señora, ¡habéis matado a vuestro esposo! –casi chilló Alda, pero Dorea le tapó rápidamente la boca con la mano.

–¡Silencio! Dejadme pensar.

Mientras Dorea se inclinaba junto al enorme bárbaro para asegurarse de que, en efecto, estaba muerto y bien muerto, Viana no podía apartar la mirada de su cuerpo inerte. No había tenido intención de matarlo... ¿o sí? Lo cierto era que en sus momentos más amargos había fantaseado con aquella posibilidad, pero siempre llegaba a la conclusión de que le resultaría imposible, por lo que nunca lo había considerado en serio. Y ahora... Holdar estaba muerto.

—Niña, debéis marcharos sin demora —dijo entonces Dorea, incorporándose trabajosamente—. Id a las caballerizas, ensillad un caballo y escapad lejos del castillo.

A Viana le daba vueltas la cabeza.

—Pero ¿cómo? ¡Me descubrirán los guardias! ¿Y a dónde iré? ¡No puedo dejarte aquí!

Su nodriza sacudió la cabeza.

—Está lloviendo a cántaros, mi señora. No hay ningún guardia en su puesto porque se han refugiado todos bajo el cobertizo, y además han dejado abierto el portón para que no se inunde el patio. Si huis ahora, no tendrán tiempo de reaccionar. Marchaos a cualquier parte, no importa a dónde. Los hombres de Holdar no tardarán en presentarse aquí y descubrirán lo que ha pasado. Y en cuanto a mí... no os preocupéis. Encontraré la manera de reunirme con vos.

—Pero...

—¡Marchaos! ¡Escapad! —la urgió Dorea, empujándola hacia la salida.

—Sí, señora, huid ahora que podéis —la secundó Alda—. Según la ley de los bárbaros, el castigo para una mujer que acaba con la vida de su esposo no es otro que la muerte.

Viana dio un par de pasos hacia la salida, pero antes de irse se volvió hacia la cocina una última vez. Su mirada se detuvo sobre la familia cuya presencia había desencadenado el fatal incidente. La madre había reunido a los niños a su alrededor; todos temblaban, asustados, salvo el mayor, un chico de unos once o doce años, que contemplaba a Viana con franca admiración.

–Dorea, cuida de ellos –suplicó ella–. No dejes que les hagan daño, no tienen la culpa de nada.

La nodriza asintió.

–Y ahora marchad, niña –insistió.

Viana salió al patio. Bajo una lluvia torrencial, se deshizo de los últimos restos del relleno, recuperando su figura original, más ágil y ligera, y corrió hacia las caballerizas. Temía por Dorea y los demás, pero también sabía que, si salía huyendo, lo primero que harían los hombres de Holdar sería ir tras ella, y eso les daría un margen de tiempo para escapar.

Una vez en los establos, no perdió tiempo en buscar a su palafrén en la oscuridad. Ensilló el primer caballo que vio, un alazán de aspecto nervioso, y montó en él tan rápido como pudo. El animal estuvo a punto de tirarla al suelo; pero Viana no podía permitir que un caballo obstinado desbaratase su huida, de forma que aferró bien las riendas y clavó los talones en sus flancos, pese a que era la primera vez en su vida que montaba a horcajadas, como los hombres. Logró mantenerse sobre su lomo de puro milagro, pero no pudo evitar que se encabritara y echara a correr fuera del establo.

La joven se aferró a las riendas y trató de guiarlo hacia las puertas del castillo. Ambos pasaron con rapidez ante los guardias, que, como había dicho Dorea, habían abandonado sus puestos para resguardarse de la lluvia. Viana, presa de la desesperación, aterrorizada y todavía dolorida, oyó las voces de los hombres tras ella y supo que no tardarían en salir en su persecución. Pero no podía dominar aquel caballo, así que se limitó a tratar de mantenerse sobre él y dejarse llevar a donde la condujese.

Tras una loca carrera bajo la lluvia que a Viana se le hizo eterna, el caballo se adentró en la espesura del bosque, pero la joven apenas fue consciente de ello, ni siquiera cuando empezó a verse azotada por ramas mojadas que arañaron su fina piel. Llegó un momento en que no pudo más y, aprovechando que el animal había aminorado la velocidad, se dejó resbalar de su lomo y cayó sobre los arbustos empapados. Trató de incorporarse, pero no fue capaz. Perdió el sentido y se hundió en la oscuridad.

Capítulo IV

n el que se cuenta
lo que hizo Viana
después de huir
del castillo
y el encuentro que tuvo
en las lindes del Gran Bosque.

VIANA NUNCA LLEGARÍA A SABER cuánto tiempo estuvo tendida bajo la lluvia, inconsciente entre la maleza. Al cabo de un rato creyó escuchar un rumor entre los árboles y abrió los ojos, parpadeando. Solo vio la sombra de un hombre en la oscuridad, una risa seca y una voz que, por alguna razón, le resultó conocida:

–Vaya, vaya... ¿Qué tenemos aquí?

La joven intentó levantarse para salir huyendo, pero su cuerpo no la obedecía y le estaba costando mucho mantenerse consciente. Cuando el desconocido se inclinó sobre ella, Viana manoteó, desesperada, pero el esfuerzo le hizo perder el sentido de nuevo.

Despertó en varias ocasiones, aunque apenas guardaría recuerdo de todo ello. Solo luces cambiantes, el rumor de la lluvia, olor a bosque y a sopa caliente, el tacto áspero de la manta que la cubría y la sombra del hombre que la había rescatado recortándose contra una pared de troncos.

Imágenes, retazos... que se conservarían para siempre en su memoria aunque no fuera capaz de unirlos para dibujar un lienzo completo.

Cuando por fin recuperó la conciencia, podrían haber pasado horas o podrían haber sido días; Viana no lo sabía. Descubrió que ya había amanecido, y también había cesado la lluvia, porque un rayo de sol se colaba por la ventana, jugueteando con sus cabellos de color miel. La muchacha parpadeó, confusa. Se llevó la mano al labio herido, con precaución, y notó que ya no sangraba, aunque todavía le dolía al tacto. La brutal huella que Holdar había dejado en ella tardaría un tiempo en sanar. De todas formas, se dio cuenta de que no tenía restos de sangre seca sobre su piel. Alguien la había limpiado y curado.

Miró a su alrededor. Se encontraba en el interior de una cabaña. En la pared del fondo, la chimenea conservaba los restos de un fuego que había servido para calentar el contenido de una pequeña olla. Ella estaba recostada sobre el único camastro de la única estancia que había, y se incorporó con aprensión; la ropa que colgaba de los ganchos de la pared (un grueso manto de pieles y un viejo jubón) era indudablemente masculina. ¿Quién la había acogido en su casa, y por qué razón lo había hecho? ¿Qué había sucedido mientras ella estaba inconsciente... si es que había sucedido algo? Su temor creció al comprobar que solamente llevaba puesta su camisa interior. Buscó su vestido con la mirada y lo halló tendido cerca de la chimenea; probablemente su rescatador lo había puesto ahí para que se secara. Aun así, aquello no garantizaba...

Sus pensamientos fueron bruscamente interrumpidos por el chirrido de la puerta al abrirse. Viana se levantó de un salto –se sintió mareada, pero luchó por mantenerse en pie– y retrocedió hasta la pared, temblando.

El hombre que acababa de entrar era alto y nervudo. Portaba un arco y un carcaj a la espalda, y un par de conejos muertos pendían de su cinturón. Estaba a contraluz, de modo que Viana no podía ver sus rasgos con claridad; de todas formas, la capucha que le cubría la cabeza tampoco facilitaba las cosas.

–Así que ya estás despierta –dijo–. Ya era hora, marmota.

Viana no respondió. Estaba demasiado asustada como para sentirse ofendida, de modo que permaneció quieta, apoyada contra la pared, sin quitarle la vista de encima.

–Eres la hija del duque Corven, ¿verdad? –preguntó él–. La chica que se casó con el bárbaro Holdar.

Viana se irguió, molesta porque el desconocido no usaba con ella el trato que merecía su posición.

–¿Cómo lo sabéis? –farfulló como pudo, ya que el labio hinchado no le permitía vocalizar muy bien; trató, sin embargo, de imprimir un tono desafiante a su voz.

Él dio un par de pasos hacia delante y la luz que entraba por la ventana iluminó su rostro. En ese momento, Viana lo reconoció y reprimió una exclamación de asombro: se trataba de Lobo, el hombre que había irrumpido en el castillo de Normont para anunciar que los bárbaros estaban en camino. Parecían haber pasado décadas desde entonces.

 119

–Te vi en la celebración del solsticio –respondió él–, aunque entonces no sabía quién eras. Pero me llegaron rumores de tu boda con ese Holdar y no estamos lejos de Torrespino, así que no he tenido más que atar cabos. Aunque también tenía entendido que estabas embarazada –añadió, echándole un vistazo crítico–. Sí que debe de ser escuálido ese pequeño bastardo.

Viana enrojeció y alzó la barbilla con dignidad, tratando de fingir que no le importaba que él la viera en ropa interior.

–No estoy en estado –anunció–. Solo lo simulé para que Holdar me dejara en paz.

Lobo pareció genuinamente sorprendido.

–Y ahora te has escapado, ¿verdad? –dio un paso hacia ella, pero Viana se puso tensa–. No temas –la tranquilizó–; aquí estarás a salvo de él.

A la joven la enfureció su tono condescendiente.

–No tengo miedo de Holdar porque está muerto –declaró–. Yo misma lo maté.

Lobo frunció el ceño, y Viana tuvo la satisfacción de comprobar que lo había impresionado. El hombre sacudió la cabeza y dijo:

–Todo eso me lo tienes que contar con calma y en detalle. Ven, siéntate aquí y...

–No tengo intención de sentarme en ningún sitio con vos, caballero –replicó ella con gélido orgullo–, al menos hasta que me habléis como corresponde a mi condición y, sobre todo, tengáis la decencia de devolverme... lo que me habéis arrebatado.

Lobo se quedó perplejo un momento, probablemente preguntándose a qué se refería Viana, hasta que cayó en la cuenta de que su vestido seguía tendido ante la chimenea. Dejó escapar una carcajada y se lo lanzó para que ella lo recogiera al vuelo.

–Como deseéis, mi señora –replicó, burlón–, pero deberíais ir haciéndoos a la idea de que «vuestra condición» ya no existe. Desapareció, igual que la mía, el día en que los bárbaros invadieron Nortia. Ahora, ellos son los reyes, los duques y los condes. Y nosotros solo tenemos dos posibilidades: someternos a ellos o luchar.

Viana había empezado a ponerse el vestido, roja de ira ante la actitud de Lobo, pero sus últimas palabras le dieron que pensar. Mientras se peleaba con los cordones de la prenda, que se ataban a la espalda –normalmente era Dorea quien se encargaba de vestirla todas las mañanas–, se preguntó en qué lado quería estar. Ya había probado la opción de someterse, porque era lo que se esperaba de una doncella como ella, y no le había gustado la experiencia. No quería regresar a Torrespino y arriesgarse a que la castigaran por haber matado a Holdar. Con la muerte, como había dicho Alda. Por otro lado, si Harak no la ejecutaba, seguramente la casaría con otro de los jefes bárbaros. Y la aterrorizaba la sola idea de pasarse el resto de su vida dando a luz a los hijos de los invasores.

No, no podía regresar. Pero tampoco podía luchar, como había insinuado Lobo. Al fin y al cabo, ella era una mujer; no tenía fuerza ni arrestos suficientes para plantar cara a los bárbaros.

Entonces recordó cómo había desafiado a Holdar y lo había golpeado para protegerse de su agresión. Y ahora el bárbaro estaba muerto. No estaba tan indefensa como parecía, ni él había resultado ser tan invencible. Sacudió la cabeza, confusa. También existía, claro, una tercera opción: huir y ocultarse en un lugar donde los bárbaros no lograran encontrarla nunca. Aquello no sería muy diferente a lo que había hecho Robian; pero, después de todo, Viana era una doncella. No se esperaba de ella que fuera valiente.

Lobo captó su turbación y sonrió.

−Creo que deberíamos hablar con calma −dijo−. Tengo mucha curiosidad por saber cómo has matado a Holdar, si es cierto que lo has hecho, y cómo has aparecido aquí.

A Viana no le importó en esta ocasión que su salvador volviera a hablarle como a una chiquilla. Docenas de ideas daban vueltas por su mente y necesitaba ordenarlas, por lo que accedió a sentarse junto a Lobo frente a la chimenea. Mientras él encendía el fuego, colocaba sobre la lumbre un caldero lleno de agua, desollaba y troceaba los conejos y pelaba algunas hortalizas para el guiso, Viana le relató todas sus desventuras desde el día en que los dos emisarios del rey Harak se presentaron ante las puertas de Rocagrís. Lo hizo lentamente y con muchas pausas, pero Lobo no la interrumpió ni una sola vez. Solo frunció el ceño cuando ella le habló del somnífero y de su falso embarazo, y después, de nuevo, al relatarle el incidente del asado. Viana pensó que seguramente su anfitrión desaprobaba su conducta, pero cuando terminó de hablar y él tomó la palabra de nuevo, no parecía enfadado, sino pensativo.

−Vaya, muchacha, quién lo hubiera dicho; parece que tienes agallas. Todas las damas de alta cuna en edad de merecer han sido desposadas con guerreros bárbaros; Harak las ha repartido entre los jefes de los clanes como si fueran cabezas de ganado. Sin embargo, que yo sepa, solo tú has tenido la desfachatez de resistirte al destino que habían elegido para ti. Algunos de los caballeros del rey Radis no podrían decir lo mismo.

Viana no respondió enseguida. Apenas había mencionado a Robian, porque seguía siendo un asunto demasiado doloroso para ella, pero no pudo evitar pensar en él en aquel momento. Recordó entonces que, si era cierto lo que Belicia le había contado, Lobo habría sido también un caballero del rey.

−¿Y vos? −le preguntó−. ¿No luchasteis contra los bárbaros? ¿Qué hacéis aquí?

Lobo hizo una mueca.

−Fui uno de los primeros en acudir al encuentro de los bárbaros, porque mi dominio está... estaba al pie de las Montañas Blancas. Los vi venir. Escuché sus tambores y sus gritos de guerra, y casi pude oler su apestoso aliento desde mi torre. Reuní a todos los hombres que pude y traté de detenerlos... Pero eran muchos, y los ejércitos del rey llegaron demasiado tarde. Yo tuve la suerte de escapar con vida porque me hirieron en un costado, me cayó el caballo encima y me dieron por muerto. Tenían tantas ganas de obtener un premio mayor que no se molestaron en comprobar si aún respiraba. Arrasaron con todo lo que encontraron a su paso, pero apenas se detuvieron, porque los objetivos de Harak eran el corazón de Nortia, el castillo de Normont y la corona del rey Radis.

»Cuando recuperé la conciencia, descubrí que todos mis soldados estaban muertos y que mi casa había ardido hasta los cimientos. Vine a refugiarme al bosque, para lamer mis heridas como un perro viejo. Cuando estuve listo para volver a la acción, ya era demasiado tarde. O al menos, eso pensaba –añadió, dirigiendo a Viana una mirada de soslayo que ella no supo interpretar.

–Pero es demasiado tarde –recalcó ella–. No hay nada que podamos hacer para recuperar Nortia, ¿verdad?

–No había nada que pudiéramos hacer y, sin embargo, una muchachita remilgada como tú, educada para ser la perfecta esposa de un perfecto caballero, que no ha sido adiestrada en las artes de la guerra, ha logrado derrotar al jefe de uno de los grandes clanes de las estepas.

Viana enrojeció; no supo si de vergüenza o de satisfacción.

–Pero fue por casualidad –argumentó–, un accidente. No habría sido capaz de hacerlo en otras condiciones.

–Aun así, te atreviste a desafiarlo, y eso es algo digno de tenerse en cuenta. Verás, he estado pensando mucho todo este tiempo, rumiando sobre lo que haría si tuviese un puñado de hombres valientes a mis órdenes, si pudiese organizar un ejército...

–No entiendo lo que queréis decir.

Lobo la miró pensativo.

–No importa –dijo finalmente–. Quizá me estoy precipitando.

Sobrevino un breve silencio; Viana aprovechó para preguntar:

–Pero ¿dónde estamos?

–En el Gran Bosque –respondió Lobo.

La joven se incorporó, sobresaltada.

–No temas –añadió él al ver su reacción–. No nos encontramos en el bosque profundo, sino en sus límites, muy cerca de la civilización.

–Aun así... ¡se trata del Gran Bosque! –exclamó ella–. ¿No habéis oído las historias que se cuentan? ¡Debemos salir de aquí cuanto antes!

–Tranquila, conozco estos parajes y te garantizo que conmigo estarás a salvo –insistió Lobo–. Si hay brujas o duendes viviendo en el bosque, yo no los he visto. Además, los bárbaros nunca llegan hasta aquí. No se atreven.

«Y seguramente tienen buenos motivos», pensó Viana, pero no lo dijo en voz alta, porque en el fondo se sentía aliviada.

Lobo le sirvió una escudilla del guiso de conejo que había estado borboteando en la olla, y ella la aceptó agradecida. Lobo la dejó comiendo junto al fuego y se levantó para ir en busca de su capa.

–¿Te vas? –preguntó Viana, sin ser consciente de que ella también había dejado de tratarlo de vos.

–Voy a acercarme a Campoespino. Espérame aquí y aprovecha para descansar; volveré al anochecer.

Viana asintió sin una palabra. Lobo tampoco añadió nada más. Se despidió con un gruñido y se fue dando un portazo.

Ella no salió de la cabaña en toda la tarde. Pese a que Lobo le había asegurado que no corría peligro en las lindes del Gran Bosque, se sentía más segura entre cuatro paredes.

Lobo regresó, como había prometido, cuando las primeras sombras del crepúsculo empezaban a culebrear por los recodos del bosque. Había aprovechado bien el tiempo. Mientras desplumaba las dos perdices que había cazado, le contó que las cosas estaban muy revolucionadas en el castillo. Privados de su líder, los bárbaros no habían sabido reaccionar. Finalmente, habían enviado un emisario a la corte para informar a Harak de lo sucedido. Los demás seguían buscando a Viana por todas partes, para hacerle pagar la muerte de Holdar.

–¿Y Dorea? –preguntó Viana, impaciente–. ¿Y el resto de la gente que dejé en el castillo?

–Parece ser que, aprovechando la confusión general, escaparon sin ser advertidos. Cuando los hombres de Holdar quisieron encontrarlos, ya era demasiado tarde. De modo que no solamente te buscan a ti: también a tu dama de compañía y a la familia de campesinos a la que acogiste. Les has causado un buen dolor de cabeza a esos salvajes, jovencita –añadió, riéndose entre dientes.

–No puede ser –murmuró Viana–. Dorea sabe cuidar de sí misma, pero esa mujer y sus hijos no tienen ninguna culpa. Solo fueron al castillo para pedir algo de cenar porque estaban hambrientos. ¿Qué les pasará si los encuentran?

–Con un poco de suerte, pronto dejarán de buscarlos. Después de todo, fuiste tú quien acabó con la vida de Holdar, y ellos estaban allí solamente por casualidad.

–De todas formas, me quedaría más tranquila si sé que están totalmente a salvo.

Lobo asintió.

–Bien –dijo–. Volveré al pueblo dentro de unos cuantos días para ver si me entero de más cosas.

Viana le dirigió una mirada llena de agradecimiento.

Los días siguientes transcurrieron muy deprisa. Viana se recuperó pronto de su enfrentamiento con Holdar y su desesperada huida bajo la tormenta, pero, convencida ya de que estaba segura en casa de Lobo, empezó a sentirse cómoda en aquel lugar. Él le había cedido caballerosamente su camastro, y al cabo de un par de noches Viana empezó a dormir mejor y a comer con mayor apetito, e incluso se animó a dar cortos paseos por los alrededores de la cabaña, aunque sin atreverse a alejarse demasiado.

Al cabo de unos días, Lobo volvió a ausentarse para recabar información y, cuando volvió, las noticias que traía no eran muy esperanzadoras.

El rey Harak se había enterado de la osadía cometida por Viana y había puesto precio a su cabeza. Y era un precio muy alto, pero no porque la consideraran realmente peligrosa (al fin y al cabo, no era más que una doncella), sino porque no se había conformado con ocupar el lugar que le correspondía y había desafiado el poder de los invasores. La ofensa no era solo contra Holdar: era contra todo el pueblo bárbaro y, por extensión, contra el mismo rey Harak.

–De hecho –comentó Lobo, pensativo–, creo que se lo habría tomado mejor si hubieses sido un caballero. Entonces, probablemente, y tras alabar en público tu fuerza y tu valor, te habría regalado un castillo. Torrespino, por ejemplo. Con esos bárbaros, nunca se sabe.

Viana levantó la mirada, esperanzada.

–¿Podría devolverme Rocagrís si demuestro que soy...? No, olvídalo –concluyó, al darse cuenta de lo absurdo de su pretensión.

–No esperes que vaya a perdonarte –dijo él–. Considera que lo has insultado gravemente, así que todo el mundo está buscándote para entregarle tu cabeza en bandeja de plata.

Viana se estremeció.

–Entonces he de escapar de aquí –murmuró.

Lobo soltó una carcajada burlona.

–¿Y a dónde crees que podrías ir sin que te capturaran?

–Intentaría llegar al sur...

–Aunque lograras atravesar Nortia, los reyes del sur temen el poder de Harak. Ya están tratando de congraciarse con él porque saben que son su próximo objetivo. Cobardes –escupió con desagrado.

Viana se quedó de piedra.

–¡Pero deberían reunir un ejército para pelear contra Harak, no adularlo! –exclamó.

–Eso es exactamente lo que pienso yo –gruñó Lobo–. Pero también pensaba así el rey Radis, y mira cómo acabó –recordó, y había cierto poso de amargura en su voz–. Los poderosos son capaces de cualquier cosa por conservar lo que tienen.

Viana pensó en Robian y se dijo a sí misma, con tristeza, que Lobo tenía mucha razón.

–Entonces, ¿qué puedo hacer? Quizá, si me oculto en alguna aldea y me hago pasar por campesina...

Pero su anfitrión respondió con una carcajada.

–No me hagas reír, Viana. Tú jamás pasarías por una campesina. Mírate: tienes la piel blanca de quien nunca ha trabajado al sol, tus manos son suaves y finas, y está claro que no has pasado hambre –añadió, echando una mirada burlona a la figura de la muchacha.

Viana enrojeció, sintiéndose muy ofendida. Ella era una doncella hermosa: la piel blanca, el rostro redondo y las formas generosas eran signos de belleza y de salud. Obviamente, una mujer delgada lo era porque no comía lo suficiente, de modo que no entendía la insinuación de Lobo.

–¿Qué hay de malo en mí? –protestó–. Incluso cuando todo el mundo sabía que estaba prometida a Robian, los caballeros jóvenes me cortejaban a docenas –declaró–. Componían muchas canciones alabando mi belleza.

–Y no mentían –respondió Lobo, conciliador–. Pero tu aspecto indica el tipo de vida que has llevado: no has trabajado jamás y, por tanto, serías incapaz de adaptarte en el campo. Llamarías tanto la atención como un bárbaro en un baile de la corte. De la antigua corte, quiero decir.

–Entonces nunca podré salir de este bosque –murmuró ella, sintiéndose muy desgraciada–. Y aquí me quedaré, hasta que los bárbaros vengan a buscarme. Porque hoy no se atreven a traspasar sus fronteras, pero pronto alguien lo hará... y descubrirá que no hay nada que temer... y avanzará un poco más, y así hasta que encuentren esta cabaña. Porque ellos son así, Lobo. Nunca permiten que algo les dé miedo durante demasiado tiempo.

—Por eso tenemos que prepararte —dijo él, levantándose con decisión—. Mañana empezará tu entrenamiento.

—¿Entrenamiento? —repitió Viana sin entender.

Lobo asintió.

—Hasta ahora has tenido suerte, pero me temo que a partir de ahora vas a necesitar algo más que bebedizos y rellenos abdominales para sobrevivir en este mundo de bárbaros. Así que te voy a enseñar a luchar.

—¿A luchar? ¡Pero yo soy una doncella! —se escandalizó Viana.

—Con mayor motivo. ¿Ves esto? —Señaló su oreja mutilada—. ¿Sabes cómo la perdí? Cuando era joven tuve que escoltar a una dama hasta el castillo de su tío. Nos atacaron unos bandidos por el camino; no eran grandes luchadores, pero pudieron herirme porque me vi obligado a defender a la dama. Ese día aprendí algo importante: que es más fácil pelear si no tienes que cuidar de otro... y que las mujeres dan muchos problemas.

—Vaya —refunfuñó Viana.

—También te enseñaré a moverte por el bosque, a seguir rastros, a cazar... ¿O es que creías que podrías seguir viviendo aquí sin hacer nada? Esto no es el castillo de tu padre. Te has recuperado del todo y no vas a seguir ganduleando: ahora aprenderás a valerte por ti misma.

—¡Pero yo soy una doncella! —insistió Viana.

Lobo negó con la cabeza.

—No, Viana: ahora eres una proscrita.

La muchacha se estremeció de horror. Los proscritos eran gente malvada: individuos malcarados que vivían como salvajes en los bosques, se comportaban como animales y olían todavía peor.

—Significa que estás fuera de la ley —le explicó Lobo, malinterpretando su expresión.

—Ya sé lo que significa —se defendió ella—. Y sigue siendo igual de espantoso, muchas gracias.

Pero Lobo rio entre dientes.

—No si se trata de la ley de Harak. Piénsalo bien.

Y no dijo más.

Pero Viana, en efecto, meditó mucho al respecto.

Pensó en todas las veces que había deseado ser hombre para poder defender sus derechos. En lo mucho que había odiado a los bárbaros desde la muerte de su padre. En que había escapado del destino que Harak había elegido para ella y en que Lobo tenía razón: no era más que una muchacha y, sin embargo, había acabado con la vida de uno de los grandes jefes bárbaros. Y no había sido la única en desafiar a los invasores: también Dorea había colaborado, y mucho, en la caída de Holdar. Y también ella era mujer.

A la mañana siguiente, se levantó muy emocionada. Apenas había podido dormir pensando en las posibilidades que le ofrecía Lobo. ¿Aprendería a cazar como un montero? ¿A luchar como un guerrero? ¿A cabalgar a horcajadas, como hacían los hombres? ¿Sería capaz de manejar una espada? ¿De enfrentarse a los bárbaros?

De repente, y en muy pocos días, sus deseos habían cambiado completamente. Ya no se imaginaba como una pobre damisela en apuros. Ya no soñaba con una boda de cuento (de hecho, el recuerdo de Robian le causaba más ira que dolor). Ahora se veía a sí misma como la heroína que desafiaría a Harak y vengaría a su padre.

Sin embargo, Lobo echó por tierra todas sus expectativas cuando le arrojó a la cara un montón de prendas viejas.

–¿Qué es esto? –casi chilló Viana.

–Ropa de hombre –replicó él–. ¿O es que pensabas andar por el bosque con ese vestido?

–Con este precisamente, no –dijo ella ofendida; llevaba todavía la misma ropa con la que había huido de Torrespino, y había estado suspirando por cambiarse desde entonces–. Pero, cuando me dijiste que me traerías una muda, pensaba que te referías a otra cosa.

Lobo le respondió con una carcajada seca. Viana se tragó su indignación, porque comprendía que él estaba en lo cierto: si quería hacer cosas de hombres, tendría que vestir como uno de ellos.

Volvió a entrar en la cabaña para cambiarse. Le costó más de lo que había imaginado, y cuando finalmente salió al exterior estaba muerta de vergüenza porque las calzas que llevaba le hacían sentir que iba enseñando las piernas a todo el mundo.

–No me mires tanto –gruñó, tratando de taparse con las manos ante la mirada inquisitiva de Lobo.

–Llevas mal puesta la camisa –dijo él, y se acercó a Viana para ajustársela.

—¡Es que es demasiado corta! –se quejó ella.

—Es una camisa de hombre, Viana. ¿Y dónde está tu jubón?

Ella enrojeció.

—No me quedaba bien –se defendió; pero lo cierto era que no había sabido ponérselo.

Lobo sacudió la cabeza.

—No me lo puedo creer –masculló–. Vamos, deja de protestar; aquí no va a verte nadie.

—¡Me estás viendo tú!

Lobo puso los ojos en blanco y suspiró.

—¿Quieres que sea tu maestro, sí o no?

Viana dudó un poco, pero finalmente asintió.

—Bien –respondió Lobo con brusquedad–. Entonces sígueme.

Dio media vuelta y se alejó de ella con paso rápido. La joven se esforzó por mantener su ritmo; se sentía muy extraña llevando aquellas ropas, casi como si fuera medio desnuda. Pero pronto fue abandonando aquella sensación, porque había muchas otras cosas de las que ocuparse.

En primer lugar, descubrió que era mucho más fácil moverse sin las pesadas faldas que estaba acostumbrada a llevar. Maravillada, no tardó en olvidarse del decoro, o de la falta de él, y se centró en mantener el paso de Lobo a través de la espesura. Le resultó más difícil de lo que había imaginado: pese a su recién adquirida ligereza, tropezaba con todas las raíces y el pelo se le enredaba en todas las ramas; además, los arbustos arañaban su delicada piel. Sin embargo, no se quejó en ningún momento.

Se daba cuenta de que había discutido cada una de las decisiones de Lobo, a pesar de que en el fondo le parecían razonables. Y aunque los hábitos que le habían enseñado desde niña eran muy difíciles de olvidar, estaba dispuesta a dejarse adiestrar por él. Por eso, se tragó su orgullo y las lágrimas que amenazaban con asomar a sus ojos, y luchó por demostrar que podía estar a la altura.

De pronto, Lobo se detuvo y alzó la cabeza para escuchar con atención. Viana tardó un poco en alcanzarlo.

–Silencio –dijo él, pero la muchacha no podía dejar de jadear de puro cansancio. Lobo le dirigió una mirada irritada y, lentamente, armó su arco con una flecha. Después, rápido como el pensamiento, se dio media vuelta y disparó.

Se oyó un chillido en la espesura y Viana alcanzó a ver una mancha gris que se alejaba corriendo. Lobo lanzó una maldición.

–Lo has espantado, pedazo de torpe –la riñó–. Haces tanto ruido, en realidad, que me sorprende que hayamos podido llegar tan cerca. Qué pena; era una buena pieza.

–Lo siento –murmuró ella; no tenía ni idea de cuál era el animal que Lobo había pretendido cazar, pero ni siquiera se atrevió a preguntarlo.

Entonces él se quedó mirándola y pareció ablandarse un poco.

–No te preocupes –la consoló–. Para ser el primer día, lo estás haciendo bastante bien.

–¿Tú crees? –Viana lo miró con desconfianza, convencida de que se estaba burlando de ella, porque no tenía la sensación de estar haciendo un buen trabajo. Sin embargo, Lobo parecía sincero.

—Me has seguido hasta aquí —hizo notar—. Y he dejado atrás a gente más experimentada que tú. Pero resulta que eres muy obstinada. Por suerte para ambos.

Viana no sabía si debía sentirse o no halagada, pero optó por no replicar, entre otras cosas porque estaba tan cansada que agradecía que se hubiesen detenido aunque solo fuera un momento. Mientras Lobo se inclinaba para examinar un rastro que a ella le resultaba completamente invisible, la muchacha aprovechó para tratar de desenredarse el pelo y quitarse los rastrojos que habían quedado enganchados en él. Cuando alzó la mirada vio que Lobo la observaba fijamente. Y supo lo que estaba pensando.

—Oh, no —protestó—. Ni hablar.

Él sonrió.

—Me temo que sí, mi estimada damisela.

Al día siguiente, Viana salió de la cabaña con paso lento, como si acudiera a su propia ejecución. Se había puesto su ropa de hombre sin quejarse, aunque con gran esfuerzo, porque le dolía todo el cuerpo debido a la excursión del día anterior.

Fuera la esperaba Lobo, afilando su navaja. Viana tragó saliva.

—Me encanta hacer esto antes de desayunar —comentó él con fruición.

Viana suspiró y se sentó en un tocón, de espaldas a él. Sintió las manos de Lobo recogiendo su largo cabello color miel. Cerró los ojos, pero él se detuvo.

–¿Estás segura?

Viana abrió los ojos de nuevo. Pensó en Harak y en sus aires de superioridad. En Holdar y sus modales groseros. Y también pensó en Robian y en cómo se había desentendido de ella cuando más le necesitaba. Entornó los ojos y apretó los dientes.

–Sí –dijo con rotundidad–. Adelante.

–Muy bien –asintió Lobo–. Ahora, no te muevas. ¿Sabes cómo perdí una oreja? Fue por culpa de un barbero al que le temblaba demasiado el pulso. Ese día aprendí dos cosas: que nunca se debe esgrimir algo afilado después de haber bebido y que uno no debe fiarse de los barberos.

Viana reprimió una sonrisa, pero no respondió. En silencio, observó cómo los mechones de su cabello caían al suelo uno tras otro. Cada uno de ellos se llevaba con él un retazo de su vida anterior. Una vida, asumió por fin, que había dejado atrás para siempre.

Cuando Lobo terminó, Viana agitó la cabeza y la sintió sorprendentemente fresca y ligera. De nuevo, y al igual que cuando había vestido ropa de hombre por primera vez, experimentó una desconcertante sensación de desnudez.

Se volvió hacia Lobo.

–¿Cómo estoy? –le preguntó.

Su maestro pareció un tanto confundido por la pregunta. Se rascó la cabeza un momento antes de responder:

–No sé... Distinta.

–Distinta –repitió Viana, casi paladeando la palabra–. Distinta –volvió a decir.

Movió la cabeza de nuevo, sintiendo que los mechones que quedaban de su melena golpeaban su rostro, libres y salvajes.

Sí, probablemente se veía distinta. Y se dio cuenta en aquel momento de que también se sentía diferente. Una parte de ella se resistía a abandonar a la remilgada damisela que había sido. Pero otra Viana, más fuerte y valiente, pugnaba por abrirse paso entre los jirones de aquel pasado que no iba a volver. La nueva Viana había nacido y crecido a la sombra de la invasión bárbara y de todo lo que había surgido de ella. La nueva Viana, comprendió de pronto, estaba preparada para luchar.

Se levantó de un salto. Reprimió una mueca de dolor y miró a Lobo con expresión resuelta.

–Bien, estoy lista –anunció–. Espero hacerlo mejor que ayer.

Lobo le dedicó una media sonrisa.

–No me cabe ninguna duda –le aseguró.

Viana también sonrió.

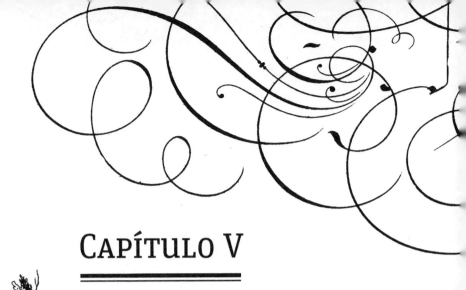

CAPÍTULO V

De la Fiesta del Florecimiento que se celebró en Campoespino y de lo que aconteció cuando Viana trató de salvar el reino por su cuenta y riesgo.

VIANA SE DESLIZÓ EN SILENCIO por la espesura y aguzó el oído. No había nada, salvo el susurro de las hojas de los árboles. Olisqueó el aire; la brisa le traía un aroma familiar. Cerró los ojos y volvió a escuchar. Sí, ahí estaba. Era casi imperceptible: el sonido de unas pequeñas pezuñas rascando contra el suelo. «Te pillé, amiguito», pensó. Abrió los ojos y tensó la cuerda de su arco, apuntando la flecha en una dirección muy concreta. No necesitaba ver a su presa para saber que estaba ahí, pese a que el levísimo movimiento del follaje que había detectado podía deberse al viento. Pero ella ya sabía leer las señales ocultas que el bosque revelaba solo a los observadores más avisados.

Aguardó, inmóvil como una estatua y sin hacer ruido. Entonces, cuando el matorral se onduló de nuevo, soltó la cuerda.

La saeta voló impecablemente hasta su objetivo y encontró un blanco. Viana oyó el chillido del jabalí y se apresuró a cargar el arco de nuevo. Lo vio salir embalado de entre los arbustos y arremeter contra ella, furioso y loco

141

de dolor. No era un ejemplar muy grande, apenas un jabato, como había deducido Viana tras seguir su rastro hasta allí. La flecha se había clavado en uno de sus cuartos traseros y no había bastado para matarlo, pero la joven no se amilanó. Disparó una segunda flecha que le acertó en un punto vital. El jabalí aún dio un par de pasos más antes de desplomarse en el suelo, muerto.

Viana silbó para su coleto. No solían tener jabalí para cenar; Lobo estaría contento.

Procedió a pasar una cuerda por las patas traseras del animal para cargárselo a la espalda. Apenas exhaló un poco más de aire cuando lo alzó en volandas, y sonrió al pensar que unos meses antes habría sido incapaz de levantar aquella presa ella sola, y mucho menos de cobrársela con apenas dos flechazos.

Pero había cambiado mucho en todo aquel tiempo. Se había vuelto fuerte y musculosa, y su fina y blanca piel parecía ahora la de un muchacho, curtida por la vida al aire libre. En muchas ocasiones había echado de menos su pasado en Rocagrís, porque su entrenamiento con Lobo había sido duro y difícil, y el invierno había resultado especialmente frío. Pero ahora llegaba de nuevo la primavera y el Gran Bosque reventaba de vida. Era mucho más sencillo encontrar presas para llevar al puchero, y Viana disfrutaba con la caza y las excursiones por la floresta.

A pesar de todo, el jabalí seguía resultando una carga pesada, de modo que la muchacha se detuvo junto al arroyo para descansar. Allí se lavó la cara y contempló su reflejo en el agua.

Seguía llevando el pelo corto como un hombre, y se encontraba tan cómoda con ropas masculinas que le resultaba extraña la idea de haber llevado alguna vez aquellos embarazosos vestidos de doncella. Frunció el ceño al ver las pecas que salpicaban sus mejillas. Sí; desde luego, parecía un muchacho.

Pero eso no era ninguna novedad.

Una mañana, cuando el invierno ya estaba tocando a su fin, Viana se había atrevido a acercarse a Campoespino, la población más cercana. Se había cubierto la cabeza con una capucha; como aquel día una fina lluvia caía sobre la comarca, no había resultado nada extraño que se envolviera también con una capa de fieltro cálida y resistente.

Se había aproximado con timidez a la plaza del pueblo. Era día de mercado, pero no había mucha gente porque el tiempo no acompañaba. Ella traía consigo un par de liebres para intercambiar, y estuvo merodeando por entre los puestos, pero todo el mundo la había confundido con un chico y nadie la había relacionado con la joven dama que había escapado del castillo de Torrespino una noche de tormenta, varios meses atrás. Ni siquiera los dos bárbaros que regateaban a voz en grito con el herrero le habían dedicado algo más que una mirada indiferente.

Sin embargo, Lobo la había regañado por su osadía.

–¡Alguien podría haberte reconocido! –ladró–. ¿En qué estabas pensando?

Pero Viana no le hizo caso, porque por dentro se sentía exultante de alegría. Le gustaba vivir en el bosque; había aprendido a moverse por allí como cualquiera de los animales que lo habitaban. Pero a menudo echaba de menos la compañía de otros seres humanos. No era que no se sintiera a gusto con Lobo; este había pasado a ser un gran referente en su vida y, aunque no sustituiría al padre que había perdido, sí era lo más parecido a él que podía haber conseguido, dadas las circunstancias. Se había acostumbrado a sus riñas y a sus modales bruscos, y había llegado a sentir por él un auténtico afecto.

Pero necesitaba algo más.

Y ahora que sabía que podía vagar por el pueblo sin peligro, incluso charlar con los lugareños si disfrazaba convenientemente la voz, no pensaba renunciar a eso, por mucho que Lobo se enfadase.

No obstante, en el fondo sus consejos calaban en ella, porque no había vuelto a acercarse a la aldea más que un par de veces desde entonces. Quizá, al fin y al cabo, su lugar estuviese en el bosque.

Se quedó contemplando el arroyo, pensativa. Al otro lado, la floresta se volvía más oscura. Era el límite que había marcado Lobo a su territorio, y que ni siquiera él se atrevía a cruzar. Más allá, el bosque era espeso e impredecible, y se decía que sucedían cosas muy extrañas. Más allá, la gente se perdía y no regresaba jamás.

En cierta ocasión, Viana había expresado sus dudas acerca de aquellas historias. Le había dicho a Lobo que seguramente alguien lo bastante preparado, como él, por ejemplo, podría ir y volver al corazón del Gran Bosque sin problemas. O incluso atravesarlo de parte a parte para descubrir hasta dónde se extendía.

Lobo se había enfurecido tanto como la vez que ella se había acercado al pueblo por su cuenta y riesgo.

De modo que Viana no podía regresar a la civilización, pero tampoco le estaba permitido ir más allá de aquel arroyo. Su territorio, que al principio le había parecido sobrecogedoramente grande, empezaba a quedársele estrecho. A su llegada al bosque, cada día había supuesto un nuevo reto. Le había resultado muy difícil aprender a cazar y a rastrear como Lobo quería y, por si fuera poco, había llegado el invierno justo cuando el entrenamiento comenzaba a dar sus frutos. Lobo y Viana habían luchado por sobrevivir a las fuertes nevadas y a la escasez de presas. Viana había pasado noches enteras acurrucada junto a los rescoldos de la chimenea, tiritando de frío y con los pies llenos de sabañones por primera vez en su vida. El viento helado había agrietado sus labios, que ya no eran suaves y carnosos como antaño.

Pero había salido adelante, y estaba muy orgullosa de ello. Más, incluso, que de haber sido, en el pasado, una de las doncellas más hermosas de Nortia, si había que hacer caso a los poetas de la corte.

Con la llegada de la primavera, las cosas se habían vuelto sorprendentemente fáciles. Todos los animales salían de sus madrigueras y criaban como locos. Era tan sencillo seguirles el rastro que la caza ya no tenía tanta emoción. Viana no tardó en comprender que el invierno la había endurecido, y se sintió todavía más satisfecha con su evolución y aprendizaje.

145

Sin embargo, no podía evitar preguntarse qué haría a continuación. Necesitaba nuevos retos, otros horizontes para explorar. Ya conocía su territorio como la palma de su mano, cada árbol, cada piedra, cada recodo y cada revuelta del arroyo, y soñaba con ir un poco más lejos. Tanto Campoespino como el corazón del Gran Bosque la atraían por igual. Cualquiera de los dos sitios habría sido un destino aceptable para ella, pero se veía obligada a mantenerse oculta, atrapada entre ambos mundos. Pronto empezó a sentirse de nuevo encarcelada, casi como cuando vivía con Holdar.

Suspiró y echó un vistazo a los rayos de sol que se filtraban por el tamiz de hojas. Era ya hora de volver a casa. Estaba planeando una escapada al pueblo para disfrutar de la Fiesta del Florecimiento cuando oyó un ruido que la puso en tensión. Eran pisadas humanas, no cabía duda. Y no se trataba de Lobo: él nunca hacía el menor sonido cuando se deslizaba a través del bosque.

Viana cargó con su jabalí y se ocultó tras unos arbustos. Nada indicaba que había estado allí sentada hacía apenas unos instantes.

Pronto oyó voces; hablaban en el idioma áspero y gutural de los bárbaros, y Viana no pudo evitar apretar los dientes con rabia. Pero contuvo su ira y permaneció a la espera, porque se sentía intrigada. ¿Qué hacían los bárbaros en el Gran Bosque?

No tardó en divisarlos; eran tres, y avanzaban pesadamente a través de la espesura. Parecieron aliviados al encontrar aquel claro junto al arroyo, porque se detuvieron un momento para beber y descansar.

Viana sabía que la tierra de la que procedían tenía pocos bosques, y que se componía sobre todo de extensas y heladas llanuras que se abrían entre cadenas montañosas. En el mundo de los bárbaros siempre era invierno, y hacía demasiado frío como para que pudiera formarse un bosque tan denso como aquel. No era de extrañar, por tanto, que ahora avanzaran por la floresta con la gracia de un buey atrapado en una alfarería.

Pero ¿cómo habían llegado hasta allí? ¿Por qué se habían tomado la molestia de penetrar en el Gran Bosque? Viana se estremeció, porque no se hallaban lejos de la cabaña en la que ella y Lobo vivían.

Trató de entender su conversación. Durante los largos meses que había pasado como esposa de Holdar, había aprendido su idioma lo bastante bien como para poder comprenderlos cuando hablaban, aunque había perdido mucha práctica. Por ello, al principio solamente pudo captar algunas palabras sueltas; pero se esforzó mucho por averiguar qué estaban diciendo exactamente, y no tardó en descubrir, con sorpresa y algo de aprensión, que hablaban de ella.

—No entiendo por qué seguimos buscando a esa mujer —se quejaba uno de los bárbaros—. A estas alturas ya debe de estar muerta.

—Harak dice que no la dará por muerta hasta que alguien ponga su cadáver a sus pies —respondió otro.

El primero bufó con sorna.

—Todo el mundo dice que huyó en dirección a este bosque. Y nadie la ha visto salir de aquí. Es imposible que haya sobrevivido al invierno. No era más que una damisela blanda como una flor de jardín.

—Pero hay quien dice que la ha visto cerca del pueblo —hizo notar el tercer bárbaro.

El corazón de Viana dejó de latir un instante.

—No, no, solo dicen que han visto a alguien que se le parece. Quizá un pariente, un primo o un hermano... Lo han descubierto merodeando alguna vez los días de mercado. Nadie sabe dónde vive, y trae caza buena, piezas que solamente podría obtener aquí.

—Entonces, ¿estamos buscando a ese chico o a la muchacha que mató a Holdar? Puede que haya sobrevivido si tenía un hermano que cuidara de ella.

—Seguro que no —insistió el primer bárbaro—. Pero quizá ese joven pretenda vengarla. En cualquier caso, Harak no quiere que haya gente deambulando por el bosque. Quién sabe cuántos rebeldes se esconden entre estos árboles.

Viana prestó atención. Había oído hablar de los «rebeldes» que supuestamente tenían su base en el Gran Bosque, pero no los había visto nunca, por lo que sospechaba que su existencia no era más que un rumor... probablemente propagado por Lobo, se dijo, sonriendo para sí.

—Y aquí están bien —replicó otro de los bárbaros—. Este lugar me da escalofríos. ¿Te acuerdas del grupo que mandó Harak para buscar a la chica antes de que llegara el invierno? No regresaron jamás.

El primer bárbaro gruñó algo que Viana no fue capaz de comprender.

–Vámonos –propuso el segundo–. Diremos que no hemos encontrado nada y ya está. Además, si ese muchacho es un rebelde, en el pueblo nos lo dirán.

Pero el tercero pareció dudar.

–¿Tú crees? Se oyen cosas... Algunos admiran a esa estúpida damisela por haber matado a Holdar. Si alguien sabe algo acerca de ella, no lo revelarán con facilidad.

El bárbaro se encogió de hombros.

–Sabemos que su vieja criada se esconde en una de las casas de Campoespino –respondió–. Ella nos lo dirá. No será difícil encontrarla durante esa fiesta de las flores que están preparando. Todos los aldeanos salen de sus agujeros en cuanto oyen un poco de música, como chuchos hambrientos que olisquean un asado.

Viana reprimió un grito. ¡Estaban hablando de Dorea!

–Es verdad –concluyó el segundo bárbaro, visiblemente aliviado–. Volvamos al castillo.

Los tres hombres se alejaron de regreso al valle, pero Viana se quedó un buen rato en su escondite, pensando.

Lobo tenía razón. Alguien la había visto en el pueblo y había informado a los bárbaros. Viana creía que Harak ya habría dejado de buscarla, o que Hundad, que había sido la mano derecha de Holdar y que ahora gobernaba en Torrespino tras su muerte, tenía cosas mejores que hacer que atender a la obsesión del rey... sobre todo teniendo en cuenta que gracias a Viana se había convertido en jefe de su clan.

Estaba claro que los había subestimado. Y se había mostrado muy descuidada. Si era verdad que Dorea todavía rondaba por el pueblo, y si la capturaban...

Viana se puso en pie con presteza, recogió el jabalí y regresó a casa tan rápido como pudo. La recibió el sonido rítmico de unos martillazos: Lobo llevaba varios días arreglando la cabaña. La idea original había sido reforzar el tejado, que había quedado muy dañado tras las nieves y las lluvias del invierno, pero ahora estaba aprovechando para ampliarla porque creía que podía añadir una segunda habitación para Viana.

Lobo dejó el martillo al verla.

—¡Caramba, jabalí! —exclamó—. ¡Buena pieza, pequeña! Podemos hacerlo a la brasa y... ¿qué ha pasado, Viana? ¿Por qué traes esa cara?

La muchacha se sentó en el mismo tocón donde, meses atrás, su mentor le había cortado el pelo, y procedió a contarle atropelladamente la escena que había presenciado en el bosque. Lobo la escuchó con atención y el entrecejo fruncido.

—... Y tengo que ir a la Fiesta del Florecimiento para encontrar a Dorea antes de que lo hagan ellos —concluyó ella, muy nerviosa.

Pero Lobo sacudió la cabeza.

—Ni hablar, Viana. Tú no vas a ir a ninguna parte.

—¿Por qué no? —estalló ella—. ¡Si se encuentra en este lío es solo por mi culpa!

—No te voy a negar eso. Pero ahora no lo estropees más, ¿de acuerdo? Ya ha quedado claro que yo tenía razón: no puedes volver al pueblo, es demasiado peligroso. ¿Te he contado alguna vez cómo perdí la oreja izquierda? Fue en una batalla de la que no me retiré a tiempo. Nos rodeaban por todas partes y el rey ordenó que retrocediéramos, pero yo pensé que aún podía llevarme por delante a un par de enemigos más... y me cortaron la retirada. Salí vivo de milagro, pero con una oreja menos. Ese día aprendí dos cosas: que un guerrero demasiado soberbio es un guerrero muerto y que no todos los reyes son tan zoquetes como aparentan.

Viana se preguntó si se refería al difunto rey Radis. Lobo parecía mayor que él; quizá había combatido a las órdenes del monarca anterior. Sin embargo, en aquel momento no tenía interés en preguntarle al respecto.

—Pero ya no se trata solo de mí —insistió—. ¿Qué sucederá si capturan a Dorea?

—No sucederá nada, porque ella no sabe dónde estás y, por tanto, no puede delatarte.

La joven se quedó con la boca abierta.

—¿Crees que es eso lo que me preocupa? —casi gritó—. ¡Lo que quiero es asegurarme de que esos animales no le ponen las manos encima!

—Lo sé, pequeña, pero ya deberías haber aprendido que no siempre obtenemos lo que queremos.

Ella entornó los ojos.

—¿Qué me estás diciendo? ¿Que debería hacer como que no me he enterado de nada y olvidarme de mi nodriza? ¡Me da igual lo que pienses; no pienso abandonarla a su suerte!

Ambos se estaban enfadando por momentos. Se miraron el uno al otro, a punto de montar en cólera, y finalmente Lobo respiró hondo y gruñó:

–Eres como un grano en el culo, Viana. Es muy difícil protegerte cuando no dejas de ponerte en peligro una y otra vez.

–Quizá yo no necesite que me protejas tanto –protestó ella.

–Te salvé la vida la noche en que mataste a Holdar, por si no lo recuerdas. Y, si no fuera por mí, aún serías una tonta damisela completamente inútil.

Viana pasó por alto el insulto. Hacía ya mucho tiempo que le resbalaban los malos modos de su maestro. Pero había otra cosa que la molestaba todavía más que lo que Lobo pudiera decir de ella.

–¿Y eso te da derecho a decidir sobre mi vida? ¡Que sepas que estoy harta de que todo el mundo crea saber lo que es mejor para mí! ¡Me han concertado ya matrimonios con dos hombres diferentes, y solo tengo dieciséis años! ¡Hasta las personas que me han salvado de un futuro miserable lo han hecho sin preguntarme primero!

Lobo alzó las manos muy ofendido.

–¡De acuerdo, de acuerdo! Es decir, que debería haber dejado que te pudrieras bajo la lluvia y que te encontraran los bárbaros que vinieron a buscarte, ¿no? ¡Es bueno saberlo!

Viana abrió la boca para replicar cuando, de pronto, asimiló lo que él acababa de decir.

–¿Vinieron los bárbaros a buscarme? ¿Cuándo?

–Un par de días después de que te escaparas –gruñó él, un poco más calmado–. Batieron el bosque en tu busca, pero... bueno, digamos que me ocupé de ellos.

Viana se imaginó al punto a Lobo oculto entre la maleza, disparando flechas a los bárbaros... flechas certeras y letales. Recordó lo que habían dicho los tres hombres a los que acababa de ver junto al arroyo: que Harak había enviado al bosque un grupo que nunca regresó.

–Así que ya ves todo lo que he hecho por ti –concluyó él–. ¿Vas a darme un voto de confianza? Hazme caso, Viana. No vayas a la Fiesta del Florecimiento. Será lo mejor para ti.

De pronto, Lobo parecía mucho más viejo y cansado. Volvió a asir el martillo, pero lo miró con aire ausente.

Viana también se sentía agotada.

–Deja eso por hoy –le aconsejó–. Puede que esos tres todavía anden merodeando por ahí, y estabas haciendo mucho ruido.

–Tienes razón –convino Lobo–. Voy a hacer los honores al jabalí. Aunque puede que el olor a cerdo asado los atraiga hasta aquí con más rapidez que cualquier sonido.

Viana dejó escapar una carcajada y lo acompañó al interior de la cabaña.

Ese día no discutieron más ni volvieron a hablar del tema. Aparentemente, la muchacha había aceptado el criterio de Lobo y estaba dispuesta a someterse a sus indicaciones.

Aparentemente.

Porque no pensaba perderse la Fiesta del Florecimiento por nada del mundo. Los bárbaros tenían razón: todos acudían a Campoespino durante los festejos, incluso gente de otros señoríos y hasta algún mercader de Normont. Si

Dorea seguía por los alrededores, aquel sería el mejor momento para reencontrarse con ella. No podía dejar pasar aquella oportunidad.

Pero fingió que había abandonado la idea de regresar al pueblo para que Lobo no albergara ninguna sospecha acerca de sus verdaderas intenciones.

Por eso se llevó una desagradable sorpresa el día de la Fiesta del Florecimiento al descubrir, nada más levantarse, que Lobo había madrugado más que ella y se había marchado al bosque, dejándola encerrada en la cabaña. Viana lanzó una serie de maldiciones muy impropias de una dama, la emprendió a patadas con la puerta y la zarandeó con rabia, pero esta no se abrió. Lobo no la había encerrado nunca con anterioridad, así que Viana comprendió que él había adivinado sus intenciones.

Pero no estaba dispuesta a dejar que él le ganase aquella mano. Examinó la puerta con atención, tratando de calmarse y de pensar con claridad. Estaba bien asegurada, de modo que no podría escapar por allí. Se dio la vuelta, buscando otra salida.

Y descubrió las ventanas.

La cabaña tenía dos; eran ventanucos muy estrechos, que solían estar casi siempre abiertos para facilitar la ventilación. Pero estaban demasiado altos y Viana no podía alcanzarlos.

Sin embargo, ella no se rindió. Arrastró el camastro hasta la pared y se encaramó sobre él. Sus pies se hundieron un poco en la paja, pero aun así logró izarse hasta una de las ventanas. Lanzó primero al exterior el arco, el carcaj y el morral, y luego culebreó para introducir su cuerpo a través de la estrecha abertura. Tras un breve momento de pánico en el que creyó que se había quedado trabada, logró liberarse y cayó al otro lado.

Viana reprimió un gemido de dolor y se puso en pie con precaución para asegurarse de que estaba más o menos ilesa. Caminó un par de pasos y, después de comprobar que las únicas secuelas que guardaría de la evasión serían un par de moratones, recogió sus cosas y echó a correr por el bosque, sintiéndose ligera como una pluma.

¡Había burlado a Lobo! Apreciaba mucho al maduro caballero que le había enseñado todo cuanto sabía, pero al mismo tiempo se sentía muy satisfecha por haberlo superado en ingenio. Además, aún estaba molesta con él por pretender convertirse en el dueño de su destino. Tras pasar casi medio año con él en el bosque, Viana había aprendido lo que significaba la auténtica libertad. Podría sobrevivir por sí misma si se encontrara sola y perdida; por primera vez sentía que no dependía de nadie más, y no pensaba renunciar a la autonomía que había conquistado dejándose mangonear por su maestro, por muy en deuda que se sintiese con él.

Cuando llegó al pueblo, la fiesta estaba ya casi en su apogeo. El mercado bullía de vida y había un buen número de juglares y saltimbanquis actuando en las plazas y las esquinas.

Viana se acordó de Oki. Parecían haber pasado siglos desde que aquel hombre tan peculiar les había contado la historia del viajero que había acampado en las lindes del

Gran Bosque. La muchacha sonrió para sí misma. En todo aquel tiempo, nunca se había topado con ninguna extraña anciana que luego resultara ser una doncella de belleza ultraterrena. Nada había visto en el bosque que le pareciera insólito o sobrenatural, por lo que había llegado a creer que todo lo que se contaba acerca de él no eran más que cuentos para asustar a los niños.

Sacudió la cabeza para apartar aquellos pensamientos de su mente y se concentró en tratar de encontrar a Dorea entre la multitud. Por si acaso, se caló bien la capucha y procuró pasar desapercibida.

No tardó en dejarse arrastrar por la marea multicolor que inundaba el pueblo. La música se elevaba hasta un cielo brillante y despejado.

También había algunos bárbaros disfrutando de la fiesta. Viana tuvo que reconocer que, para ser invasores, se habían adaptado bastante bien a las costumbres de Nortia... especialmente si esas costumbres incluían baile, bebida y mujeres.

Pronto olvidó el propósito de su excursión a Campoespino. Había mucho que ver y en los últimos tiempos no había tenido ocasión de divertirse, ni cuando vivía con Holdar ni ahora que se había convertido en una proscrita. Vagó, pues, de un lado a otro, deteniéndose en todos los puestos y escuchando todas las canciones, aunque no se atrevió a participar en el baile de la plaza mayor. Allí, muchachas campesinas, con el cabello adornado con guirnaldas de flores, tentaban a los chicos del pueblo y los invitaban a unirse a una enérgica danza.

Había, sin embargo, un buen número de mozas que bailaban solas, y Viana descubrió entonces que quedaban pocos muchachos en Campoespino. Muchos de ellos habían caído en la resistencia contra los invasores. Otros habían emigrado a los reinos del sur, en busca de un futuro mejor. Paseando la mirada por la plaza, Viana comprendió que, en realidad, aquella alegría generalizada era solo aparente. Los nortianos no habían olvidado que celebraban su milenaria Fiesta del Florecimiento solo porque los bárbaros se lo permitían. Había un poso de tristeza bajo aquellas risas forzadas.

Aun así, a Viana le gustó la danza, tan briosa y desenfrenada; le hizo pensar en los bailes a los que había asistido cuando aún era noble. En ellos, todos los pasos estaban perfectamente medidos, y de igual modo estaban reglamentados otros detalles, como la distancia que los jóvenes debían guardar entre sí, los gestos y actitudes que estaban permitidos y los que faltaban a las normas del decoro. El baile campesino le pareció más auténtico, una verdadera expresión de los sentimientos de los danzantes. Su música era vivaz y pegadiza, y Viana se imaginó a sí misma con un vestido de aldeana y una corona de flores en el pelo, y se preguntó a quién invitaría a bailar.

Pensó en Robian y un aguijonazo de melancolía le traspasó el corazón.

Hacía mucho que no se acordaba de él. Había estado ocupada con otras cosas como, por ejemplo, sobrevivir al invierno en el bosque, y no había tenido tiempo de pensar en qué haría o qué diría si volviera a verlo. El rencor que había experimentado tiempo atrás parecía haberse derretido con los primeros rayos del sol de primavera.

Se preguntó si, ahora que era mayor y más sabia, sería capaz de entender los motivos de su traición. Tenía que hablarlo con Lobo. Sabía que él despreciaba profundamente a los traidores, pero era un caballero que había tenido un dominio a su cargo. Robian había heredado Castelmar de la noche a la mañana, y probablemente se habría considerado un fracasado si se hubiese visto incapaz de mantener las propiedades de su familia un solo día. Quizá por eso había optado por rendirse a los bárbaros.

Pero ¿qué habría preferido el duque Landan? ¿Perder su dominio con honor o conservarlo como traidor?

Viana era una doncella y no había tenido opción. Sin embargo, de haber nacido varón... ¿qué habría esperado su padre de ella?

Con un suspiro de pesar, la muchacha se alejó de la plaza donde los jóvenes seguían danzando, y se internó por las callejuelas del pueblo. Trató de centrarse en lo que había ido a hacer allí: buscar a Dorea. Y supo entonces por dónde debía empezar.

Se acercó al puesto del zapatero y le preguntó:

–Disculpad, ¿haríais el favor de indicarme dónde puedo encontrar al herbolario?

El hombre dio un respingo y la miró de forma extraña. Viana se preguntó qué habría hecho mal, y entonces se dio cuenta de que, perdida en los recuerdos del pasado, había recuperado parte de sus modales cortesanos. Y había olvidado fingir una voz varonil. Sin embargo, decidió que sería mejor mostrar seguridad en sí misma, por lo que sostuvo la mirada del zapatero mientras aguardaba una respuesta.

Él se aclaró la garganta, repuesto ya de la sorpresa.

—El herbolario... —murmuró—. Claro, el herbolario... Girad a la izquierda en la siguiente esquina y lo hallaréis al final de la calle.

Viana inclinó la cabeza.

—Muchas gracias —respondió, y se alejó de allí, turbada por la extraña actitud del zapatero. ¿Acaso la habría reconocido?

En ese momento cayó en la cuenta de que no se había llevado su manto. Hacía ya tiempo que no se lo ponía porque el tiempo era más caluroso, y había olvidado que no lo usaba solo para abrigarse, sino también para ocultar su identidad. Sin embargo, con el ajetreo de su huida, pasó por alto aquel detalle, y sus formas femeninas se podían adivinar con bastante facilidad debajo de sus ropas.

Reprimió una maldición. Tuvo que reconocer que Lobo no andaba muy desencaminado cuando le reprochaba que mostrar demasiada confianza en sí misma la volvía descuidada y la ponía en peligro.

Por fortuna, había mucha gente en las calles y muchas cosas con las que distraerse. Aun así, se caló bien la capucha.

No tardó en divisar el puesto del herbolario. Al echar un vistazo desde su posición, el corazón le dio un vuelco: allí estaba Dorea, regateando con el dueño por un manojo de hojas secas. Viana se puso de puntillas para tratar de verla por encima de las cabezas de la multitud. Sí, era ella. Parecía un poco más vieja y cansada, pero...

Entonces, como si hubiese sentido su mirada, Dorea alzó la cabeza. Y sus ojos se encontraron con los de Viana.

Ella quiso gritar su nombre, pero le falló la voz. En aquel momento, alguien la empujó al pasar y la joven perdió de vista a su nodriza. Cuando volvió a mirar, Dorea ya no estaba.

Viana trató de abrirse paso entre la gente, pero, antes de que pudiera alcanzar el puesto del herbolario, tropezó con un muchacho de unos once o doce años. Murmuró una disculpa y se dispuso a seguir su camino. Sin embargo, el chico lanzó una exclamación ahogada, y Viana se volvió hacia él para comprobar que no lo hubiera pisado o algo parecido.

Pero no parecía dolorido. Solo la miraba fijamente, como si hubiese visto un fantasma.

−¡Sois vos! −susurró−. ¡Habéis vuelto!

Viana, incómoda, no sabía qué responder.

−Me confundes con otro, muchacho −murmuró, tratando de imprimir a su voz un tono más grave.

Pero él negó con la cabeza.

−¡No vayáis allí! −le advirtió, tirando de la manga de su jubón−. ¡Es una trampa!

Viana alzó de nuevo la vista para mirar al puesto del herbolario. Y descubrió a un par de bárbaros que remoloneaban por allí, aparentemente ociosos. Recordó entonces la expresión del rostro de Dorea en aquel breve instante en que sus ojos se habían cruzado. ¿Habría tratado de advertirla? ¿Por eso había desaparecido de aquella forma? ¿Sabían los bárbaros que estaba allí? ¿La habían utilizado como señuelo?

Eran demasiadas preguntas. Confusa, Viana se dejó arrastrar por el muchacho hasta un callejón desierto y silencioso. Pero se desembarazó de él cuando se dio cuenta de que insistía en conducirla al interior de una casa.

—¡Espera un momento! ¿A dónde me llevas? ¿Por qué me estás ayudando?

El chico alzó la mirada hacia ella. Era un aldeano como tantos otros: vestía gastadas ropas de lana, que pronto se verían sustituidas por prendas de lino cuando llegase el verano, y llevaba el pelo sucio y revuelto. Su rostro mostraba algunos churretones de mugre, pero sus ojos negros brillaban con determinación.

Y, sin embargo, a Viana le resultaba familiar.

—Porque sé quién sois vos —dijo él, y su voz vibraba de emoción—. Os debo la vida.

Viana ladeó la cabeza y se quedó mirándolo.

Entonces lo reconoció.

Era uno de los hijos de aquella pobre mujer que había acudido al castillo en busca de un poco de comida para su familia, una noche de tormenta, a principios del otoño.

—¡Tú! —exclamó—. Ya te recuerdo. ¿Cómo está tu madre? ¿Y tus hermanos?

El muchacho pareció sentirse enormemente orgulloso de que ella supiese quién era. Parpadeó rápidamente, y Viana adivinó que estaba tratando de contener las lágrimas.

–Todos bien, gracias, señora... Bueno, menos el pequeño, que murió durante el último invierno.

–Lamento oír eso –murmuró Viana apenada; sin embargo, él se encogió de hombros.

–Hizo mucho frío –fue lo único que dijo–. Pero vos habéis vuelto a Campoespino –añadió, animado–. Siempre dije que regresaríais para destruir a Harak.

Viana se sintió desconcertada.

–¿Destruir a Harak? –repitió, como si no hubiese oído bien–. ¿Y cómo se supone que voy a hacer eso?

–No sé... Vos matasteis a esa mala bestia de Holdar y os ocultasteis en el Gran Bosque, y seguís viva... Os atrevisteis a desafiar a los bárbaros, yo vi que os enfrentasteis a vuestro esposo sin ningún temor, aunque él era mucho más grande y fuerte que vos –y la contempló con rendida admiración.

Viana comprendió la lógica de aquel muchacho: ya que había matado a un jefe bárbaro, no le resultaría difícil terminar con la vida de otro.

¿Sería cierto? ¿Podría ella enfrentarse a Harak?

Un aluvión de sentimientos la inundó por dentro. Recordaba muy bien al rey bárbaro y la prepotencia con la que la había tratado, entregándola a uno de sus hombres como si fuera un bien material: un castillo, un molino o un caballo de pura raza. Solo un medio para alumbrar a los hijos de los invasores que heredarían los señoríos de Nortia. Viana aún hervía de ira al evocar la humillante ceremonia en la que las damas de alcurnia del reino habían sido repartidas entre los jefes de los clanes como en una subasta de ganado. Sí; no podía negar que había soñado con hacérselo pagar a Harak, con ensartar su cuerpo con flechas hasta que los erizos del Gran Bosque lo confundieran con uno de sus parientes.

¿Sería capaz de hacerlo? ¿Precisamente ella?

Sus cavilaciones fueron interrumpidas por las palabras de su acompañante:

–Entonces, mi señora... ¿no habéis venido a la fiesta para matar al rey Harak?

Viana se volvió hacia él.

–¿Qué quieres decir? ¿Harak está aquí?

El muchacho la miró con cierta desconfianza, como preguntándose cómo era posible que su heroína fuese tan despistada.

–Pues claro; llegó hace un par de días y se aloja en Torrespino, con Hundad. El sucesor de Holdar. El nuevo jefe de su clan –añadió.

–Ya sé quién es Hundad –replicó Viana–. Entonces, ¿Harak está aquí? ¿Ha asistido a la Fiesta del Florecimiento?

El chico asintió con energía.

–Dicen que ha venido a inspeccionar el dominio, pero yo creo que es una trampa, que lo que quiere es atrapar a los rebeldes.

Viana sabía perfectamente que no había tales rebeldes, y se dijo a sí misma que Harak no parecía un hombre propenso a creer en rumores y habladurías. Si era cierto que había preparado una trampa, sin duda, estaba destinada a ella.

–Hablo en serio –insistió el muchacho–. ¿No lo veis? ¡Incluso ha puesto un cebo para atraerlos!

–¡Un cebo! –repitió Viana–. ¡Dorea!

Pero su informador sacudió la cabeza.

–¿Dorea? No sé quién es esa –dijo–. No, mi señora; el cebo es el propio rey Harak. O el caballero que lo acompaña, no sé –añadió tras un instante de duda.

Viana acababa de descubrir que Lobo tenía razón: no debería haber acudido a la Fiesta del Florecimiento, porque la estaban esperando. ¿Qué significaba aquello? ¿Que Harak la veía como una amenaza? «O tal vez me considera una pobre ilusa que apunta demasiado alto», pensó, «y por eso no teme exponerse ante mí. Después de todo, todavía querrá castigarme por la muerte de Holdar».

Pero no había tiempo para pensar en eso: tenía otras cosas más urgentes que hacer.

–¿Cómo te llamas? –le preguntó.

–Airic, señora –respondió él, con una torpe reverencia.

–Bien, Airic... ¿sabes dónde puedo encontrar a Harak?

El chico la contempló, radiante de alegría y admiración.

–Por supuesto, mi señora. Acudirá a la plaza con Hundad para que los regidores de las aldeas le rindan pleitesía. Eso será al mediodía, creo.

Viana miró hacia el sol, que estaba casi en su punto más alto. Después, disimuladamente, echó un vistazo hacia la callejuela donde había visto a Dorea. ¿Era todavía una mujer libre? ¿La habían capturado los bárbaros y la estaban usando de señuelo? ¿Dónde estaba la trampa: en el puesto del herbolario, con Dorea, o en la plaza donde se hallaría Harak?

Viana trató de atar cabos. Si Dorea era un cebo, no le haría ningún bien cayendo en la trampa. Y si Harak esperaba que Viana lo atacase a él directamente... entonces Dorea no estaba en peligro, ni tenía nada que ver con la trampa que supuestamente le habían preparado los bárbaros.

Recordó lo que Lobo había dicho en alguna ocasión acerca de los invasores: había que tomarlos por sorpresa, porque siempre esperaban que se les atacara de frente, ya que así era como luchaban ellos.

Quizá aún tuviera alguna oportunidad. Agarró a Airic por el hombro.

—Tengo que encontrar un punto elevado cerca de la plaza —le dijo—. ¿Me ayudarás?

El chico lo pensó un instante, a todas luces extrañado por la petición de Viana, y dijo al fin:

—Está el taller del herrero. Vive en una casa grande porque su familia es muy numerosa y, bueno, porque se lo puede permitir. Tiene dos pisos sobre la planta baja. Y está en la misma plaza.

—¡Eso será perfecto! —asintió Viana—. ¡Llévame hasta allí!

El muchacho, dejándose contagiar por su entusiasmo, la guio por callejuelas estrechas y oscuras, tratando de evitar la zona del mercado.

—Entraremos por la puerta de atrás —le dijo—. Siempre está abierta para que corra el aire, porque si no, el herrero pasa mucho calor.

—Pero ¿no habrá cerrado la herrería por ser día de fiesta?

Airic se rio.

–¿Cerrar la herrería? ¿Precisamente hoy, con tantos guerreros en el pueblo? Está claro que no conocéis a Gilrad.

–Bueno, pues es evidente que tú sí –replicó Viana, algo molesta–. ¿Nos dejará entrar en su casa, así, por las buenas?

–Soy amigo de uno de sus hijos –respondió Airic como si eso lo explicara todo.

Resultó que su joven guía tenía razón. La puerta trasera del taller estaba abierta y el herrero se afanaba sobre su yunque, al parecer ajeno a los festejos que tenían lugar en la plaza.

–Buenos días, Gilrad –saludó Airic–. ¿Está Peitan en casa?

–No lo sé –gruñó el herrero sin dejar de trabajar y sin molestarse en mirarlo; su voz era tan potente que resonaba por encima de los golpes del martillo–. No creo, pero sube a ver.

–¡Gracias!

Airic se apresuró a trepar por la escalera, y Viana lo siguió en silencio, maravillada por la astucia y el descaro del muchacho.

Subieron hasta el segundo piso sin encontrar a nadie; probablemente, todo el mundo estaba disfrutando de la fiesta. Airic condujo a su compañera hasta la habitación más alta, la que había justo bajo el tejado. Ambos se asomaron al ventanuco, que ofrecía una vista perfecta de la plaza.

Ya hacía rato que la danza había terminado. El carpintero estaba terminando de montar un estrado sobre el cual se había colocado el gran sitial de madera para el rey Harak. No muy lejos de allí, los regidores, nerviosos, esperaban el momento de rendir homenaje al caudillo bárbaro.

Y entonces los aldeanos dejaron paso a la comitiva real. Viana echó un vistazo al cielo: era casi mediodía. Se apresuró a montar su arco y extraer un par de flechas de su carcaj.

–¿Qué hacéis, mi señora? –preguntó Airic, inquieto.

Viana le dirigió una encantadora sonrisa.

–Vengar un agravio –respondió.

Tensó la cuerda del arco y buscó el blanco adecuado.

Vio que los bárbaros entraban a caballo en la plaza. Hundad, el nuevo señor de Torrespino, abría la marcha, acompañado por uno de sus guerreros. Detrás iba el rey Harak. Viana apuntó a su figura y esperó el momento oportuno.

Le llamó la atención el joven que cabalgaba junto al rey: era un caballero de Nortia, no un bárbaro. Llevaba cota de mallas y un sobreveste con los colores de su escudo de armas: una espada de oro que surgía entre olas de plata y azur sobre campo de gules. Un distintivo que Viana conocía muy bien. El escudo de Castelmar.

Viana bajó el arco con el corazón latiéndole con fuerza.

No podía ser. Seguramente se trataría de otra persona.

Examinó de nuevo al hombre que acompañaba a Harak y confirmó sus peores sospechas. En efecto, era Robian. Parecía mayor, más adulto quizá, y también más serio. Un rictus de amargura estropeaba sus bellas facciones, pero era él, sin duda; el muchacho que había crecido con Viana y a quien ella había jurado amor eterno.

Inspiró hondo. Aquello formaba parte de un pasado que ella había creído totalmente superado y, sin embargo... allí estaba Robian de nuevo para atormentarla con su presencia.

–¿Sucede algo, mi señora? –quiso saber Airic.

Viana se esforzó por concentrarse. El chico había sugerido la posibilidad de que Robian fuese el señuelo preparado por Harak. Enrojeció. ¿Tan conocida era entre el pueblo la relación que los había unido? Después comprendió que, desde el punto de vista de una hipotética fuerza rebelde nortiana, Robian era un traidor al que, sin duda, muchos querrían hacer pagar cara su decisión de servir a los bárbaros. No todo giraba en torno a ella, se recordó a sí misma.

–No –respondió–. Nada en absoluto.

Volvió a apuntar y, por un instante, tuvo a Robian a tiro. Sería tan fácil soltar la flecha...

Pero no debía permitir que sus emociones interfirieran en la labor que pretendía llevar a cabo. Por otro lado, una parte de ella no deseaba ver muerto a Robian. La idea de que aún pudiera sentir algo por él la inquietaba, pero Viana no se detuvo a considerarla y apuntó cuidadosamente al corazón del rey bárbaro.

Aguardó, sin perder el blanco, a que él penetrara en la plaza. Y cuando decidió que era el instante adecuado, soltó la cuerda del arco.

La flecha hendió el aire con un silbido letal... y se hundió en el corazón de Harak.

—¡Lo habéis conseguido, señora! —exclamó Airic, jubiloso.

Viana bajó el arco, muy orgullosa de sí misma. Abajo, en la plaza, reinó el caos. Mientras Harak se tambaleaba sobre el caballo, sus hombres, desconcertados, miraban a todas partes en busca del autor del disparo. A Viana no le importaba que la vieran. No ahora que Harak estaba muerto...

Pero entonces...

—Mirad, señora... —susurró Airic, con un tono repleto de temor reverencial.

Viana ya lo estaba viendo, pero no podía creerlo.

Harak no había caído de su caballo. Por el contrario, se había arrancado la flecha del pecho y la alzaba en alto con un rugido de ira.

—No puede ser —murmuró la muchacha.

Buscó frenéticamente alguna explicación a lo que acababa de contemplar. Lo había herido en pleno corazón, estaba segura de ello. Y la flecha había salido de su pecho tinta en sangre, lo cual indicaba que no había sido detenida por ningún tipo de armadura.

Harak debería estar muerto.

Pero estaba vivo.

—Es el diablo, señora, el diablo... —musitó Airic.

Pero Viana no lo escuchaba.

Porque Harak los había descubierto en la ventana y, con un segundo grito de rabia, estaba lanzando a sus hombres contra ellos.

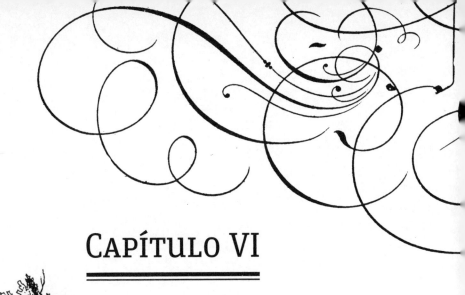

Capítulo VI

De la ira
del rey bárbaro
y de lo que se contaba
acerca de él.

Viana se había quedado clavada en el sitio. Airic tiró de ella para ponerla a cubierto justo en el momento en que una pequeña hacha de mano se hundía, con una mortífera vibración, en el marco de la ventana a la que estaban asomados.

−¡Tenemos que marcharnos de aquí, señora! −urgió.

Sin embargo, Viana seguía sin poder reaccionar.

−Tendría que estar muerto −murmuró−. ¿Por qué no está muerto?

Oyeron un tumulto en la planta baja. Los hombres de Harak se habían precipitado al interior de la herrería, y allí se habían topado con Gilrad, que trataba de averiguar el por qué de tanta agitación.

−¡Uno a uno, señores! −tronaba−. ¡La tienda está abierta a todo el mundo, pero mi casa, no!

−No tenemos mucho tiempo −dijo Airic.

Viana buscó con la mirada una vía de escape. No podían volver por donde habían venido, porque la estrecha escalera no tardaría en estar ocupada por una tropa de bárbaros. Sus ojos localizaron entonces otra ventana en la parte opuesta de la habitación.

Airic también la había visto. Los dos se abalanzaron hacia ella y se asomaron casi al mismo tiempo.

La ventana daba a un callejón tan estrecho que la parte posterior de la herrería casi tocaba la fachada del piso superior de la casa de enfrente, que se alzaba en voladizo sobre la planta baja. Allí había otra ventana, pero solo uno de los postigos estaba abierto.

—¡Ya vienen! —exclamó Airic.

La joven trató de mantener la cabeza fría, tal y como Lobo le había enseñado. Se encaramó a la abertura, aferrándose al marco, y calibró las posibilidades que había de que lograse saltar hasta la casa de enfrente y alcanzar la ventana sin caer al suelo.

—Adelante —la animó Airic al comprender cuáles eran sus intenciones—. Si nos quedamos aquí, nos matarán.

Viana inspiró profundamente y saltó.

Se enganchó sin muchos problemas a la contraventana que estaba abierta; esta se dobló por el impacto, y la muchacha chocó contra la pared. Logró izarse hasta la ventana antes de que el postigo cediera del todo y la precipitara al suelo.

Cayó en el interior de la estancia, jadeando, pero no perdió tiempo: se puso en pie y abrió del todo el otro postigo para que Airic pudiera entrar con mayor facilidad. Le tendió las manos cuando saltó y lo ayudó a penetrar en la habitación justo cuando los bárbaros irrumpían como una tromba en el desván que acababan de abandonar.

—No podrán saltar hasta aquí —dijo Viana—, pero no tardarán en cerrarnos el paso por la entrada principal. ¡Corre!

Sus perseguidores perdieron un tiempo precioso asomándose a la ventana para increparlos desde allí, de modo que cuando los dos jóvenes llegaron a la planta baja, la calle aún estaba despejada. Atravesaron la estancia principal de la casa como una exhalación, pasando por delante de una anciana que estaba hilando junto a la ventana, y que se quedó mirándolos tan perpleja como si acabara de ver un par de fantasmas.

Airic y Viana salieron a la calle y se detuvieron solo un momento para evaluar sus opciones. El bramido de los bárbaros se oía todavía desde la plaza. No tardarían en alcanzarlos.

—¡Por aquí! —dijo el muchacho.

Viana lo siguió a través de un callejón aún más estrecho que el que acababan de dejar atrás. Desembocaron en una calle un poco más amplia, casi a las afueras del pueblo, pero se detuvieron en seco porque un caballo estuvo a punto de arrollarlos.

—¡Eres estúpida! —le soltó su jinete a Viana sin ceremonias.

Ella alzó la cabeza y vio que se trataba de Lobo, que la observaba con los ojos echando chispas. Abrió la boca para replicar, pero él no le dio tiempo.

—¡Sube! —ordenó—. ¡Puede que aún logremos arreglar este desaguisado!

—Pero... Airic... —acertó a decir Viana.

El muchacho negó con la cabeza.

–¡Marchaos sin mí, mi señora! Sabré arreglármelas.

Viana iba a protestar, pero Airic retrocedió un par de pasos y desapareció en las sombras de un angosto pasaje entre dos edificios. Lobo ayudó a su pupila a subir a la grupa de su caballo y ambos partieron al galope, justo cuando los hombres de Harak doblaban la esquina.

Dejaron atrás Campoespino, pero la caza no terminó ahí. Los habían visto marchar a caballo y no se limitaron a seguir su rastro. Poco antes de llegar al puente que cruzaba el arroyo, Viana se volvió sobre la grupa y vio que una partida de bárbaros los seguía al galope.

–¡Más rápido! –urgió a Lobo–. ¡Nos persiguen!

Lobo gruñó y espoleó a su montura todavía más.

Poco a poco, y ante la angustia de Viana, los bárbaros fueron recortando distancias. Después de todo, el caballo de Lobo cargaba con dos jinetes, y los animales de sus perseguidores eran fuertes y musculosos. Viana escuchaba los gritos de los bárbaros tras ellos, e incluso el silbido de algún virote lanzado desde una ballesta que, por fortuna, no llegó a alcanzarlos.

Por fin, Lobo y Viana llegaron a las lindes del Gran Bosque. Como buen conocedor del terreno que era, Lobo guio a su caballo a través de senderos ocultos entre la maleza. No consiguió, sin embargo, dejar atrás a sus perseguidores. Precipitó entonces a su montura hasta el arroyo y galopó aguas arriba.

–¿Qué haces? –protestó Viana–. ¡Así vamos mucho más lentos!

–¡Cierra la boca y salta cuando yo te lo diga!

–¿Qué?

–¡Que saltes! ¡Ya!

La mente de Viana tenía un montón de objeciones al respecto, pero su cuerpo se había acostumbrado a obedecer todas las órdenes de Lobo, especialmente cuando las expresaba en aquel tono. De modo que, antes de que quisiera darse cuenta, había saltado del caballo y caía sobre el agua. Viana no tuvo tiempo de quejarse, porque Lobo tiró de ella para arrastrarla hasta la orilla. Los dos se ocultaron entre los arbustos mientras el caballo, libre ya de sus jinetes, galopaba con mayor ligereza río arriba.

Lobo y Viana contuvieron el aliento y se quedaron totalmente inmóviles mientras la tropa de bárbaros pasaba ante ellos sin verlos. Cuando sus voces sonaban ya lejos, Lobo se incorporó y dirigió una breve mirada a su compañera.

–Volvamos a casa –le dijo con dureza–. Tenemos muchas cosas que hacer.

Viana se levantó sin protestar y lo siguió, convencida de que se había ganado una buena reprimenda. Sin embargo, su maestro se mantuvo en silencio hasta que llegaron a la cabaña.

–Entra y recoge tus cosas –le ordenó entonces.

–¿Perdón?

–Que recojas tus cosas. ¿Es que te has vuelto sorda de repente? No, espera... De repente, no. Quizá no me oíste cuando te dije que te quedaras en casa. Aunque pensaba que captarías el mensaje al encontrar cerrada la puerta de la cabaña. En serio, Viana, ¿qué parte de «no vayas a la Fiesta del Florecimiento» no has entendido?

Viana suspiró, aliviada en el fondo. Era más fácil lidiar con la ira de Lobo que con su indiferencia.

–Tenía que encontrar a Dorea –intentó justificarse–. Y, de todos modos, no tienes ningún derecho a mantenerme encerrada en casa.

–Bien –replicó él–, pues gracias a ti y a tus «derechos», nos hemos quedado sin hogar.

Viana estaba dispuesta a responder, pero las últimas palabras de Lobo la detuvieron en seco en el umbral.

–¿Cómo? ¿Por qué?

Lobo lanzó un suspiro cargado de impaciencia y la empujó al interior.

–Los bárbaros saben que estás viva –le explicó lentamente, como si estuviera hablando con alguien realmente corto de entendederas–. Acabas de clavarle una flecha en el corazón a su rey y te han visto entrar al galope en el bosque. ¿Crees que van a dejar las cosas así?

La realidad golpeó a Viana como una maza.

–No... Es cierto –admitió–. Supongo que peinarán todo el bosque buscándonos.

–Todo el bosque, no –puntualizó Lobo–. Pero sí la franja más cercana a la aldea. Y nuestra cabaña está situada en ella, así que no te quedes ahí como un pasmarote y haz el equipaje. Vamos, vamos, mueve el culo. No tenemos mucho tiempo.

Viana obedeció. Le sorprendió ver que sí tenía cosas que quería conservar. Había llegado al bosque sin nada, pero en todo aquel tiempo había reunido una serie de objetos que le habían resultado mucho más útiles que las joyas y los vestidos que había dejado en Rocagrís: su capa de piel, su cuchillo de caza, su arco y su carcaj, sus botas de cuero blando, su escudilla de madera, yesca y pedernal para encender hogueras, cuerda para tender trampas... Cuando terminó de recogerlo todo y se cargó al hombro su escarcela de lona, se maravilló de comprobar que apenas pesaba nada; y, sin embargo, habría podido viajar hasta el fin del mundo solamente con lo que contenía.

Recordar lo que había perdido le trajo a la memoria el estuche de terciopelo que había escondido bajo su cama, poco antes de abandonar su casa para ir al encuentro de Harak en Normont. Se preguntó si llegaría a recuperarlo algún día. No necesitaba aquellas joyas, en realidad, pero eran un recuerdo de su madre y no quería perderlas.

Trató de apartar aquellos pensamientos de su mente y salió de la cabaña para reunirse con Lobo, que ya estaba listo para partir.

–¿A dónde vamos? –le preguntó mientras él echaba un último vistazo melancólico a la cabaña.

–Ya lo verás –gruñó en respuesta.

De modo que Viana se resignó a marchar a través del bosque detrás de Lobo sin pronunciar una sola palabra. Se notaba que su mentor no estaba de buen humor; abandonar su casa le había sentado mucho peor de lo que quería admitir, y Viana se sentía culpable por haber provocado aquella situación. Sí, Lobo le había prohibido asistir a la fiesta y además la había encerrado en la cabaña; pero ella había causado un gran tumulto en el pueblo y se había puesto en peligro innecesariamente. Por segunda vez, Lobo había tenido que salvarla de los bárbaros. Por segunda vez también, Viana había escapado dejando atrás a alguien que podía pagar muy cara su relación con ella. Con una punzada de remordimiento, pensó en Airic y su familia. ¿Los habría puesto en peligro nuevamente? ¿Y qué habría sido de Dorea? «Soy una estúpida», pensó. «Lobo tiene razón: mi soberbia ha estado a punto de costarnos la vida. ¿En qué estaría pensando cuando lancé esa flecha? Me dejé arrastrar por el entusiasmo de Airic. ¡Como si una simple muchacha como yo pudiese acabar con un rey de los bárbaros!».

Entonces recordó, de pronto, que no era una idea tan descabellada. Su lanzamiento había sido bueno. La flecha se había hundido en el corazón de Harak. Y él se la había arrancado tinta en sangre.

Un millón de preguntas inundaron su mente, y no pudo seguir en silencio por más tiempo.

–Mmmm... ¿Lobo?

–¿Qué quieres? –rezongó él.

–Sabes que le he disparado a Harak desde una ventana, ¿verdad?

–Eso dicen todos. Ya que te has arriesgado de una manera tan estúpida, podrías al menos haber afinado la puntería.

–Ya, bien... De eso quería hablarte. Le acerté.

Lobo se volvió hacia ella de forma tan brusca que Viana estuvo a punto de chocar contra él.

–¿Cómo dices?

–Que le di en el corazón, estoy segura. Y la flecha estaba manchada de sangre cuando se la sacó del pecho.

Lobo volvió a gruñir y reanudó la marcha sin un solo comentario.

–¿Has oído lo que te he dicho? –insistió ella.

–Lo he oído. Y ahora cierra la boca y camina, o no llegaremos antes del anochecer.

Viana reprimió el impulso de preguntar acerca de su destino, pero prefirió no insistir. Lo cierto era que seguía sintiéndose muy culpable, y su fracaso en la Fiesta del Florecimiento le había aportado una gran dosis de humildad. De modo que siguió a Lobo en silencio, a través de terrenos cada vez más intrincados, hasta que el bosque se hizo tan tupido que no había senderos que seguir. Viana se preguntó, inquieta y a la vez emocionada, si llegarían hasta el bosque profundo donde, según Oki y la sabiduría popular, se ocultaban grandes peligros y misterios indescifrables. Pero no tuvo ocasión de pensar mucho en ello, porque debía concentrarse en seguir el ritmo de Lobo. Pese a todo su entrenamiento, le estaba costando mucho avanzar a través de la maleza.

Cuando ya empezaba a anochecer, el bosque se abrió para dar paso a un amplio claro tachonado de hogueras. Viana retrocedió un par de pasos, recelosa; pero entonces se dio cuenta de que los hombres que descansaban junto a los fuegos no eran bárbaros. Parecían algo famélicos, vestían gastadas ropas de cuero y piel y estaban bastante desgreñados. Al pie de los árboles había varias chozas, y Viana distinguió frente a algunas de ellas distintas piezas de armamento: cascos, jubones acolchados, escudos, lanzas, mazas, guanteletes, alguna cota de malla y alguna espada.

Resultaba evidente que Lobo los conocía. Se adentró en el claro sin ningún temor, y ellos lo saludaron sin mostrar sorpresa alguna por su presencia, aunque observaron a Viana con cierta curiosidad.

–¿Quiénes son estos hombres? –le preguntó a Lobo con un susurro.

–Lo que queda del ejército del rey Radis –respondió él.

Viana ahogó una exclamación de sorpresa y volvió a pasear la mirada por el lugar. No reconoció a nadie; ninguno de los amigos de su padre estaba allí. Parecía que solo algunos soldados habían sobrevivido a la guerra contra los bárbaros. Los barones del rey se habían visto obligados a elegir entre servir a Harak o morir, pero los hombres de a pie no eran tan importantes. Afortunadamente para ellos.

–¿Por qué no han vuelto a sus casas? –quiso saber Viana.

–Muchos ya no tenían casas a las que volver. Algunos, sin embargo, se han traído a sus familias con ellos –añadió Lobo señalando al fondo del campamento.

Viana descubrió algunas mujeres y un grupo de niños que jugaban en silencio frente a una choza un poco más grande. Fue entonces cuando le llegó el olor a guiso de conejo que estaban preparando en un enorme caldero.

–No se está tan mal aquí –dijo Lobo–. Acabarás por acostumbrarte.

Viana quería formular miles de preguntas, pero se mantuvo en silencio porque dos hombres les salieron al encuentro. El primero de ellos era alto, rubio y desgarbado; el otro, más fornido, lucía una descuidada barba castaña.

–Has vuelto antes de lo que esperábamos, Lobo –dijo este–. ¿A quién nos has traído?

–Hemos venido a unirnos a vosotros –replicó él–, si tenéis sitio para dos más. No supondremos una carga; tanto la dama como yo sabremos buscarnos el sustento.

Los dos hombres miraron a Viana con renovada curiosidad, y ella adivinó que hasta aquel momento no se habían dado cuenta de que era una mujer.

–¿Has venido a quedarte? –repitió el rubio con sorpresa–. ¿Por qué?

–Porque me apetece –gruñó Lobo– y porque la dama nos ha puesto en peligro a todos y me he visto obligado a abandonar mi casa por su culpa.

Viana sintió que enrojecía. Quiso aclarar que ella había estado a punto de liberar a Nortia del rey opresor, pero siguió callada, entre otras cosas porque aún no comprendía lo que había pasado en la aldea, ni por qué Harak seguía vivo, cuando debería haber caído fulminado del caballo.

–Pero vayamos junto al fuego –concluyó Lobo–, y ella nos lo explicará con más calma.

Viana no tenía el menor deseo de ser el centro de atención. Lanzó una mirada irritada a Lobo, pero este le respondió con una media sonrisa cargada de ironía, y la muchacha comprendió que era su castigo por haberle desobedecido.

Ya sentado todos junto a la hoguera, sus anfitriones les ofrecieron sendas escudillas de guiso de conejo y un par de vasos de cuero repletos de una cerveza fuerte y amarga. A Viana, acostumbrada a beber agua del arroyo, no le gustó, pero se mojó los labios para no parecer descortés.

Cuando hubieron saciado su hambre, Lobo declaró:

—Amigos, esta muchacha es la hija del duque Corven de Rocagrís, que, como muchos de vosotros sabéis, cayó en la batalla contra Harak. Algunos habéis oído hablar de ella: la casaron, como al resto de las damas de Nortia, con el jefe de uno de los clanes bárbaros. Pero ella acabó con la vida de su esposo, huyó de Torrespino y se refugió en el bosque, donde ha estado viviendo desde el último otoño. Salta a la vista el resultado —añadió, socarrón.

Viana enrojeció al sentir todas las miradas sobre ella, fijándose en su ropa de hombre y sus cabellos cortos.

—¿Fuiste tú quien mató a Holdar? —preguntó entonces uno de los presentes.

Ella asintió, reacia a hablar del tema.

—En realidad fue un accidente —trató de explicar—. Forcejeamos, cayó hacia atrás y...

—El caso es que lo mató —interrumpió Lobo—, y ahora se le ha metido en la cabeza que también puede acabar con el rey de los bárbaros.

Hubo murmullos, bufidos de escepticismo y risas sofocadas. Lobo insistió en que su pupila debía contar, con pelos y señales, su experiencia en la Fiesta del Florecimiento; así que Viana, titubeando y muerta de vergüenza, relató cómo había escapado de la cabaña, desobedeciendo las instrucciones de Lobo, y se había paseado por la aldea sin apenas ocultarse. Contó entonces su encuentro con Airic y su experiencia en el desván de la casa del herrero: cómo había visto llegar a la comitiva del rey Harak (omitió el detalle de que Robian se encontraba entre sus acompañantes) y cómo había cargado el arco y aguardado el momento oportuno.

–Y le disparé una flecha en el corazón –concluyó Viana en voz baja–. Di en el blanco, estoy convencida. Pero Harak no murió. Se arrancó la flecha del pecho y lanzó a sus hombres contra mí.

Sobrevino un pesado silencio. La joven se arrepintió de haber contado aquello, porque en el fondo estaba segura de que nadie la creería. Debería haber confesado que había fallado, que no había acertado al rey en el corazón. Alzó la cabeza y miró a su alrededor, tratando de interpretar la expresión de los soldados. Para su sorpresa, no parecía haber ningún atisbo de burla o incredulidad en sus miradas. Por el contrario, todos se mostraban presos de un extraño temor reverencial.

–Os lo dije –habló entonces uno de los guerreros–. Os dije que era verdad.

–Entonces, ¿los rumores eran ciertos? –preguntó otro con un estremecimiento.

Lobo sacudió la cabeza.

–Ya hay varios testimonios –dijo–. Puede que sea algo más que una simple superstición, y sin embargo...

–¿Por qué no quieres creer, Lobo? –saltó el soldado rubio que los había recibido a su llegada–. ¡Todo el mundo lo sabe, pero tú, viejo cabezota, niegas lo evidente!

185

Lobo lo acalló con una sola mirada.

–¿Aún no te has dado cuenta, Garrid? –gruñó–. Dar crédito a semejantes rumores implica aceptar que hemos perdido.

Los soldados acogieron sus palabras con un silencio pesaroso.

–¿Quién dice que hayamos perdido? –intervino entonces una mujer con descaro.

Viana se sorprendió al reconocerla: era Alda, la cocinera de Torrespino. Parecía más curtida y estaba algo despeinada, pero se trataba de ella, sin duda. Sonrió a la muchacha a modo de saludo, apuntó a Lobo con un cucharón de madera y le reprochó:

–Tú, no vengas a confundir a mis muchachos. Hay un término medio entre no hacer caso de los rumores y asumir que ya no hay esperanza para Nortia.

–Tal vez –admitió Lobo acariciándose la barbilla–. Pero, si es así, yo todavía no lo he encontrado.

–Disculpad –intervino entonces Viana con timidez–. ¿De qué rumores estáis hablando?

Los presentes se miraron unos a otros. Finalmente, fue Garrid quien respondió:

–Dicen, señora, que ese Harak está encantado.

–Y que hizo un pacto con el diablo –añadió otro de los soldados.

–Yo he oído decir que es el diablo en persona.

–A mí me han contado que es el hijo de una bruja.

–En cualquier caso, nadie lo puede tocar.

–Se cuenta, en realidad, que ni siquiera tiene corazón.

–Sí, porque se lo entregó al diablo para que lo hiciera imbatible.

–¿Qué queréis decir con eso? –preguntó Viana, confundida.

Lobo lanzó un suspiro exasperado y sacudió la cabeza.

–Lo que se cuenta por ahí es que ese malnacido es invulnerable: sus heridas se curan de forma espontánea, no lo afectan los venenos y es inmune a todas las enfermedades.

Viana rumió aquella información.

–Entonces, ¿por eso mi flecha no lo mató?

–Es posible, muchacha. Pero no lo sabemos con certeza. Puede que sea cierto o puede que se trate solo de una creencia estúpida y sin fundamento. En cualquier caso, a Harak le viene muy bien que haya quien piense que es indestructible. Eso hace que aumente el terror que le tiene la gente sencilla.

–Pero –objetó Viana, que seguía pensando intensamente–, aunque los rumores fueran ciertos… si, por ejemplo, alguien le cortara la cabeza… no creo que pudiera volver a colocársela en su sitio sin más, ¿no?

Los soldados la miraron con sorpresa. Entonces Alda lanzó una carcajada.

–¿Qué te decía, Lobo? ¡La dama piensa más y mejor que todos vosotros juntos!

Viana enrojeció de placer. Pero su tutor no tardó en ponerle los pies en el suelo.

–Pudiera ser –gruñó–, pero primero habrá que ver si existe alguien capaz de acercarse lo bastante a Harak como para rebanarle el pescuezo.

La joven asintió, abatida. Lobo la miró y pareció ablandarse un poco.

—No le des más vueltas —concluyó—. Has cometido una imprudencia, pero has sobrevivido. No todos pueden decir lo mismo, pequeña. A menudo, la primera negligencia suele ser la última.

Viana sacudió la cabeza.

—Pero disparé bien, Lobo. Te lo juro.

—A veces las flechas hacen cosas raras. ¿Te he contado alguna vez cómo perdí esta oreja? Estábamos asediando el castillo de un barón rebelde. Había arqueros en las almenas, pero estaban entrenados para disparar sus flechas todos a la vez, ya sabes, lanzarlas al aire para que cayeran sobre nosotros como una lluvia mortífera. Así que nos bastaba con cubrirnos con los escudos cuando los veíamos venir. Bueno, pues entre ellos estaba el hijo menor de nuestro enemigo, un muchacho que poseía una gran habilidad con el arco y muchas dificultades para acatar órdenes. El rey estaba dirigiendo la carga contra el portón, pero yo guiaba a un grupo de soldados que trataba de escalar un muro menos protegido. En el fragor de la batalla perdí mi casco, y no me preocupé por hacerme con otro. Y el chico se dio cuenta de que estaba a tiro.

»Me dijeron después que me apuntó entre los ojos. Y que raramente fallaba un disparo a esa distancia. En fin... Podía haber muerto aquella tarde, pero algo, quizá una brizna de viento, quizá una flecha mal compensada... me salvó la vida. Aunque me arrebató la oreja.

»Ese día aprendí dos cosas: que el azar es caprichoso y que siempre hay que llevar el casco bien amarrado. ¿Entiendes lo que quiero decir?

Viana asintió sin una palabra, aunque no estaba del todo de acuerdo. Le habría gustado creer que, en efecto, había errado el tiro; pero estaba convencida de que no era cierto.

Lobo le dio un par de palmaditas en el hombro y se alejó para saludar a alguien. Viana se quedó sola junto a la hoguera, pensando. El soldado a quien Lobo había llamado Garrid se sentó junto a ella.

–No hagáis caso de todo lo que dice, mi señora; es un tipo obstinado –la consoló.

–Llámame Viana, por favor –pidió ella; hacía mucho tiempo que sentía que ya no merecía aquel tratamiento.

–Está bien... Viana –dijo Garrid con cierto esfuerzo.

Viana sonrió para sus adentros, y entonces recordó que Lobo también había sido un noble caído en desgracia, según le había contado Belicia. Sin embargo, la gente que vivía en aquel campamento lo trataba con una familiaridad desconcertante.

–Yo sí creo tu historia –prosiguió Garrid–. Creo que Harak es invencible. ¿Ves a ese de ahí? –añadió señalando con el mentón a un soldado hosco y ceñudo que afilaba su cuchillo un poco más allá–. Era mi compañero en la batalla contra los bárbaros. Es fuerte, ya lo puedes imaginar. Llevaba un hacha de guerra y tuvo ocasión de lanzarla contra Harak cuando lo dejó atrás. Yo lo vi, Viana: se le clavó en la espalda a ese maldito bárbaro y él siguió cabalgando como si nada. Y ya sabes que los bárbaros no usan armaduras. Harak, en realidad, ni siquiera se protegía con ningún tipo de jubón. Se lanzó a la batalla a pecho descubierto y todo el mundo pensó que estaba loco o que era muy arrogante. Bien... el hacha de mi amigo se le hincó justo aquí, y de tal forma que debería haberle roto la columna. Pero ahí lo tienes. Ese maldito diablo sobrevivió sin secuelas.

—Pero eso es imposible —murmuró Viana, pálida.

—Imposible o no, es lo que sucedió. Yo mismo lo vi. Y encontrarás a varias personas en este lugar que podrían contarte historias semejantes. Pero Lobo jamás lo admitirá.

—¿Por qué no?

Garrid cambió de posición, mientras buscaba las palabras adecuadas para continuar.

—Bueno —dijo por fin—. ¿Ves a toda esta gente que se ha reunido aquí? ¿Qué dirías que somos?

—Los soldados supervivientes de la guerra —respondió Viana—. Eso es lo que Lobo me ha dicho.

—Para él somos más que eso: somos el germen de un nuevo ejército que combatirá y derrotará a los bárbaros.

Viana volvió a echar una mirada al campamento y no pudo reprimir una sonrisa.

—Ya sé lo que parece —dijo Garrid sin sentirse ofendido—. Y te aseguro que la mayoría de nosotros no volvería a enfrentarse a los bárbaros por nada del mundo. Pero Lobo no se da por vencido y, por otro lado, poco a poco va llegando más gente y pronto podremos organizar ataques más audaces.

Viana lo comprendió de pronto:

—¡Vosotros sois los «rebeldes» de los que todo el mundo habla!

Garrid sonrió.

—Eso intentamos —respondió con cierta modestia—. Hasta el momento hemos emboscado a algunos bárbaros en el camino, hemos asaltado algún puesto de guardia... Nada importante, en realidad. Ni siquiera les hemos hecho cosquillas. Pero quizá, con el tiempo, seremos lo bastante fuertes como para plantarles cara de verdad. O, al menos, eso espera Lobo.

—Entiendo —asintió Viana—. Y no puede mantener muy alta la moral de su gente si circula por ahí la historia de que a Harak no se le puede matar.

—Ya lo vas captando —dijo Garrid—. Pero no te preocupes por Lobo. Terminará por aceptar la realidad y asumir que hemos perdido. Hoy la idea le ha entrado un poquito más en la mollera —añadió alegremente.

La joven no hizo más comentarios al respecto aquella noche. Pero no dejó de pensar en el asunto.

En los días siguientes se fue adaptando al que sería su nuevo hogar. Le cedieron un espacio en la choza más grande, donde dormían las mujeres viudas o solteras con los huérfanos más pequeños, y aunque era un alojamiento aún más incómodo que el que había compartido con Lobo durante los meses anteriores, Viana agradeció el contacto con otras personas. Se hizo muy amiga de Alda; ahora que ya no eran señora y criada, la confianza entre ambas creció. Viana le llevaba a menudo conejos o perdices para el puchero, y ella se lo agradecía enseñándole a preparar algunos de sus sabrosos guisos. Pero, en realidad, Viana no estaba tan interesada en la comida de Alda como en su compañía. Echaba de menos a Dorea, y también pensaba mucho en Airic. Le habló a Lobo del muchacho y de cómo lo había dejado atrás dos veces, y su mentor no hizo ningún comentario. Sin embargo, una mañana salió temprano y, cuando regresó, días más tarde, lo hizo acompañado por un nutrido grupo de personas.

Los habitantes del campamento los recibieron con curiosidad. Pronto descubrieron que se trataba de gente de Campoespino que había decidido abandonar sus hogares para escapar de la opresión de los bárbaros. Había hombres, mujeres y niños; algunos eran campesinos, y otros, artesanos. Con gran alegría, Viana distinguió a Airic y su familia, y corrió a saludarlos. A la madre del muchacho se le llenaron los ojos de lágrimas cuando la reconoció, y quiso besarle las manos; pero ella no se lo permitió.

—No me debes nada, buena mujer —le dijo con dulzura—. Os puse a ti y a tu familia en un grave peligro.

—Nos ofrecisteis comida cuando estábamos hambrientos, mi señora, y eso nunca lo olvidaré —replicó ella.

Pero Viana no estaba de acuerdo.

—Tan solo os utilicé para desafiar a mi esposo. Pero ahora que estáis aquí, podré ofreceros algo más que una pierna de cerdo asado: sé cazar, y puedo conseguir comida en el bosque y cocinarla yo misma. Y si no sale buena —bromeó—, siempre podéis acudir a Lobo o a Alda, que guisan mucho mejor que yo.

La madre de Airic se quedó mirándola, un tanto desconcertada por la familiaridad con la que Viana los trataba.

Ella buscó con la mirada a Lobo para darle las gracias por haber puesto a salvo a aquella familia y lo encontró hablando con una mujer de mediana edad a la que ella conocía muy bien.

Sintió que se quedaba sin aire por un instante.

–¡Dorea! –logró gritar finalmente, emocionada.

Corrió hacia ella y casi la asfixió con su abrazo. Ella rio, feliz de verla.

–¡Niña! ¡Mi niña! –murmuró mientras lágrimas de alegría surcaban sus mejillas.

Las dos permanecieron así un instante, abrazadas y llorando como tontas, hasta que finalmente Dorea se separó de ella para contemplarla con profundo afecto.

–Qué distinta estáis, mi señora –susurró–. Ya sois toda una mujer… aunque vistáis ropas de hombre –añadió con tono de reproche.

–Ya no soy tu señora –dijo Viana–. Hace mucho que dejé de ser una dama. Ahora soy solo una muchacha.

Pero Dorea negó con la cabeza, sonriendo con ternura mientras volvía a estrecharla contra su pecho.

–Para mí, Viana, vos siempre seréis una dama.

Capítulo VII

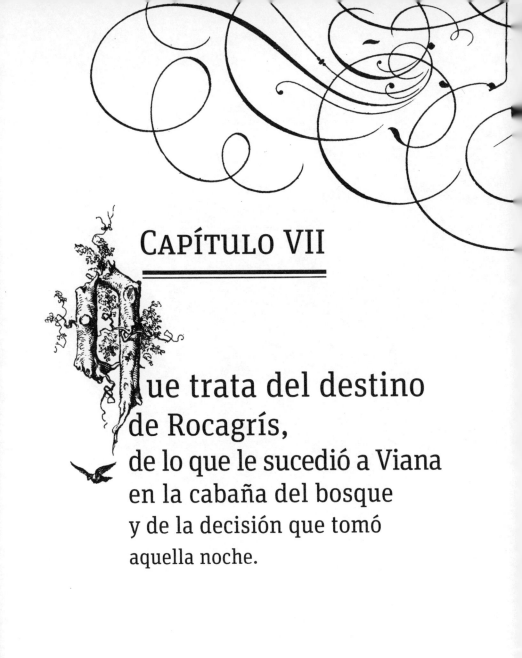

Que trata del destino de Rocagrís, de lo que le sucedió a Viana en la cabaña del bosque y de la decisión que tomó aquella noche.

MÁS TARDE, mientras cenaban en torno a la hoguera, Lobo les habló de lo que se comentaba por el pueblo.

—Después de lo sucedido en la Fiesta del Florecimiento —dijo—, todo el mundo está buscando a Viana. Harak considera que lo ha insultado gravemente y ha pedido su cabeza. Y ofrece mucho por ella —paseó la vista por los presentes, como si tratara de adivinar si alguno de ellos sería capaz de traicionarla—. Peor aún: muchos testigos vieron cómo el rey sobrevivía a un flechazo en el pecho, por lo que los rumores sobre su presunta inmortalidad han cobrado fuerza. Y eso le favorece. Si la gente piensa que no se le puede matar, nadie osará alzarse contra él.

Pareció que Garrid tenía algo que decir al respecto, pero Lobo le lanzó una mirada tan terrible que el soldado volvió a cerrar la boca sin pronunciar palabra.

—Bien —prosiguió Lobo—, las cosas van a ponerse difíciles en el dominio, especialmente ahora que ha cambiado de manos.

—¿Que ha cambiado de manos? —repitió Viana, alzando bruscamente la cabeza—. ¿Qué quieres decir?

Lobo dejó escapar una risa seca.

–Evidentemente, Harak piensa que Hundad no está haciendo bien su trabajo –respondió–. No ha sido capaz de echarte el guante y encima ha permitido que lo ataques delante de todo el mundo. Así que ha entregado Torrespino a otra persona.

–¿Y qué hay de Rocagrís, la casa de mi familia? –preguntó Viana–. ¿Quién vive allí ahora?

En tiempos de Holdar, el castillo del duque Corven había quedado algo olvidado. Viana llevaba ya tiempo deseando regresar, al menos para verlo de nuevo, pero temía lo que iba a encontrarse. Quizá, abandonado, Rocagrís se había convertido en un nido de cuervos. O tal vez en un antro lleno de bárbaros.

–Es curioso que lo menciones –respondió Lobo–, porque me consta que el nuevo señor del dominio quería instalarse en el antiguo castillo de tu padre, pero Harak no se lo ha permitido. No hasta que cumpla la misión que le ha encomendado.

–¿Y cuál es? –quiso saber Viana.

–Capturarte, naturalmente. Viva o muerta. Y, como sabe que te escondes aquí, en el bosque, le resultará más práctico emplazarse en la base más cercana. Cuando cumpla su cometido, su rey le entregará todo lo que era tuyo.

Viana bufó con desdén.

–Que intente atraparme si puede. Ya tengo experiencia en tratar con bárbaros.

–No es un bárbaro. Harak ha concedido el dominio de tu padre a uno de los caballeros renegados. Creo que lo conoces: se llama Robian de Castelmar.

A Viana le dio un vuelco el corazón justo antes de empezar a latir totalmente desbocado. Lobo advirtió su palidez.

–Vamos, Viana, no me digas que aún sientes algo por esa rata traidora. Supéralo de una vez, ¿quieres?

–No siento nada por él –replicó ella con fiereza; pero le había temblado la voz levemente al hablar–. Lo odio; me dejó plantada y me entregó a los bárbaros, y me niego a creer que encima tenga la desfachatez de pretender darme caza para quedarse con la hacienda de mi familia.

Lobo se encogió de hombros.

–Míralo por este lado: si se hubiese casado contigo, esas tierras serían suyas de todos modos.

–Pero la cuestión es que no se casó conmigo, de modo que no tiene derecho a ellas –discutió Viana, cada vez más enfadada–. Vamos, ¿a nadie más le parece absurdo todo esto?

Miró a su alrededor, pero solo halló rostros desconcertados. Con un bufido, se levantó de golpe y se fue al otro extremo del campamento a rumiar su indignación.

Nadie la siguió. Quizá porque, en el fondo, entendían que detrás de sus modos airados se ocultaba una profunda pena.

Hacía ya mucho tiempo que había dejado de entender las acciones y decisiones de Robian. Con gran esfuerzo había llegado a perdonarle su traición, suponiendo que lo había hecho porque se sentía obligado a conservar las tierras de su familia. Pero aquello... no tenía sentido. ¿La entregaría a Harak solo para poder quedarse con Rocagrís y el resto de sus propiedades?

Quizá se había visto forzado a ello. O tal vez solo estaba fingiendo, ganándose la confianza del rey bárbaro para...

Sacudió la cabeza. Había decidido meses atrás que no volvería a intentar justificar a Robian ni seguir viéndolo como un héroe que espiaba al enemigo para asestarle un golpe mortal cuando menos lo esperaba. Sin embargo, si pudiera...

–Ni se te ocurra –dijo de pronto la voz de Lobo, sobresaltándola.

–¿De qué me estás hablando?

–Sé lo que está pasando ahora por tu cabecita, Viana. Y no vas a ir a verlo. Te amarraré a un árbol, si es necesario, para evitar que cometas tamaña estupidez.

Viana enrojeció a su pesar.

–No tenía intención de hacerlo –protestó.

–Mentirosa.

–Mira, Robian me abandonó en manos de Harak y los suyos y no movió un dedo por ayudarme. ¿Por qué querría volver a verlo?

–Para pedirle explicaciones, por ejemplo. Cosa muy comprensible, por otra parte. Pero resulta que no sois simplemente una pareja de novios que ha roto, Viana. Tú eres una proscrita y a él le han encomendado la tarea de capturarte.

–Ya lo sé –se enfurruñó ella–. Pero ¿por qué Harak lo ha elegido precisamente a él? Los bárbaros, que yo sepa, no son tan retorcidos.

–Bueno, puede que piense que eres responsabilidad de Robian, ya que estabais prometidos –opinó Lobo–. Y, dado que tu padre y tu esposo han muerto, alguien tiene que ocuparse de ti y de atarte corto. Aunque tampoco descarto que, en efecto, Harak tenga un corazón taimado y haya escogido a Robian solo por hacerte daño.

Viana no respondió. Seguía molesta.

–Por ese motivo –prosiguió Lobo–, no debes permitir que esto te afecte. Y no cometas la locura de acudir a su encuentro o dejarte ver por el pueblo estos días. Ya no tienes ningún motivo para ir allí, así que hazme caso por una vez.

Viana respiró hondo, pero no respondió.

Aquella noche soñó con Robian, después de mucho tiempo sin hacerlo, y al día siguiente se levantó melancólica y meditabunda. Cuando salió a cazar con Lobo, colocó mal una trampa y falló un flechazo dirigido a un venado, por lo que se ganó una reprimenda que apenas escuchó. Más tarde se detuvo junto al arroyo para beber, como solía hacer a menudo, y se miró en un remanso cristalino. También por primera vez en muchos meses echó de menos su aspecto anterior y su vida como doncella. Recordó los sueños de su infancia y primera adolescencia y cerró los ojos, imaginando cómo habría sido su futuro con Robian si los bárbaros no hubiesen invadido Nortia. Su parte sensata le decía que era buena cosa que hubiese descubierto cómo era en realidad su prometido antes de casarse con él, pero en el fondo de su corazón se resistía a hacerse a la idea. Era Robian. Robian. Habían crecido juntos, se habían jurado amor eterno cuando eran apenas unos niños. Debía de haber una explicación.

No obstante, era muy consciente de que Lobo tenía razón. No podía volver a dejarse ver por el pueblo, ahora no.

En los días siguientes se esforzó por concentrarse en lo que necesitaban de ella sus nuevos compañeros. Iba a cazar y ayudaba a Alda con la cocina, e incluso empezó a tomar lecciones de esgrima con Garrid, pese a que Lobo opinaba que no le haría falta, y que era mucho mejor que entrenase con el arco. Pero Viana, en realidad, no lo hacía porque tuviese un especial interés en aprender otra disciplina, sino porque necesitaba mantenerse ocupada.

Sin embargo, y sin apenas darse cuenta, sus excursiones por el bosque la llevaban cada vez más lejos, hasta que una mañana se topó con la cabaña que Lobo y ella habían abandonado tan precipitadamente varias semanas atrás.

Dudó un momento antes de acercarse, pero el lugar parecía desierto, de modo que no vio motivos para no hacerlo. Se aproximó lentamente, casi como si temiera que la choza fuera a desvanecerse en el aire, igual que había sucedido con sus sueños infantiles. Pero parecía sólida y muy real, de modo que, antes de que quisiera darse cuenta, se encontró empujando la puerta para entrar.

Ahogó una exclamación de sorpresa al ver que las cosas no estaban como las habían dejado. Todo en el interior de la cabaña se hallaba revuelto y desordenado, como si hubiese pasado por allí un ejército de camino a la batalla. Viana comprendió entonces que los bárbaros habían llegado hasta allí buscándola, y que Lobo había hecho muy bien obligándola a abandonar el lugar después del atentado fallido contra Harak. Acarició con suavidad la repisa de la chimenea, que ya había acumulado una ligera capa de polvo. Se encontraba a gusto en el campamento, pero añoraba el tiempo que había pasado allí con Lobo. De la misma forma, comprendió que echaba de menos su vida en el castillo de su padre. Y a su padre, naturalmente. Y a Belicia.

Y a Robian.

Suspiró sin poderlo evitar.

De pronto, como traída por el viento, escuchó su voz. Al principio no le prestó atención, convencida de que su memoria le había jugado una mala pasada. Pero entonces oyó una segunda voz y se irguió, alerta.

–Ya hemos venido aquí antes, señor, y los bárbaros han registrado la cabaña minuciosamente. ¿Por qué hemos vuelto de nuevo?

–Porque no sabemos dónde buscarla –respondió Robian con suavidad–. Y porque siempre cabe la posibilidad de que se les haya pasado algo por alto.

Viana se maldijo a sí misma por su estupidez. No debería haber bajado la guardia. Jamás debería haber bajado la guardia. Lobo la reñiría por su inconsciencia.

Si llegaba a enterarse, claro. Porque era posible que no saliera viva de allí, o que la capturaran para entregarla a Harak y no tuviera la oportunidad de regresar al bosque nunca más.

No podía permitirlo. Se movió rápida como el rayo y se situó detrás de la puerta justo cuando esta se abría, de modo que quedó oculta por ella. Contuvo el aliento mientras uno de los recién llegados, solo uno, penetraba en el interior.

Se trataba de Robian. Lo veía de espaldas, pero habría reconocido su figura en cualquier parte. Su cabello oscuro aún se encrespaba sobre su nuca de aquella forma que Viana había encontrado tan atractiva, y sus anchos hombros sostenían su capa con garbo y elegancia.

Pero Viana no podía permitirse el lujo de quedarse embobada contemplando a su antiguo amor. En silencio, deslizó su cuchillo de caza fuera de su funda y aguardó el momento adecuado.

La puerta se cerró tras Robian, pero él no se percató de la presencia de Viana a sus espaldas. Parecía ensimismado contemplando el interior de la cabaña. Se inclinó para recoger algo del suelo. Viana se dio cuenta de que se trataba de una manta, la misma que había utilizado ella para envolverse en las frías noches de invierno. Contempló, atónita, cómo Robian se la llevaba a la cara para aspirar su aroma. Aquel movimiento la dejó desconcertada y sin saber qué pensar.

–Oh, Viana –murmuró él, y la joven se quedó quieta, temiendo que la hubiera descubierto; pero Robian añadió–: ¿A dónde has ido?

Viana dejó escapar un suspiro casi imperceptible. Y en aquel momento Robian se percató de que no estaba solo; se puso en tensión y llevó la mano al pomo de su espada, pero ella fue más rápida: se plantó tras él en dos pasos y colocó el filo de su daga contra el cuello de su antiguo prometido.

–Un solo movimiento y morirás –siseó en su oído.

Robian tragó saliva.

–Viana, ¿eres tú? No tienes ni idea de lo que...

–Calla –cortó ella, y el cuchillo se hundió un poco más en la piel del joven–. No quiero saberlo. ¿Qué diablos haces aquí? ¿Acaso has venido a darme caza, ahora que eres uno de los perros de presa de Harak?

Robian ladeó un poco la cabeza, con precaución, probablemente sorprendido de que ella utilizara la palabra «diablos».

—De modo que te has enterado de eso —murmuró—. No es lo que parece, Viana. De verdad.

Viana aflojó un poco la presión, pero no retiró la daga.

—Habla —dijo—. Y espero, por tu bien, que tengas una buena explicación.

—No pretendía capturarte en realidad —se defendió él—. Me dijeron que antes vivías aquí, pero que te habías marchado, de modo que rondo por los alrededores para hacer tiempo y darte ventaja. No quiero verme obligado a entregarte, pero no he tenido elección: Harak me lo ha encomendado como una misión especial. ¿Qué podía hacer?

Viana entornó los ojos.

—Podrías haberte negado a aceptarla, por ejemplo.

—Es mi señor natural. No puedo desobedecerlo.

—No deberías haberle jurado fidelidad. Ni, ya puestos, haberme abandonado como lo hiciste: «El jefe Holdar será un buen esposo para Viana» —repitió con voz de falsete—. Traidor —escupió.

—Viana, ¡no tenía elección! —insistió Robian—. Si hubiese plantado cara, como hizo mi padre, ¿qué tendría ahora? Estaría muerto, y mis tierras habrían acabado en manos de los bárbaros.

—Mejor ser un héroe muerto que un cobarde vivo —opinó ella—. Y en cuanto a tus tierras... ya veo que tienes interés por ampliarlas. ¿Es cierto que Harak te ha prometido el dominio de mi familia si me entregas a él? Porque no voy a permitir que pongas un solo pie en Rocagrís. Antes tendrás que pasar por encima de mi cadáver.

Robian pasó por alto la pulla.

–Había otra cosa –prosiguió–. Mi madre y mi hermana... Al conservar mi título, ellas siguen bajo mi protección. Harak no las entregará en matrimonio a nadie sin mi consentimiento.

Viana retiró la daga un poco más mientras consideraba aquel hecho. Era cierto que no había visto a la duquesa ni a su hija, la pequeña Rinia, durante aquel ignominioso reparto de doncellas.

Viana le tenía mucho cariño a Rinia; era una niña alegre y encantadora, y de ninguna manera quería verla caer en las garras de los bárbaros.

–Eso puedo entenderlo –reconoció a regañadientes–. Pero yo... Podrías haber luchado un poco por mí, ¿no? –añadió con amargura–. Si hubieses dicho que querías casarte conmigo... que estábamos prometidos... quizá Harak...

Robian sacudió lentamente la cabeza.

–No había nada que hacer, Viana. Eras un buen partido; no iban a entregarte a un traidor como yo. Y no creas que no te he echado de menos. Todos los días, a todas horas, pensaba en ti. Nunca he dejado de amarte, ni un solo momento.

También había tristeza en sus palabras, y la joven se sintió conmovida. No hizo nada cuando Robian se volvió para mirarla a los ojos y después, lentamente, se inclinó para besarla.

Viana se entregó a aquel beso como si no hubiera nada más en el mundo. Le trajo recuerdos de tiempos mejores y, por un instante, le hizo creer que las cosas podían volver a ser como antes o, al menos, cambiar un poco.

–Robian, Robian –suspiró, apoyando la cabeza en su pecho–. ¿Por qué nos ha pasado esto?

–Ssssh, tranquila –respondió él acariciándole el cabello–. Sé que ha sido muy duro para ti. Por eso me alegré mucho cuando supe que habías escapado de Holdar; además, se cuenta que no solo no estabas encinta, sino que él ni siquiera mancilló tu doncellez. ¿Es eso cierto?

«¿Eso es todo lo que te importa?», pensó Viana, sintiendo que la ira la llenaba de nuevo. Estaba tan furiosa que no respondió a su pregunta.

–Bueno, pero eso ya quedó atrás –prosiguió Robian, ajeno al enfado de la muchacha, creyendo que ella callaba por pudor–. Sin embargo, me he dado cuenta de que vivías aquí con otro hombre –concluyó con cierto tono de reproche.

La antigua Viana habría respondido, muy ofendida: «No es asunto tuyo», o algo similar, enrojeciendo como una amapola. Pero la nueva Viana había aprendido mucho de su estancia con Lobo. Se separó de él y le dirigió una mirada burlona que pretendía enmascarar su decepción.

–Sí, fornicábamos todos los días –le soltó–. Varias veces. Y por todas partes –especificó–. Lástima que no estuvieras aquí para unirte a la fiesta, pero claro, renunciaste a todas tus posibilidades conmigo cuando decidiste que un bárbaro bruto y maloliente sería un buen esposo para mí.

Robian abrió la boca para replicar, escandalizado por sus modales, pero no fue capaz de hablar. Viana sonrió para sí, contenta por haberle dejado sin palabras, aunque en el fondo se sentía muy incómoda y molesta por el hecho de que él fuera capaz de considerar, siquiera por un momento, que podía haber mantenido una relación con Lobo. Antes de que Robian pudiera reaccionar, la joven volvió a apoyar la daga contra su cuello y lo obligó a darse la vuelta de nuevo.

—Y ahora, andando —dijo, empujándolo suavemente hacia la puerta—. Tengo que escapar de aquí, y tú vas a ser mi rehén.

—Viana, no quiero luchar contra ti.

—Ya es demasiado tarde, Robian —respondió ella, tratando de evitar que se filtrase a sus palabras la pena que aún latía en su corazón.

El joven hizo un breve movimiento para alcanzar su espada, pero Viana clavó la daga más profundamente en su cuello, arañándolo y haciendo brotar de su piel un hilillo de sangre.

—¿Crees que bromeo? —le espetó—. Te convendría tomarme en serio.

—Pero ¿qué te ha pasado? —preguntó él, y parecía realmente horrorizado. Sin embargo, avanzó hacia la puerta, tal y como ella le había ordenado.

—¿Que qué me ha pasado? —repitió ella—. ¿Cómo te atreves a preguntarlo?

—De acuerdo, lo entiendo —se apresuró a responder Robian—. Sé que ha sido muy duro para ti y...

—Cierra la boca —ordenó ella entre dientes.

Salieron los dos de la cabaña, Robian empujado por Viana, y se detuvieron ante la entrada. La muchacha miró a su alrededor en busca del segundo hombre, para asegurarse de que entendía cuál era la situación y que su compañero corría peligro si hacía algún movimiento sospechoso. Sin embargo, ambos se sorprendieron al ver que había llegado una cuarta persona al lugar: Lobo estaba allí, y tenía el arco cargado con una flecha que se hundía peligrosamente entre las costillas del acompañante de Robian, que había tirado la espada al suelo y levantaba las manos en el aire.

—Vaya, vaya —dijo Lobo—. Está bien saber que algo has aprendido de mis lecciones, Viana.

—¡Vos! —exclamó Robian al reconocerlo; ató cabos y añadió—: Viana, no me digas que él y tú...

—No es asunto tuyo —gruñó Viana, y esta vez no pudo evitar enrojecer, quizá porque no le hacía gracia que Robian recordara en público que tiempo atrás sí había tenido derecho a inmiscuirse en su vida personal.

Los ojos de Lobo brillaron divertidos.

—Bien, Robian, pequeña rata traidora —dijo—. Conocí a tu padre, ¿te lo habían dicho? Peleamos juntos en varias batallas. En una de ellas, de hecho, perdí la oreja por salvarle el culo. Lo cual no significa que Landan de Castelmar no fuera un hombre valiente: luchó contra los bárbaros hasta el final. Qué lástima que su hijo no tenga sus mismas agallas. No sé qué diría si te viera ahora.

Esta vez le tocó a Robian enrojecer.

–Seguro que estaría contento de ver que he conservado su patrimonio –acertó a decir.

–Seguro –se burló Lobo–. O quizá preferiría haberse llevado a la guerra a Viana en vez de a ti. Por lo que sé, es mucho más hombre que tú.

Viana reprimió una risita al ver que Robian temblaba de indignación.

–Sin embargo –prosiguió Lobo–, debo decir que ella también carece de una virtud que hacía de su padre un gran guerrero: el duque Corven era muy precavido. Jamás habría dejado armado a un adversario, por inofensivo que este pudiera parecer.

Viana captó la indirecta y aceptó el reproche con un cabeceo. Entonces se le ocurrió una idea y sonrió.

Rápida como el pensamiento, bajó el cuchillo hasta la cadera de Robian y cortó su cinto de un tajo. Cuando la espada del joven cayó al suelo, sus pantalones lo hicieron también.

–Vaya, muchacho –se burló Lobo–. Creo que esto resume perfectamente tu actitud ante la invasión bárbara.

Robian trató de volver a colocar la prenda en su sitio, profundamente avergonzado. Oyó a su espalda la risita de Viana, pero, cuando se dio la vuelta, la chica ya se había marchado.

Momentos después, Lobo y Viana se internaban por el bosque, dejando atrás a sus rivales. Robian tardaría un rato en recomponer su vestimenta, y para entonces ya no podrían darles alcance. Aun así, se apresuraron cuanto pudieron.

—Deberías haber matado a esa rata traidora —gruñó Lobo—. Aunque, ya que has tenido la ocasión de llevar tu daga tan cerca, podrías de paso haberle cortado los...

—No hace falta ser tan explícito —interrumpió ella.

—Bueno, no creo que los echara de menos en realidad —siguió diciendo Lobo—. Después de todo, ya los perdió el día de la invasión bárbara.

—No quiero seguir hablando de eso, muchas gracias.

Y, con gran alivio para Viana, Lobo dejó de hablar de ratas traidoras y de atributos masculinos. Tampoco la riñó por haber regresado a la cabaña a pesar del riesgo. Por lo que parecía, la forma en la que había terminado su encuentro con Robian la había disculpado ante sus ojos. Viana comprendió que creía que con su acción había cortado todo vínculo sentimental con Robian para siempre.

Sin embargo, ella no lo tenía tan claro. Era cierto que estaba aún furiosa con Robian y que no se arrepentía de haberlo dejado en ridículo frente a su sirviente, pero, por otro lado, no podía evitar pensar en sus razones y tratar de ponerse en su lugar. «Si mi padre se hubiese rendido a los bárbaros, como hizo Robian», cavilaba, «yo no habría tenido que casarme con Holdar. Y su madre y su hermana están más seguras con él».

Procuró, no obstante, que Lobo no se diera cuenta de que aún se sentía confusa con respecto a Robian, de modo que se centró en avanzar tras él y no volvió a mencionar el tema.

Se cuidaron mucho de dejar rastros. De hecho, y solo por si acaso, dieron un gran rodeo y dejaron huellas falsas antes de dirigirse al campamento.

Cuando llegaron allí, ya era casi de noche.

–Con todo este asunto no hemos traído nada para cenar –dijo Lobo–. Alda nos va a hacer silbar los oídos, ya lo verás.

Sin embargo, nadie les reprochó que aparecieran con las manos vacías. Todos estaban reunidos junto al fuego, tan concentrados en escuchar a alguien que se hallaba allí sentado que ni siquiera se dieron cuenta de que Lobo y Viana acababan de llegar.

–¿Qué pasa aquí? –se quejó Lobo–. ¿Ya no se recibe a los cazadores como es debido?

Calló, sin embargo, al reconocer a la figura que se encorvaba junto a la lumbre. Y cuando él alzó la cabeza para mirarlos fijamente, apoyado en su nudoso bastón, Viana sintió que el corazón se le aceleraba.

Se trataba de Oki, el juglar.

No lo había visto desde la noche del solsticio, cuando les había relatado aquella extraña leyenda acerca del Gran Bosque. Ni sabía de nadie que hubiese tenido noticia de él después de aquel día. Por eso, verlo aparecer de pronto en el campamento la llenó de extrañeza.

Lobo parecía estar pensando lo mismo.

«¿Cómo diablos habrá llegado hasta aquí?», se preguntó.

Viana no tenía respuesta para eso, de modo que permaneció en silencio.

Ambos se acercaron a la hoguera, y la muchacha advirtió, no sin sorpresa, que su compañero avanzaba con cierta timidez. Porque Oki estaba relatando una historia, e incluso Lobo sentía un gran respeto por el peculiar narrador de cuentos.

Se sentaron junto a los demás y se dejaron llevar por la magia de las palabras.

Durante toda aquella noche, Oki contó historias, recitó largos cantares y entonó bellas baladas de amor. Nadie se acordó de comer o de dormir durante todo ese tiempo, aunque el vino y la cerveza corrieron en abundancia y refrescaron la garganta del viejo juglar.

Y cuando los primeros rayos de sol abrieron las entrañas de la noche en una alborada de colores fantasmales, Oki se levantó y anunció que debía marcharse.

Varias voces le suplicaron que se quedase, pero él declinó la oferta.

Viana, sin embargo, permaneció sentada un momento más, pensando en las historias que había contado Oki aquella noche... y en la que no había contado.

Cuando el juglar se alejaba ya del claro, Viana se levantó de un salto y corrió tras él.

—Maestro Oki —lo llamó, preguntándose si era la forma más adecuada de dirigirse a él.

El juglar se volvió hacia ella y la miró con aquellos ojillos negros y penetrantes; pero no la reprendió, de modo que Viana supuso que estaba dispuesto a escucharla.

—Estaba preguntándome... —empezó, dubitativa; hizo una pausa y continuó—. Me preguntaba acerca de la leyenda que relatasteis en el último banquete del solsticio, en la corte del rey Radis.

Viana calló, dando pie a que Oki hiciese algún comentario acerca de la invasión bárbara o del final de la dinastía que lo había acogido en su castillo año tras año. Pero él no dijo nada. Solo aguardó a que ella siguiera hablando.

—Se trataba de una historia sobre el manantial de la eterna juventud, o algo parecido —dijo Viana—. Se supone que se oculta en algún lugar del Gran Bosque.

—Eso cuenta la historia —asintió Oki con suavidad—. ¿Y bien?

Viana tragó saliva.

—Sé que va a parecer un poco estúpido, pero... querría saber si hay algo de verdad en vuestro relato.

Oki sacudió la cabeza, disgustado, y echó a andar sin responder. Viana comprendió que lo había ofendido, aunque no acertaba a adivinar por qué.

—¡Aguardad! —lo llamó—. Disculpad mi ignorancia. Es solo que... bien, corren rumores de que Harak, rey de los bárbaros, es invulnerable. O tal vez inmortal —añadió.

—Aaah —dijo Oki, deteniéndose de nuevo y dirigiéndole una misteriosa sonrisa—. Interesante asociación.

Alentada por sus palabras, Viana prosiguió:

—Estaba pensando que si ese manantial existe y las fuerzas rebeldes bebiesen de él, quizá podríamos hacer frente a Harak y liberar el reino.

Se sorprendió de su propuesta en cuanto la formuló, sobre todo porque seguía pensando que las «fuerzas rebeldes» que acababa de mencionar eran poco más que un puñado de vagabundos desarrapados.

—¿Y bien? —preguntó Oki.

—¿Y bien, qué? —preguntó Viana a su vez, desconcertada por la reacción del juglar.

–¿Cuál era la pregunta?

–Eeeh... Bueno, es evidente... Desearía saber si eso es posible.

Oki le dedicó una risa extraña, como el crujir de la maleza bajo el viento.

–¿Qué son las leyendas, sino leyendas? –respondió.

–Entonces, ¿no es cierto? –insistió Viana.

Oki le dirigió una mirada severa.

–Tendrás que ir tú misma al corazón del bosque para averiguarlo.

Viana se estremeció. Sabía, por las veces que lo había visto actuar, que Oki otorgaba una condición especial a los cuentos y las leyendas. Cada vez que actuaba, había quien consideraba que se trataba de historias sin fundamento y quien las creía a pies juntillas. Y Oki no concedía la razón ni a unos ni a otros. No eran verdad, pero tampoco eran mentira. Viana caviló acerca de ello. Siempre le habían apasionado los cuentos, y se incluía entre la gente que soñaba con hermosas hadas y traviesos duendes, con fieros dragones y poderosos hechiceros. Sin embargo, nunca había visto tales seres ni conocía a nadie que se hubiese topado con ellos.

Oki no iba a resolver aquella cuestión. Quizá porque no conocía la respuesta o tal vez porque no lo creía necesario.

–Se cuentan muchas cosas acerca del Gran Bosque –susurró Viana.

Oki asintió; sus ojos brillaban, delatando la pasión que sentía por toda clase de historias. La muchacha entendió que ahora sí estaba hablando su idioma.

–Podría creerlas, o quizá no –añadió con tiento–, pero supongo que eso no es lo que importa, ¿no?

–No es lo que importa –Oki negó con la cabeza, y sus negros e hirsutos cabellos se agitaron bajo su sombrero–. Lo esencial es la historia en sí.

–Comprendo –asintió Viana.

Y era cierto que lo comprendía. Sin embargo, aquello no solucionaba su duda, y no sabía cómo volver a planteársela a Oki sin que se ofendiera.

–Deseas saber si vale la pena, ¿no es verdad? –dijo entonces el juglar–. Si debes asumir el riesgo y salir al encuentro de la leyenda.

–Sí –asintió Viana, agradecida–. Sí, eso es.

–Porque puede que descubras el misterio o puede que te enfrentes a una muerte segura. ¿Quién sabe? Muchacha, te contaré algo: el mundo está lleno de historias. Todas las personas y todas las cosas tienen historias que contar. A algunas de ellas se llega a través de gente como yo, que las relata para que no se olviden. Otras, en cambio... se viven. ¿Entiendes?

Viana asintió, aunque no estaba segura de comprenderlo del todo.

–Ahora tú debes decidir –concluyó Oki– si seguirás siendo una oyente o, por el contrario, saldrás en busca de tu propia historia.

–¿Puede que tenga que ver con el manantial de la eterna juventud?

–Tendrá que ver con la búsqueda del manantial de la eterna juventud –corrigió el juglar–. Pero solo si te arriesgas a vivir esa historia sabrás cómo concluye. A no ser, por supuesto, que esperes a que otra persona la viva por ti. Entonces es posible que dentro de un tiempo conozcas el final en boca de alguien como yo.

Viana asintió de nuevo. Y esta vez sí lo entendía.

–Puedo ser una espectadora –resumió– o puedo ser la protagonista de mi propia historia. Y eso conlleva riesgos.

Oki sonrió y cientos de pequeñas arrugas contrajeron su rostro.

–Así es, muchacha. Así es –dijo.

Sacudió la cabeza de nuevo y reemprendió la marcha. Viana lo siguió un par de pasos.

–¡Maestro Oki! ¿A dónde vais? ¿Volveremos a vernos?

Él le respondió con una enigmática risa.

–¿Quién sabe? Yo voy y vengo, aquí y allí, como el viento errante, arriba y abajo, como las grandes mareas. Una y otra vez. Sin detenerme jamás. Es así desde que tus antepasados llegaron a estas tierras, y así será cuando tus descendientes interpreten su propia leyenda. Pero ¿quién podría decir cómo finalizará la tuya? Yo no, ciertamente. Al menos, no aún. Pero quizá algún día... quizá algún día...

Su voz se perdió entre el murmullo de los árboles y Viana no llegó a oír sus últimas palabras. De todas formas, no había entendido lo que quería decir. Tal vez, se dijo, el maestro Oki empezaba a desvariar a causa de la edad.

Suspiró, sintiéndose algo mejor. No había obtenido de él la respuesta que quería, pero sí la que necesitaba, y fue capaz de comprenderlo así.

De modo que lo vio alejarse, una pequeña figura apoyada en su bastón, y permaneció allí, de pie, hasta que Oki se fundió con las sombras y el tintineo de sus cascabeles dejó de escucharse entre los susurros del bosque.

Tal como imaginaba, a Lobo no le pareció buena idea.

–¿Un manantial de la eterna juventud? –se burló–. Despierta, Viana. Todos los bosques tienen una leyenda al respecto. Eso no son más que cuentos.

–Pero Oki dijo...

–¿Te dijo Oki que encontrarías una fuente semejante si viajabas al corazón del Gran Bosque?

–No –reconoció Viana de mala gana.

–Porque no existe, ¿ves? Oki no es más que un cuentacuentos, Viana. ¿Sabes lo que eso significa? Que cuenta cuentos. Cuentos –repitió–. Es decir, historias inventadas.

–Sé lo que son los cuentos –replicó ella, molesta–. Pero aun así... ¿no te intriga un poco el hecho de que Harak...?

–Ni una palabra más sobre el tema.

Y Viana no insistió. Pero había tomado su decisión, y Lobo no iba a detenerla. Esta vez no.

Quizá él no creyó en ningún momento que fuese a llevar a cabo su idea. Nadie se adentraba en el Gran Bosque, porque nadie había regresado nunca de una expedición así. Y eso lo sabía todo el mundo, más allá de relatos y leyendas.

Pero Viana se sentía capaz de sobrevivir al bosque, a cualquier bosque. Si las historias terroríficas que contaban acerca de aquel lugar no eran reales, entonces no tenía nada que temer. Y si lo eran... bueno, en aquel caso, también existía la posibilidad de que hallase el manantial del que había hablado Oki la noche del solsticio. Y entonces...

No se detuvo a pensar en ello porque sabía que, si lo hacía, cambiaría de idea. De modo que aquella mañana aprovechó que todos durmieron hasta tarde y salió del campamento, aparentemente para cazar. Pero lo que hizo en realidad fue avituallarse para un largo viaje a través del bosque. No sabía cuánto tiempo le llevaría alcanzar aquel mítico manantial, si es que existía en realidad. Pero no le importaba. Tenía que intentarlo.

Lamentó no poder despedirse de Lobo, de Dorea, de Alda, de Airic y de todos los demás. Pero no podía arriesgarse a esperar un poco más y que la disuadieran de su propósito.

Por otro lado, si se alejaba de la civilización, también tardaría mucho en volver a ver a Robian. Y necesitaba estar sola para pensar.

Emocionada porque sentía que, por primera vez, iba a tomar las riendas de su destino, a ser la protagonista de su propia historia, Viana emprendió el viaje hacia el corazón del bosque. No tenía plano, ni más indicaciones que las que había dado Oki en su relato. No tenía claro hacia dónde debía dirigirse, pero confiaba en que, cuando llegara allí, lo sabría.

Porque los árboles estarían cantando.

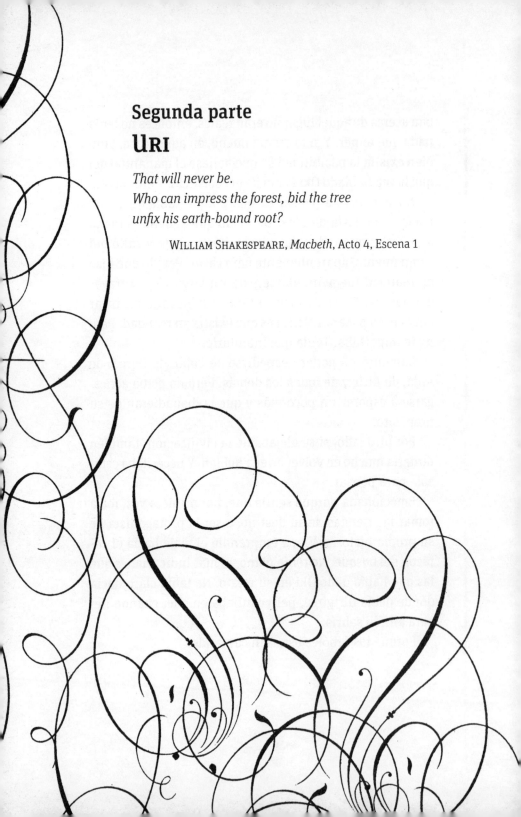

Segunda parte

URI

That will never be.
Who can impress the forest, bid the tree
unfix his earth-bound root?

WILLIAM SHAKESPEARE, *Macbeth*, Acto 4, Escena 1

Capítulo VIII

En el que se cuenta el viaje de Viana a través del Gran Bosque y el sobresalto que sufrió junto al arroyo.

VIANA CAMINÓ TODO EL DÍA, sin detenerse a pensar en que estaba internándose más y más en el Gran Bosque, el lugar donde nacían todas las leyendas y contra el que la habían prevenido desde que era niña. Se limitó a cruzar el arroyo en tres saltos y a seguir adelante, siempre adelante, como si aquello no fuera una búsqueda imposible, sino una partida de caza como la de cualquier otro día.

Y al principio, así se lo pareció. El bosque que se extendía al otro lado del torrente no era muy distinto al que había dejado atrás. Quizá un poco más espeso y umbrío... pero aquí se acababan las diferencias. Los mismos pájaros que ya conocía silbaban entre las ramas, los árboles no parecían más oscuros o amenazadores ni tampoco se atisbaban extrañas criaturas acechando entre la maleza: no había hadas, trasgos, duendes ni trols.

Viana, sin embargo, no bajó la guardia. Por una parte, tras su aprendizaje con Lobo, se sentía en el bosque como pez en el agua y tenía mucha confianza en sí misma y en sus capacidades. Pero, por otro lado, había pasado toda su vida escuchando historias terroríficas acerca del Gran Bosque, y nunca había dudado de su veracidad.

Llegó la noche, y la joven no había descubierto nada extraordinario. Al menos, no aún. Pero, de todos modos, eligió para acampar un lugar resguardado en el hueco de un enorme árbol, y renunció a encender ninguna hoguera que pudiera revelar su posición. Ya no refrescaba tanto al caer la tarde, por lo que esperaba que su capa bastaría para mantenerse caliente y, además, guardaba en su morral algo de pan, queso y carne en salazón, así que por el momento no necesitaba fuego para cocinar. Sabía, por supuesto, que tarde o temprano tendría que cazar, pero ya se lo plantearía más adelante, cuando no le quedara otra alternativa.

Se acurrucó, pues, al pie del árbol y se envolvió bien en su manto, dispuesta a pasar la noche. Daba por supuesto que sería incapaz de dormirse; pero oyó el canto de los grillos, el susurro de la brisa en los árboles y el ulular de un búho, y nada de aquello le pareció peligroso. Al contrario: le recordaba tanto a su hogar en el bosque que no tardó en caer rendida por el cansancio.

Cuando despertó, todo seguía igual. Ningún hada la había transformado en animal durante su sueño ni había sido devorada por trol alguno. Y todas sus pertenencias seguían allí: los gnomos no se habían aventurado en su refugio para llevárselas, aunque descubrió que un ratón había husmeado en su morral y le había dado un par de mordiscos a lo que quedaba del queso. Y aún tenía suerte de que no había robado nada más, pensó Viana, un tanto avergonzada. Preocupada por si recibía visitantes sobre-naturales, había descuidado a los habitantes habituales del bosque.

Desayunó rápidamente y se puso en marcha. A aquellas alturas, seguro que en el campamento ya habían notado su falta. Se preguntó si Lobo habría adivinado hacia dónde se dirigía y si, de ser así, iría tras ella. Viana no conocía a nadie que se hubiese internado tanto en el Gran Bosque como ella, y tampoco estaba segura de hasta dónde llegaba el respeto de Lobo hacia aquel lugar. Porque él se negaba a creer en la existencia de cosas tales como un manantial de la eterna juventud, pero, por otro lado, también le había repetido muchas veces que adentrarse en el Gran Bosque era una auténtica locura.

Por si acaso, apretó el paso. Le llevaba ventaja, pero el viejo caballero era muy diestro siguiendo rastros y, ade-más, se desplazaba por el bosque con más facilidad que ella.

A lo largo de la jornada, sin embargo, empezó a notar que todo a su alrededor se volvía diferente. Los árboles parecían más altos, y su ramaje, más tupido. Se hacía cada vez más difícil encontrar huecos entre la espesura, y los sonidos del bosque se oían con mayor intensidad, como si sus moradores fueran conscientes de que allí, en aquel reducto, no debían preocuparse de si los seres humanos los escuchaban o no. También empezó a ver especies de insectos y plantas que desconocía, y una pequeña criatura peluda, de enormes ojos redondos y larga cola anillada, la contempló sin inmutarse desde lo alto de una rama.

Viana se quedó mirándola, con el arco a punto, por si fuera alguna especie de duende. Pero el animal trepó ágilmente hasta la copa del árbol y se perdió entre el follaje, y Viana no se preocupó más por él.

La tarde fue complicada. Cada vez le resultaba más difícil abrirse paso por aquel intrincado laberinto vegetal, pese a su entrenamiento junto a Lobo. Cuando se puso el sol, casi se sintió aliviada porque tenía un buen motivo para detenerse y descansar.

La segunda noche en el Gran Bosque, sin embargo, fue bastante peor que la primera. La humedad del ambiente traspasaba su capa y la hacía añorar el calor de una buena hoguera, pero seguía sin atreverse a encenderla. De modo que volvió a tomar una cena fría y a arrebujarse en su manto, tiritando. Y en esta ocasión los sonidos nocturnos, más extraños e inquietantes que aquellos a los que estaba acostumbrada, la mantuvieron alerta hasta bien entrada la madrugada.

Se despertó con las primeras luces del alba, entumecida y agradeciendo, en el fondo, que se hubiese hecho de día por fin. El bosque no parecía tan amenazador a la luz de la mañana, y se reprendió a sí misma por ser tan medrosa. De nuevo se puso en marcha, pero en esta ocasión se preguntó por primera vez si estaría muy lejos de su destino y si reconocería el lugar cuando lo viera.

No se dio cuenta de que unos profundos ojos rasgados la contemplaban desde la espesura. Tampoco oyó los susurros y las risas contenidas que ocultaba la floresta, ni descubrió las ligeras huellas de unos pies diminutos sobre el barro ni los retazos de piel moteada que podían atisbarse entre los árboles para aquellos que sabían mirar. Todo ello le pasó inadvertido, y no porque no fuera una experta rastreadora sino, simplemente, porque algunas de las criaturas que habitaban en el bosque profundo eran mucho, muchísimo más viejas que ella, y sabían muy bien cómo ocultarse a los ojos de los mortales.

Por fortuna para Viana, los seres que la vieron abrirse paso por el Gran Bosque fueron todos benévolos o, en el peor de los casos, indiferentes. Incluso había pasado demasiado cerca del cubil de una mantícora sin advertirlo. Solo la suerte quiso que la bestia estuviera en aquel momento durmiendo tras una comilona, y que la brisa no soplara en su dirección. Pero Viana nunca supo lo cerca que había estado de no regresar jamás.

Así, aquella tarde llegó hasta un claro del bosque con cierta sensación de inquietud, pero sin haberse visto en peligro en ningún momento y sin haber percibido nada sobrenatural o extraordinario en aquel lugar. No obstante, cuando los árboles se abrieron y dieron paso a un espacio más despejado, Viana lo agradeció profundamente, sobre todo porque por aquel paraje discurría un río, y ella estaba deseando lavarse y rellenar su cantimplora de agua fresca.

Se acuclilló, pues, a la orilla, y procedió a asearse. Se detuvo a pensar si valía la pena desvestirse para bañarse un poco, pero desechó la idea porque el agua estaba muy fría.

Remontó un poco el curso del río, buscando un paso para vadearlo, y encontró un lugar donde el caudal estaba salpicado de piedras que sobresalían del agua. Viana saltó sobre la primera de ellas y paseó la mirada por el río, tratando de elaborar mentalmente un itinerario para cruzar.

Y entonces vio algo que llamó su atención.

Al principio no supo qué era y se quedó mirándolo, desconcertada: una forma de color pardo que cubría una de las rocas por las que tenía previsto pasar. Quizá fuera maleza o musgo, pero parecía demasiado sólido.

Se aproximó con precaución, saltando de piedra en piedra. Cuando estaba un poco más cerca, pensó que tal vez se tratara del cuerpo de algún animal. Se detuvo de nuevo, cautelosa, pero aquello no se movía. Quizá estuviese muerto.

Y entonces se dio cuenta de que era humano. O, al menos, lo parecía.

Viana se agachó sobre la roca en la que se encontraba y lo observó con atención.

Era un muchacho. Yacía de bruces sobre la piedra musgosa, la parte inferior de su cuerpo sumergida en el agua, los brazos desmadejados, el cabello cubriéndole el rostro. Viana reprimió el impulso de correr en su ayuda por dos motivos: la piel del chico era de un extraño color moteado, entre pardo y verdoso... y estaba completamente desnudo.

La joven sintió que le subían los colores. Ni la convivencia con los rebeldes en el campamento ni los modales groseros de Lobo habían logrado borrar el decoro que le habían inculcado desde pequeña. Después de todo, había nacido como la hija de un duque y no acostumbraba a ver muchachos desnudos. Por fortuna, aquel estaba tumbado bocabajo sobre la roca. Aun así, su vista le resultaba perturbadora, por lo que se acercó más y le echó su propia capa por encima para cubrir su cuerpo. Una vez hecho esto, pudo pensar con un poco más de claridad.

Era evidente que aquel no era un chico corriente. Nadie tenía una piel así, por no hablar de su cabello. Viana lo estudió con curiosidad. Parecía rubio, pero de un tono que no había visto nunca, como el del trigo cuando aún no está del todo maduro. El corazón de Viana empezó a latir más deprisa. ¿Qué clase de criatura era aquella? ¿Sería un duende? Ella había oído decir que los duendes eran más bien pequeños, y el muchacho de piel moteada parecía bastante alto. También contaban que las criaturas feéricas tenían las orejas puntiagudas. Viana observó al chico con aprensión. No se atrevía a apartarle el pelo para verlo con mayor claridad, pero habría jurado que sus orejas eran normales.

Por lo demás, parecía un chico normal, de unos quince o dieciséis años. Salvo por aquella extraña piel y aquel pelo tan raro, y por el hecho, claro, de que estaba desnudo en mitad del bosque.

Quizá aquel muchacho supiera algo sobre el manantial de la eterna juventud o cómo llegar hasta él. Eso, naturalmente, en el caso de que estuviera vivo.

Viana se atrevió a rozarlo con la punta de los dedos. Su piel estaba cálida y, al mismo tiempo, sorprendentemente suave. La joven casi habría esperado que fuese áspera o rugosa, pero parecía la de un niño.

El muchacho se estremeció bajo su tacto y dejó escapar una especie de gañido.

Estaba vivo. Viana retrocedió con brusquedad y lo observó un momento más, dudando entre salir huyendo o ayudarlo. Finalmente, la compasión fue más fuerte y se inclinó sobre él, con precaución, para comprobar su estado. Le dio la vuelta –manteniendo su capa estratégicamente situada sobre el cuerpo de él– y examinó su rostro. No parecía haber sufrido heridas ni golpes, pero sus labios estaban resecos y agrietados. «Tiene sed», adivinó Viana, extrañada. ¿Cómo era posible que aquel chico hubiese llegado sediento hasta el centro de un río sin haberse detenido a beber? «Quizá el agua no sea buena», pensó la joven con una punzada de temor. Desechó aquella idea de su mente. No había notado nada anormal en su sabor y, en todo caso, si estaba contaminada era ya demasiado tarde para ella. Decidió arriesgarse, y mojó los labios del muchacho con un chorro de agua de su cantimplora.

Él dio un respingo, sobresaltado. Viana contuvo el aliento al ver sus ojos, de un verde tan profundo como el musgo que cubría los árboles centenarios.

–Tranquilo, tranquilo –trató de calmarlo–. Estás a salvo. Bebe, te sentará bien.

Pero el muchacho no parecía entenderla. Contempló asustado la boca de Viana, como si no comprendiera por qué salían de ella tantos sonidos, y después se quedó mirando el odre que le tendía, al parecer sin saber qué debía hacer con él. Viana, entre desconcertada y exasperada, vertió un chorro de agua sobre sus labios...

... Y él se asustó tanto que se removió entre sus brazos, resbaló sobre la roca y cayó al río con un sonoro chapoteo.

Viana no entendía por qué el chico de piel moteada actuaba de una forma tan extraña. ¿Estaría desorientado? ¿O quizá enfermo? En cualquier caso, tenía que sacarlo del agua, porque parecía evidente que tampoco sabía nadar.

Tiró de él hasta ponerlo de nuevo a salvo sobre la roca y después recuperó su capa, que estaba totalmente empapada. Era absurdo volver a ponérsela ahora, de modo que la apartó con un suspiro y trató de no fijarse en el cuerpo desnudo del muchacho. Volvió a sostenerlo entre sus brazos e intentó obligarlo a beber agua. Al principio, él mantuvo sus labios obstinadamente cerrados, pero Viana lo forzó a abrir la boca y a tomar un par de tragos. El chico tosió, a punto de atragantarse; entonces pareció comprender que el agua le sentaba bien, porque dejó de oponer resistencia. Finalmente, saciada su sed, el joven contempló con maravillado interés todo lo que lo rodeaba. Metió un pie en el agua y aguardó un momento. No sucedió lo que él parecía estar esperando que pasara, fuera lo que fuera eso, de modo que sacó el pie con el ceño fruncido y observó la cantimplora como si no terminara de comprender del todo su funcionamiento. La volcó para ver cómo caía el agua de ella, y después se la llevó a la boca. Pero se quedó muy desconcertado al ver que no salía más líquido.

—Así no —lo riñó Viana, arrebatándosela de las manos—. Mira, se utiliza así —añadió, llenándola en la corriente y bebiendo después para mostrárselo.

El chico la contempló fascinado y luego volvió a tomar la cantimplora para mirarla desde todos los ángulos. Viana suspiró, cargada de paciencia.

—Eres como un niño pequeño —le dijo—. Y supongo que no me entiendes cuando te hablo, ¿verdad? ¿Es que hablas en otro idioma? ¿El de los duendes, quizá? ¿O el de los elfos? ¿O no hablas en absoluto? —adivinó al ver cómo él la observaba con asombro cada vez que pronunciaba alguna palabra—. Pero no puedes ser tan...

«Tonto», estuvo a punto de decir. Se contuvo, sin embargo, porque no quería ser grosera con un desconocido, aun cuando este se paseara en cueros por el bosque y no comprendiera una sola palabra de lo que decía. «Quizá ha perdido la memoria», pensó. Sí, eso parecía bastante probable. Cuando Viana era pequeña, uno de los mozos de cuadra del castillo había recibido una coz en plena cara. Había permanecido inconsciente durante unos días, y al despertar no recordaba ni quién era. Se necesitaron varias semanas para que recuperara parte de sus recuerdos, pero nunca volvió a ser el de antes.

Viana miró al muchacho del río, conmovida. Se preguntó entonces qué clase de cosas había olvidado. ¿Quién era él? ¿De dónde venía? ¿Era humano, como parecía? Y, en ese caso, ¿por qué tenía un aspecto tan extraño?

El chico, ajeno a las cavilaciones de su salvadora, seguía jugando con la cantimplora. Se sobresaltó cuando, tras volcarla por encima de su cabeza, le cayó un chorro de agua en la cara, pero pareció encontrarlo divertido, porque dejó escapar una carcajada. También lo asustó el sonido de su propia risa, como si llevara mucho tiempo sin oírlo.

Viana reaccionó. Era curioso ver cómo aquel muchacho desmemoriado parecía estar redescubriendo el mundo, pero ella tenía muchas cosas que hacer.

Lo sacó del río como pudo (el chico se armó tal lío con piernas y brazos que por poco no acabaron en el agua los dos) y lo sentó al pie de un árbol mientras rebuscaba en su morral.

–Tengo ropa de repuesto –le dijo–. Tienes suerte de que no sean vestidos de doncella.

Tal y como esperaba, el muchacho no dio muestras de comprenderla, pero observó con curiosidad lo que hacía. Cuando Viana le lanzó una camisa y unas calzas, se asustó y se quitó las prendas de encima rápidamente.

–Eh, no, ni hablar –replicó Viana–. No me importa si en tu mundo los hombres vais en cueros por la vida; yo sigo siendo una dama y no pienso tratar contigo hasta que no estés vestido con decencia.

Era perfectamente consciente de que su compañero no la entendía, pero oírselo decir a sí misma en voz alta la tranquilizó un poco.

Entretanto, el muchacho de piel moteada había estado examinando la ropa con interés. Pareció darse cuenta de que era similar a la que cubría a Viana. Ladeó la cabeza y se la quedó mirando como si la viera por vez primera.

–Sí, eso es –asintió ella, incómoda de repente–. Mira, ¿ves para qué sirve? –le mostró su propia ropa y la comparó con la que él tenía entre las manos–. Ahora, tú. Ah, no, no, eso sí que no –protestó al ver que el muchacho parecía esperar que lo ayudara a vestirse–. Aprende tú solo. Ya he estado más cerca de ti de lo que debería, y hasta que no estés vestido... –tomó aire, consciente de que había enrojecido otra vez–. Pues eso –concluyó.

Se alejó un poco de él y lo dejó contemplando las prendas, muy confundido. Supuso que tendría que tener paciencia con él y darle una oportunidad. «Tonto no parece», reconoció. «Es simplemente... como si todo esto le sucediera por primera vez». Seguía convencida de que había perdido la memoria, pero, además de eso, también era posible que aquel muchacho procediera de un lugar donde los usos del mundo civilizado fueran del todo desconocidos. Viana había escuchado historias acerca de las cortes del reino de las hadas, sofisticadas y resplandecientes, pero también le habían contado cuentos sobre un mundo subterráneo, hogar de duendes y trasgos, donde aquellas criaturas vivían casi como animales. Aguardó un tiempo prudencial y después regresó al árbol para ver si el chico se había vestido ya. Parecía haber captado bastante bien la idea general, porque se había puesto las calzas más o menos correctamente, aunque se había hecho un lío con las mangas de la camisa. Viana rio divertida y lo ayudó a colocársela bien.

–Ahora –le dijo– pareces un muchacho decente.

Pero lo cierto era que el chico del río estaba bastante desconcertado. Así, vestido como una persona de verdad, su extraño pelo resultaba todavía más salvaje, y el sorprendente color de su piel resaltaba contra la blancura de la ropa.

–Bueno –suspiró entonces Viana–, creo que ha llegado el momento de hablar de cosas importantes. Quiero decir... que yo hablaré y tú escucharás, supongo. Y espero hacerte comprender algo.

Se sentó junto a él y lo obligó a mirarla a los ojos. De nuevo se quedó sin palabras ante aquel verde oscuro tan profundo como el corazón del bosque, y tuvo que carraspear antes de continuar hablando:

–Yo me llamo Viana –se presentó–. Vi-a-na. ¿Comprendes? Vamos, repítelo: Vi-a-na.

Pero el muchacho se limitó a contemplar su boca con curiosidad. Ni siquiera hizo amago de repetir los sonidos, y la chica empezó a plantearse si no sería también mudo.

–¿Cómo te llamas tú? –lo interrogó, colocando el índice sobre el pecho del muchacho al pronunciar la última palabra.

Se lo preguntó de todas las maneras posibles y gesticulando mucho, pero él seguía sin hablar. Se limitaba a observarla desconcertado, como si no entendiera nada de lo que estaba haciendo.

Finalmente, Viana se rindió.

–De acuerdo, no tienes nombre. Y supongo que tampoco podrás indicarme por dónde se va a la fuente de la eterna juventud o dónde está ese lugar donde dicen que los árboles cantan –añadió mirándolo de soslayo; pero el chico permaneció inexpresivo–. Bueno, pero tendré que llamarte de alguna manera. Y «mozo» o «muchacho» no me parece apropiado, teniendo en cuenta que ya te he visto... eh... mejor dejémoslo estar –concluyó precipitadamente. Él siguió mirándola sin inmutarse, y Viana se sintió conmovida por su inocencia.

Se calló un momento, preguntándose cómo debería llamarlo. Porque estaba claro que él necesitaba un nombre.

Lo miró de nuevo. Era guapo a su manera, aunque al contemplar su extraña piel (sintió deseos de acariciarla, sin saber por qué) volvió a recordar los cuentos que le contaba su madre cuando era niña. Algunos de ellos estaban protagonizados por un duende travieso llamado Uri. Aquellos habían sido sus favoritos.

–Bien –dijo–, creo que ya lo tengo. Te llamaré Uri, si no te importa.

No pareció importarle. Estaba muy entretenido jugando con sus propios dedos. Viana no pudo evitar sonreír.

Se preguntó entonces qué iba a hacer con él. Estaba claro que, si lo dejaba solo, no sería capaz de sobrevivir en el bosque, al menos mientras no recuperase la memoria. Pero resolvió posponer su decisión hasta el día siguiente, porque ya estaba atardeciendo.

Montó un campamento junto al río. Por alguna razón, la presencia de Uri le hacía sentirse segura, y pensó que no habría nada de malo en encender un fuego cuando cayera la noche.

–Pero primero vamos a comer –le dijo–. Estarás hambriento, ¿no?

Le tendió lo poco que le quedaba de la cecina, pero el muchacho la tomó y le dio vueltas entre las manos, desconcertado.

–Es comida –le explicó Viana–. Co-mi-da.

Mordió un poco y la masticó exageradamente para que él entendiera lo que quería decir. Uri mordisqueó una esquina, dubitativo. Pero movió la comida en el interior de su boca sin saber muy bien qué hacer con ella, y puso tal cara de asco y desconsuelo que Viana no pudo evitar echarse a reír.

–Bueno, comprendo que no es un gran banquete –le dijo–. Tíralo si no te gusta. Aún falta un poco para el anochecer; iré a cazar algo más sabroso.

Dejó a Uri sacándose de la boca los restos de la cecina y contemplándolos con repugnancia, y se internó en el bosque.

No tardó en hacerse con un pequeño tejón que ni siquiera salió corriendo cuando la vio. Era evidente que el animal jamás había visto un ser humano. Viana casi lamentó acabar con una presa tan confiada.

A su regreso, encontró a Uri en la orilla del río, hurgando en el barro. Tenía las manos muy sucias, y Viana lo apartó de allí antes de que se manchara la ropa también, aunque ya tenía las calzas empapadas.

–¿Qué voy a hacer contigo? –lo riñó mientras le lavaba las manos en el agua.

Lo sentó de nuevo al pie de un árbol mientras preparaba el fuego para asar el tejón. Sin embargo, la reacción del muchacho cuando prendió la primera chispa la sorprendió. Uri contempló fascinado la llama que lamió la leña, pero cuando vio que esta se transformaba en un fuego que ardía con viveza, profirió un grito y retrocedió aterrorizado. Viana trató de calmarlo, pero solo consiguió asustarlo más. Uri se deshizo de su abrazo y echó a correr hacia lo profundo del bosque, tropezando con ramas y raíces. Viana lo llamó y quiso salir tras él, pero ya había anochecido y no se atrevió a alejarse del campamento.

Uri no regresó. Abatida, Viana asó el tejón en el fuego. Cenó sin ganas, a pesar del hambre. Lo cierto era que echaba de menos al extraño muchacho, y sospechaba que no volvería a verlo más. «Y tal vez sea mejor así», se dijo. «¿Qué se supone que iba a hacer con él?». Pero cuando se echó a dormir junto a las últimas brasas del fuego, le costó arrancarse del corazón aquella sensación de añoranza.

La mañana le trajo una sorpresa. Al incorporarse, bostezando y frotándose los ojos, descubrió que Uri había regresado durante la noche, había excavado un hoyo en el suelo, a una prudente distancia de los restos de la hoguera, y se había hecho un ovillo en su interior, como un animalillo en su madriguera. El barro manchaba su piel y sus ropas, pero no parecía importarle. Dormía tan profundamente como un bebé.

Viana se sintió molesta y aliviada al mismo tiempo. Molesta porque Uri había hecho todo aquello sin que ella se diese cuenta (¿qué diría Lobo si supiera que había sido tan descuidada?), y aliviada porque, después de todo, él estaba allí de nuevo. Lo cierto era que Viana temía por él. En su estado, no parecía muy probable que fuera capaz de sobrevivir en el bosque. Pero su regreso le planteaba otro inconveniente.

–Y ahora, ¿qué? –murmuró.

Tenía tres opciones: o bien lo abandonaba allí mismo, o proseguía su viaje con él, o volvía a casa para ponerlo en buenas manos. Comprendió enseguida que sería incapaz de dejarlo atrás. Sin embargo... ¿cómo iba a continuar hacia el corazón del bosque si tenía que cargar con él? No obstante, la tercera posibilidad también tenía sus desventajas. Por ejemplo, si volvía a casa no tendría otra oportunidad de partir en busca del manantial encantado. Lobo la vigilaría de tal forma que no sería capaz de escaparse otra vez.

En aquel momento, Uri abrió los ojos. Parpadeó, un tanto desconcertado, y entonces la vio. Le dedicó una amplia sonrisa, tan cálida que conmovió profundamente a Viana.

–De acuerdo –decidió–. Será difícil, pero no imposible. Andando, Uri: nos vamos.

Tras recoger el campamento y asearse, Viana reemprendió la marcha. Sin embargo, le costó un poco conseguir que el muchacho la siguiera. Parecía indeciso, y por un momento se quedó parado en la orilla del río, mirándola desconsolado.

–Yo he de proseguir mi viaje –trató de explicarle ella–. Si quieres venir conmigo, estupendo. Si no... tendré que dejarte atrás.

Como sabía que él no la comprendía, echó a andar, sin más, hacia las profundidades del Gran Bosque. Lo hizo sin prisas, pero sin mirar atrás, esperando que él captara la idea.

Apenas unos instantes después, Uri echó a correr tras ella, con aquel trote desmañado que lo caracterizaba. Tropezó con un par de raíces y estuvo a punto de caer al suelo, pero se las arregló para alcanzarla. Cuando lo hizo, le dirigió una sonrisa que Viana interpretó como un «voy contigo».

—Bien —asintió ella, sonriendo a su vez.

La lógica le decía que Uri le complicaría el viaje. Pero una parte de ella se alegraba de poder contar con su compañía.

La mañana resultó agotadora. Uri era decididamente torpe, y además hacía mucho ruido. Viana se preguntó si todos los duendes serían así. Ella tenía entendido que los seres feéricos se desplazaban por el bosque tan sigilosos como sombras, hasta el punto de que casi llegaban a fundirse con él. La piel moteada de Uri apoyaba dicha creencia. Entonces... ¿por qué avanzaba por la espesura como un muchacho de la ciudad?

Tuvieron suerte, porque nada los atacó, pero al mismo tiempo Viana encontró problemas para sorprender a sus presas. Se alegró de haber guardado parte del tejón del día anterior. Aquella mañana pudo almorzar sin necesidad de salir a cazar porque, entre otras cosas, Uri seguía sin comer.

Viana pensó que tal vez tuviera algún tipo de problema con la carne, de modo que seleccionó algunas bayas para él. Pero tampoco esa opción resultó sencilla. A medida que se internaban más y más en el Gran Bosque, la vegetación se tornaba más extraña. Encontró arándanos y grosellas, pero también otros frutos que crecían en arbustos cuyo aspecto le resultaba totalmente desconocido, y que decidió no tocar por si eran venenosos.

Tampoco las bayas parecieron entusiasmar a Uri. Sin embargo, era evidente que tenía hambre.

Por fin, cuando acamparon al caer la tarde, Viana encendió una hoguera para asar la cena: una tórtola que había logrado ensartar con una flecha solo porque tenía problemas para volar. Uri volvió a mostrarse aterrorizado ante la visión del fuego, aunque en esta ocasión no salió corriendo. Se alejó de las llamas para contemplar desde lejos cómo Viana cocinaba su presa, con una mezcla de terror, fascinación y desconfianza. Cuando Viana empezó a comer, se acercó un poco, casi con timidez. La muchacha le tendió un puñado de grosellas con una sonrisa, y Uri se las metió en la boca, las masticó y después las tragó con dificultad. Había estado observando a Viana fijamente mientras ella devoraba su cena y finalmente se había decidido a imitarla.

Y debieron de gustarle, porque se terminó todas las bayas y miró a Viana pidiendo más.

La joven le ofreció, dubitativa, uno de los muslos de la tórtola. Uri lo mordió, al principio vacilante y después con mayor entusiasmo.

—Me alegro de que por fin te hayas decidido a comer —le dijo ella.

El chico le devolvió una radiante sonrisa, sin dejar de masticar. Parecía que, ahora que se había animado, estaba disfrutando con la comida; pero Viana apartó la vista y se preguntó cómo podría hacerle entender que debía comer con la boca cerrada.

El resto de la noche transcurrió sin incidentes, aunque Viana se despertó de madrugada, sobresaltada, al escuchar un aullido en la lejanía. Uri, sin embargo, seguía durmiendo plácidamente. La joven, con el corazón aún latiéndole con fuerza, decidió montar guardia hasta el amanecer.

Cuando se pusieron en marcha de nuevo, al romper el alba, Viana volvía a estar inquieta. Ciertamente, Uri le hacía compañía, pero no sería de gran ayuda en caso de que algún animal los atacara, y ni siquiera sabía hacer una guardia en condiciones, porque en cuanto le entraba sueño se echaba a dormir, y no entendía que debía mantenerse despierto para vigilar. Su presencia la obligaba a estar siempre pendiente de él y podía hacerle pasar por alto algún peligro potencial. Y ahora debía estar especialmente alerta. El bosque se volvía cada vez más extraño a medida que avanzaban: había muchas plantas y árboles que desconocía, y los sonidos que surgían de la espesura resultaban muy inquietantes.

A media mañana, Viana montó un campamento y dejó allí a Uri mientras se iba a cazar, porque necesitaba pensar.

Logró atrapar una paloma, pero eso no la animó, porque a cada paso que daba era más consciente de que su viaje era una completa locura. Llevaba ya varios días avanzando a través del Gran Bosque, cada vez con mayor dificultad, y no tenía ni la más remota idea de por dónde debía seguir, ni de si iba en la dirección correcta. Ciertamente, aquello era inmenso. Sacudió la cabeza; no podía seguir así, avanzando a ciegas, y menos si debía cuidar de Uri. Necesitaba un plan.

Se le ocurrió entonces una idea. Buscó un árbol lo bastante alto y frondoso y trató de trepar por él. Al principio le resultó relativamente fácil, porque había muchas ramas en las que apoyarse, y el tronco nudoso también ofrecía múltiples apoyos. Sin embargo, Viana pronto se dio cuenta de que era mucho más alto de lo que había calculado: subía y subía, pero seguía estando rodeada de ramas y hojas por todas partes. Tragó saliva y se obligó a no mirar abajo.

Tras un rato eterno y angustioso, llegó hasta lo alto de la copa y estiró el cuello para ver más allá.

Se quedó sin respiración.

El bosque parecía no tener límites: los árboles se extendían hasta donde alcanzaba la vista, en todas direcciones salvo en una. Allá, al fondo, se veían campos de labranza, y el horizonte estaba cortado por una cadena montañosa que Viana reconoció inmediatamente. Aquello era Nortia, su hogar. Y parecía ridículamente cerca en comparación con el camino que tenía por delante hasta llegar al corazón del bosque. Volvió a escudriñar la espesura en busca de algún espacio que pudiera parecer diferente –árboles más altos, o de una coloración diferente, o que estuvieran haciendo algo parecido a cantar–, pero no tuvo suerte.

Entonces algo llamó su atención en la lejanía: una fina columna de humo que se elevaba hasta las alturas y que parecía surgir de las mismas entrañas del Gran Bosque. ¿Qué sería aquello? Habría jurado que se trataba de una hoguera o de algo parecido, pero no podía creer que hubiese asentamientos humanos en un lugar tan apartado. Tal vez, pensó, estuviese allí el hogar de Uri. Enseguida imaginó una aldea primitiva habitada por gente de piel moteada.

En cualquier caso, era algo que valía la pena investigar, aunque calculó que necesitaría varios días más de viaje para llegar hasta allí.

Decidió que lo intentaría, al menos, e inició el descenso.

Y entonces, cuando ya apenas le quedaban unos metros para llegar a tierra, la rama a la que acababa de asirse se partió con un crujido y la muchacha se precipitó al suelo.

Cayó de bruces y logró amortiguar el golpe con las manos, pero sintió un agudo dolor en una muñeca, oyó un chasquido desagradable, y supo que se la había torcido. Mascullando maldiciones, se sentó como pudo en el suelo musgoso y se la frotó con energía. Le dolía mucho. Procedió a vendársela tal como Lobo le había enseñado, lamentando que no hubiera por allí cerca un arroyo donde sumergir la mano para reducir la inflamación en el agua fría.

Y fue entonces cuando se dio cuenta de que en aquellas circunstancias no podría cazar.

Se levantó cojeando –sentía que tenía magulladuras en todas las partes blandas de su cuerpo– y tomó su arco. Probó a tensar la cuerda y la soltó con un gemido. No; definitivamente, no podía usar la muñeca. Y estaba por ver si sería capaz de manipular cuerdas para hacer trampas.

Palpó la presa, que aún pendía de su cinturón, para asegurarse de que seguía allí, y respiró hondo. Pensó que era una suerte que la hubiese cazado antes de tener la ocurrencia de subirse al árbol. Porque sería lo único que comería en bastante tiempo.

Cuando regresó al lugar donde había dejado a Uri, su rostro reflejaba la decisión que acababa de tomar. Aun así, le costó verbalizarla.

–Vamos, arriba –le dijo al chico a media voz–. Volvemos a casa.

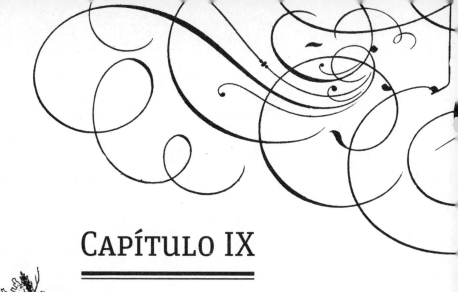

Capítulo IX

e cómo Viana regresó
con el extraño muchacho
que había hallado
en el bosque y de las cosas
que averiguó después.

LA LLEGADA DE VIANA AL CAMPAMENTO, diez días después de su partida, supuso una gran alegría para todos. La habían buscado por el bosque, pero evidentemente nadie, ni siquiera Lobo, había osado adentrarse tanto como para encontrarla. Muchos la daban por muerta; otros tenían la esperanza de que regresaría, y algunos barajaban la posibilidad de que no se hubiese marchado al Gran Bosque, sino a cualquier otra parte, en cuyo caso quizá volviese tarde o temprano. Airic repetía a todo el que lo quería escuchar que Viana había sido secuestrada por los bárbaros, aunque Lobo había afirmado que aquello era poco probable. Recordaba muy bien que Viana había hablado del manantial de la eterna juventud justo antes de desaparecer sin despedirse.

–Ese condenado juglar le llenó la cabeza de pájaros –gruñía.

Pero ni siquiera aquellos que no habían perdido la esperanza pudieron ocultar su sorpresa al verla aparecer, hambrienta, desaliñada y acompañada de un extraño muchacho. Al principio, todo fueron saludos, risas, abrazos y muchas preguntas. Viana no sabía por dónde empezar a relatar su aventura, y Uri estaba tan asustado que no se despegaba de ella. Pero entonces intervino Alda, espantó a todo el mundo, condujo a los recién llegados junto a la hoguera y les sirvió sendos platos de sopa. Uri metió el dedo en el caldo con curiosidad; pero se quemó, lanzó una exclamación de dolor y sorpresa y arrojó la escudilla lejos de sí. Todos se quedaron mirándolo con extrañeza. Viana suspiró.

—Es una larga historia —dijo—. ¿Tenéis por ahí un trozo de pan? Creo que le gustará más que la sopa. Todavía no le he enseñado a usar la cuchara.

—¿No sabe usar la cuchara? —dijo Airic, mirándolo con desconfianza—. ¿Por qué no habla? ¿Y por qué tiene el pelo verde?

—No tiene el pelo verde... —empezó Viana; pero entonces se dio cuenta de que, en efecto, a la escasa luz del atardecer, el cabello rubio de Uri mostraba un tono verdoso—. Bueno, quizá un poco. Creo... creo que ha perdido la memoria, o algo parecido. Lo encontré solo en el bosque y me lo he traído porque... bueno, porque habría muerto si no lo hubiese rescatado.

Hubo un coro de murmullos y de exclamaciones ahogadas. Todo el mundo miró a Uri con curiosidad y algo de compasión, aunque el recelo no había desaparecido de sus ojos. Viana no podía reprochárselo: Uri era demasiado raro, y ahora, a la luz de la hoguera, sus diferencias se hacían todavía más patentes. La muchacha había acabado por acostumbrarse a su aspecto, con aquella piel moteada y aquel pelo salvaje, y también a sus extravagancias. Pero sus amigos estaban contemplando al muchacho del bosque por vez primera. Como ella misma cuando lo había hallado desnudo en el río.

Una de las niñas, sin embargo, lo observaba con fascinación. Viana la conocía: se llamaba Levina y era la hija de Alda.

—¡Háblanos de él, Viana! —le pidió—. ¡Cuéntanos qué has visto en el Gran Bosque!

—Eso puede esperar —dijo una voz con gravedad, y Viana alzó la cabeza de su plato de sopa para mirar con expresión culpable a Lobo, que acababa de llegar; era él quien había hablado.

—Lo siento —dijo inmediatamente.

—Ya puedes sentirlo —gruñó Lobo—. ¿Es que no me escuchas cuando hablo? Te dije que internarte en el bosque era una mala idea. ¿Sabes cómo perdí esta oreja? Cuando era un mozo, yo también quise averiguar qué había más allá. No hice caso de las advertencias de mi padre y me escapé al Gran Bosque, ¿y sabes qué? Me salió al paso un oso que era el doble de grande que yo. Tuve suerte de escapar con vida, pero me arrancó la oreja de un zarpazo. Ese día aprendí dos cosas: que uno siempre debe escuchar a sus mayores y que cabrear a un oso no es una buena idea. Y en cuanto a ti...

Viana agachó la cabeza porque sabía lo que venía a continuación. Y no se equivocó.

Lobo siguió abroncándola delante de todos. Comenzó por decir que era una inconsciente y una cabezahueca, y que si hubiese muerto en el bosque lo habría tenido bien merecido, por irresponsable. Viana aguantó el chaparrón como mejor pudo, con las mejillas encendidas. Sabía que iba para largo, de modo que trató de tomárselo con calma.

Sin embargo, la reprimenda duró menos de lo que había imaginado. De pronto, un sonido interrumpió la perorata de Lobo: una especie de grito extraño que sorprendió a todos... incluso a la persona que lo había lanzado.

Se trataba de Uri. No entendía lo que estaba sucediendo entre Lobo y Viana, pero parecía incómodo y molesto por la situación. Cuando Lobo se volvió hacia el muchacho, atónito, este se plantó ante Viana como si quisiera defenderla. No realizó, sin embargo, ningún gesto agresivo o desafiante. Se limitó a quedarse de pie ante ella.

–Ya basta, Uri –lo tranquilizó ella–. Todo está bien, ¿de acuerdo? Cálmate.

Reacio, el chico se sentó de nuevo a su lado, sin dejar de lanzar miradas de soslayo a Lobo. Este lo contempló desconcertado.

–¿De dónde has sacado a este zagal, Viana?

–Iba a contárnoslo cuando has venido tú a interrumpir la fiesta, Lobo –intervino Garrid–. No seas tan duro con la chica: ha estado más de una semana en el Gran Bosque y ha vuelto para contarlo. No sé vosotros, pero yo me muero por saber qué ha visto allí.

–Árboles –respondió Viana tras una pausa en la que sorbió lentamente su sopa, pensativa–. Pero no cantaban –añadió con una sonrisa; sin embargo, nadie entendió el comentario, porque ninguno de ellos había estado presente en aquella celebración del solsticio en la que Oki había hablado del manantial de la eterna juventud–. Bueno, en realidad no he encontrado nada extraordinario en el Gran Bosque. Es muy frondoso, y más allá de sus límites he descubierto plantas y animales que nunca antes había visto. Pero nada de seres mágicos ni sobrenaturales. Salvo que él sea uno de ellos, por supuesto... algo de lo que aún no estoy segura –concluyó, señalando a Uri con el mentón.

El muchacho mordisqueaba un pedazo de pan, sentado muy cerca de Viana, sin percibir, aparentemente, que estaban hablando de él.

–Pero ¿quién es? –insistió Airic–. No me gusta; tiene un aspecto muy raro.

–No sé quién es ni qué es –respondió Viana; todos, incluso Lobo, la escuchaban atentamente–. Lo encontré medio muerto en un arroyo. No habla nuestro idioma... y yo diría que no sabe hablar. En realidad, hay tantas cosas que desconoce... que prácticamente hay que enseñárselo todo, como si fuera un niño pequeño.

–Pobrecillo, es retrasado –dijo Alda, compadecida.

–No lo creo –la contradijo Viana–, porque aprende muy deprisa. Es listo, de verdad. Es solo que... no sé. Es como si todas las cosas le sucedieran por primera vez. Yo creo –añadió bajando la voz– que ha perdido la memoria. Ha olvidado cómo comportarse y lo está aprendiendo todo de nuevo.

Sus oyentes se miraron unos a otros, incrédulos.

–Ah, sí –dijo entonces Dorea–, eso puede pasar. Recuerdo el caso de un mozo de cuadra que recibió un buen golpe en la cabeza y se olvidó hasta de su nombre.

–Exacto –asintió Viana, agradecida de que su nodriza mencionara el incidente.

–También puede suceder algo así cuando alguien recibe una impresión muy fuerte –intervino uno de los soldados–. Conocí una vez a una muchacha que se había quedado muda tras ver cómo unos bandidos asesinaban salvajemente a su familia. Pasó tanto miedo que se olvidó de casi todo, como si en el fondo no quisiera recordar algo tan terrible.

Viana contempló a Uri, intrigada. ¿Por qué habría perdido la memoria? ¿Habría sido un golpe o una experiencia traumática? ¿O algo más?

–Al final, decidí traerlo conmigo –concluyó– porque no habría sido capaz de sobrevivir solo en el bosque. Como no sé su nombre, lo llamo Uri.

–Como el duende de los cuentos –dijo Levina.

–Sí, en efecto –sonrió Viana–. Lo he llamado así porque me recuerda a un duende. Por esa piel y ese pelo. Pero es demasiado grande para ser un duende y, además, tiene las orejas normales. Por no hablar de que se mueve por el bosque como si fuera chafando huevos.

Todos se rieron; Uri levantó la cabeza y sonrió, y las llamas arrancaron reflejos verdes de sus extraños ojos. Pero Lobo no parecía convencido.

–¿Y qué vas a hacer con él? –quiso saber.

–¿Hacer? –repitió Viana sin entender.

–Cuando recupere la memoria... ¿lo vas a devolver al lugar de donde vino?

La muchacha parpadeó, desconcertada.

–No lo había pensado –admitió–. En realidad, en el lugar del que vino no hay nada. Estaba solo en el bosque, Lobo. Ya te lo he dicho.

–¿Y no te has preguntado cómo llegó hasta allí?

–Por supuesto que me lo he preguntado –replicó Viana, enfadada–. Pero él no está en condiciones de responder, me temo.

Lobo sacudió la cabeza, no muy convencido.

–¿Y no crees que quizá alguien lo eche de menos? Tal vez haya más como él.

Viana reflexionó.

–Si es así, yo no los he visto. De modo que no sabría a dónde llevarlo de vuelta –recordó la columna de humo que había visto elevarse desde el corazón del bosque, pero no mencionó ese detalle–. Además –añadió–, tengo la sensación de que él quería venir aquí.

–¿Cómo lo sabes? –dijo Lobo–. ¿Acaso te lo ha dicho él?

Viana negó con la cabeza, pero no respondió. Rememoró el momento en el que había reemprendido su viaje hacia el corazón del bosque y Uri había reaccionado como si no quisiera volver allí. Por el contrario, se había mostrado bastante animado cuando Viana había cambiado el rumbo para dirigirse hacia la parte civilizada de Nortia.

–Cuando recupere la memoria –dijo–, tal vez pueda regresar a casa por sí solo o, al menos, decirnos quién es y de dónde procede.

«Y quizá pueda guiarme hasta el manantial de la eterna juventud», pensó, pero no lo dijo en voz alta.

257

−¿Y si no recupera la memoria? −preguntó Alda, contemplándolo con preocupación.

−Por lo menos, le enseñaré a comportarse como una persona. Ya sé que con ese aspecto es difícil que pueda vivir en el pueblo, pero quizá aquí, en el bosque, no llame tanto la atención.

Lobo había dejado de inspeccionar a Uri para volverse de nuevo hacia Viana.

−¿Y tú? −preguntó, como si le hubiese leído la mente−. ¿Encontraste lo que habías ido a buscar?

Viana enrojeció. Le daba vergüenza confesar en público que creía en la historia de Oki.

−No llegué lo bastante lejos −se limitó a contestar−. Tuve que regresar antes de tiempo por culpa de un imprevisto −añadió, y le mostró la mano lesionada.

La venda se le había caído, y tenía la muñeca bastante hinchada. Al verla, Dorea lanzó una exclamación y corrió a examinarla.

Viana se dejó hacer, feliz por estar de nuevo en casa. Vivir a su aire había sido una experiencia interesante, pero allí, en el campamento, se sentía más segura. Y era una sensación agradable.

No hablaron más aquella noche, porque Uri se había quedado dormido junto a Viana. Costó muchísimo despertarlo para llevarlo hasta una de las chozas y, además, cuando se dio cuenta de que lo iban a separar de la muchacha, se debatió con tanta furia que no quedó más remedio que permitirle dormir a la entrada de la cabaña de las mujeres.

—No os preocupéis —les dijo Viana—. Es como un niño pequeño. No tiene malicia ni siente atracción por las mujeres, al menos todavía.

—Vaya —dijo Levina decepcionada—. Yo creía que estaba enamorado de ti.

Viana respondió con una carcajada.

—No, cariño. Es que soy la única persona a la que conoce aquí. Está un poco asustado; es natural.

Aquella primera noche, sin embargo, todos durmieron inquietos en el campamento. Todos menos Uri, que cayó en un profundo sueño del cual solo fue capaz de despertarlo la luz de la mañana.

Los días siguientes transcurrieron dentro de una tranquilidad que a Viana le resultaba enojosa. Mientras no se le curara la muñeca, no podría ir a cazar, de modo que se veía obligada a quedarse en el campamento todo el día. Entretanto, los hombres de Lobo seguían luchando contra la autoridad de Harak, asaltando carretas de comida destinadas a las casas señoriales, atacando las forjas que reparaban sus armas y herraban sus caballos u hostigando a los destacamentos de bárbaros que patrullaban los caminos y custodiaban los puentes. Como nuevo señor de Torrespino, Robian se esforzaba por darles caza; pero la gente de Lobo siempre resultaba ser más rápida, más astuta y más audaz. Todo ello estaba socavando la poca confianza que Harak pudiera haber depositado en el joven duque de Castelmar. Y Viana se alegraba de ello. Se lo tenía bien merecido, pensaba.

La joven sabía que no le estaba permitido unirse a aquellas expediciones, lo cual la llenaba de frustración. Pero su forzada inactividad, que en un principio le pareció un fastidioso inconveniente, terminó por resultarle agradable. Pasaba los días enseñando a Uri cómo debía comportarse. Le encontró un atuendo más apropiado y le mostró cómo vestirse, cómo comer y cómo emplear la mayor parte de utensilios cotidianos que tenían en el campamento. Sin embargo, y aunque el muchacho atendía a sus lecciones con gran interés, nada le fascinaba tanto como el lenguaje. Podía pasarse horas enteras mirando cómo hablaban otras personas y tratando de imitarlas. Al principio dejaba escapar sonidos, gorjeos y exclamaciones variadas, pero de repente una tarde dijo:

–Daaaa.

Se sorprendió de lo que había hecho, se rio y volvió a decir:

–Daaaa. Dadadaaaa.

Y pasó el resto del día practicando su nuevo hallazgo. Por la noche ya había conseguido decir «tatata» y después pasó a «bababa» y «papapa». Dorea no daba crédito a lo que oía.

–Es como un bebé que estuviera aprendiendo a hablar –dijo–. Exactamente igual. Solo que él avanza mucho más deprisa que cualquier niño que yo haya visto antes.

–Quizá es porque no está aprendiendo de verdad –aventuró Viana–, sino solo recordando algo que ya sabía y que había olvidado por completo.

–Pudiera ser, mi señora. En cualquier caso, siento curiosidad por descubrir qué cosas nos dirá cuando pueda comunicarse en nuestro idioma.

También Dorea se había encariñado con el extraño muchacho del bosque. Era difícil no hacerlo, se dijo Viana una noche mientras lo observaba dormido junto al fuego. Siempre se estaba riendo, todo le parecía nuevo y maravilloso y era, al mismo tiempo, impulsivo, entusiasta y enternecedoramente vulnerable.

Y adoraba a Viana. Iba con ella a todas partes, pero había dejado de seguirla como un perrillo faldero. Simplemente, la acompañaba como si fuera su amigo más leal... como lo que había sido Robian... o lo que debería haber sido.

Pero era diferente, claro. Porque Uri no era como Robian. Dorea tenía razón al decir que en muchos aspectos se comportaba como un bebé que estuviese descubriendo el mundo.

Sin embargo, la primera palabra con sentido que dijo hizo que el corazón de la muchacha empezara a palpitar más deprisa mientras un inoportuno rubor cubría sus mejillas.

Sucedió unos días después de que Uri iniciara sus balbuceos. Ambos habían ido al río para llenar un cubo de agua para el puchero. Viana se inclinó junto a la orilla y recordó el día en que había encontrado al muchacho medio muerto en el bosque. Estaba tan sumida en sus pensamientos que la corriente por poco le arrebató el balde de las manos. Uri lo recogió antes de que se le escapara, y los dedos de ambos se encontraron en el agua. Viana quiso retirar las manos, pero él se las estrechó con fuerza y rio, encantado, como si aquello fuera un nuevo y maravilloso juego.

Y entonces dijo:

–Viaaana.

Y se rio otra vez.

La muchacha, emocionada, no reaccionó enseguida. Uri frunció el ceño, sin duda creyendo que no lo había hecho bien, y repitió:

–Viaaana.

Ella comprendió que debía darle una respuesta.

–Sí –asintió, parpadeando para retener las lágrimas–. Sí, Uri. Soy Viana.

Uri volvió a reír, entusiasmado, y la abrazó, cogiéndola totalmente por sorpresa. El primer impulso de Viana fue quitárselo de encima, pero se contuvo porque entendía que el gesto no era más que una demostración de afecto que carecía de segundas intenciones.

–Viaaana –dijo Uri por tercera vez, y ella por fin se relajó entre sus brazos, sintiendo la fresca suavidad que emanaba de su piel y su intenso olor a bosque.

«¿Quién eres?», pensó por enésima vez. «¿De dónde has salido?».

Pero no dijo nada, porque sabía que él no la entendería. Sin embargo, tuvo la sensación de que quizá no tardaría mucho en ser capaz de responderle.

Así, abrazados, los encontró Airic, que acababa de regresar del pueblo. Su rostro se ensombreció al verlos.

–Viana, ¿qué hacéis? –preguntó con cierta brusquedad.

Ella se separó de Uri con las mejillas encendidas.

–¡Ha aprendido a decir mi nombre! –exclamó entusiasmada.

–Vaya, sí, es una gran noticia –masculló Airic–. Pero deberíais volver al campamento, señora. Lobo y yo traemos nuevas.

–¿Sobre los bárbaros? ¿Sobre Robian? –inquirió ella, levantándose con el balde cargado de agua. Uri se apresuró a sostenerlo en su lugar para que ella no forzara su muñeca herida.

Airic negó con la cabeza.

–Mejor será que os lo cuente él.

Intrigada, Viana regresó al campamento, acompañada por Uri. Airic los miraba de reojo y con mala cara. La muchacha sabía que él nunca había confiado en el chico del bosque, pero era la primera vez que parecía mostrar abiertamente su hostilidad hacia él.

–Airic, ¿qué pasa? –preguntó por fin ella, cansada de su hosco silencio–. Uri es inofensivo, ¿sabes?

El chico negó con la cabeza.

–Tal vez –dijo–, pero vos merecéis alguien mejor.

Viana se detuvo, perpleja.

–¿Alguien mejor? –repitió.

–Sois una dama –explicó Airic–, y él es un... es un salvaje.

Ella lo contempló un momento. Después se echó a reír.

–Airic, solo somos amigos.

–Como vos digáis –replicó el muchacho–, pero se toma demasiadas confianzas, creo yo. Ningún hombre debería atreverse a acercarse a vos con tanto descaro.

–No sabe lo que hace... –trató de explicarle Viana con paciencia.

—Porque es un salvaje —reiteró el muchacho, tozudo.

Viana no insistió.

Encontraron a Lobo desplumando una perdiz frente a la puerta de su choza. Viana se sentó a su lado y lo contempló con expectación.

—Airic dice que hay novedades —le soltó.

—Airic podría haber mantenido la boca cerrada —replicó Lobo.

—Tiene derecho a saberlo —se defendió el muchacho.

—¿A saber qué? —insistió ella.

—Han ocupado la casa de vuestra familia, mi señora —soltó Airic a bocajarro.

—¿Qué? ¿Hay bárbaros viviendo en Rocagrís? —saltó Viana.

—No te escandalices —dijo Lobo—. Ya sabíamos que eso iba a suceder antes o después. Y cierra la boca, que te van a entrar moscas.

Viana trató de calmarse. Su mentor tenía razón: desde el día en que el rey Harak había repartido entre sus hombres los señoríos de Nortia, la muchacha había supuesto que tarde o temprano llegaría aquel momento. Sin embargo, Rocagrís había permanecido abandonado desde su partida, y en el fondo de su corazón había albergado la esperanza de que continuara así hasta que ella estuviese en situación de reclamarlo de nuevo... por quimérico que pudiera parecer.

Pero la muerte de Holdar y la llegada de Robian a Torrespino habían precipitado las cosas.

Respiró hondo.

–¿Y quién vive allí ahora? Se trata de Robian, ¿verdad?

Lobo dejó escapar una seca carcajada.

–¿Te refieres a tu amorcito, Robian Culo al Aire? ¿Crees en serio que Harak le entregaría un castillo como ese a un hombre con semejante apodo?

Viana enrojeció, mientras Airic se reía con disimulo.

–¿De verdad lo llaman así?

–Oh, sí –respondió Lobo con fruición–. A estas alturas no hay nadie en Nortia que no conozca su desafortunado encuentro con la muchacha a la que ofendió delante de toda la corte bárbara.

–Pero ¿cómo es posible? –murmuró Viana–. Robian no se lo mencionaría a nadie, y su criado tampoco, si sabe lo que le conviene.

Lobo lanzó una carcajada.

–Y dime, ¿acaso yo debía guardarme semejante información por alguna razón en particular?

–¡Lobo! –exclamó ella, escandalizada–. ¡No me digas que lo has ido contando por ahí!

–¿Y por qué no?

Viana abrió la boca para replicar, pero comprendió que no tenía argumentos para rebatirle. Todavía no estaba segura de si le gustaba o no la idea de que Robian fuera ridiculizado en toda Nortia, por lo que optó por volver al tema principal.

–Entonces –dijo–, si no es Robian, ¿quién está viviendo en mi casa?

–Otro de los jefes bárbaros, con su familia –respondió Lobo–. Pero eso no es importante, Viana. Hazte a la idea de que no recuperarás Rocagrís a no ser que Harak y los suyos vuelvan al infierno de hielo al que pertenecen.

Viana no respondió enseguida. Parecía muy entretenida dibujando círculos en la tierra con un palito, como si estuviera muy lejos de allí. Sin embargo, cualquiera que la conociera bien podía adivinar que estaba maquinando algo.

–Bueno –dijo por fin–. Entonces, si no se van por voluntad propia, habrá que invitarlos a marcharse, ¿no?

Lobo dejó de desplumar la perdiz y la miró fijamente.

–¿Y cómo piensas hacer eso?

Viana alzó la vista por fin y clavó en él la mirada de sus ojos grises.

–Dímelo tú –replicó–. Tú eres el que lleva meses preparando una revuelta, ¿no es así?

Esta vez le tocó a Lobo sorprenderse. Viana sonrió.

–¿Crees que no me he dado cuenta? Sé que no vas a seguir conformándote con emboscadas y pequeñas incursiones. Ese tipo de acciones pueden molestar a Harak, pero no le harán daño de verdad. En el campamento hay cada vez más gente y todo el mundo está entrenando muy duro; incluso aquellos que jamás habían empuñado un arma están aprendiendo a pelear. Además, varios de tus hombres de confianza se han ido sin dar explicaciones, y corre el rumor de que los has enviado al sur en calidad de mensajeros. Imagino que quieres pedir apoyo a los soberanos de los reinos meridionales, y no soy tonta, Lobo; no necesitas tantos guerreros para acabar con una patrulla o robar un cargamento de cerveza. Todo el mundo parece estar al tanto de un secreto que yo he tenido que deducir sola. ¿Por qué me quieres mantener apartada de todo esto?

–Tengo que irme a... –intervino Airic, incómodo–. Bueno, tengo que irme –concluyó de forma abrupta.

Ni Lobo ni Viana le respondieron, aunque Uri lo despidió con la mano.

Lobo suspiró.

–No creo que estés preparada para esto, eso es todo.

–¿Por qué? –se indignó ella–. Soy buena con el arco y con el cuchillo, tú lo sabes.

–No se trata de eso. Eres desobediente e indisciplinada, y te tomas la guerra contra los bárbaros como si fuera un asunto personal.

–¿Y no lo es?

–Si quieres unirte a nosotros, no. Verás, es extremadamente difícil convertir en un ejército a una pandilla de inútiles como la que zanganea en este campamento. Y ya que eres tan lista y observadora, te habrás dado cuenta de que, en efecto, eso es justamente lo que estoy tratando de hacer aquí. Algo así, Viana, solo funciona cuando todos los hombres trabajan al unísono y obedecen órdenes sin cuestionarlas. Y tú ya has actuado por tu cuenta demasiadas veces. No puedo arriesgarme a que tengas otra de tus brillantes ideas y nos pongas en peligro a todos. Así que quédate aquí y cuida de tu mascota del bosque; yo tengo cosas importantes que hacer y no puedo permitir que me distraigas con tus cuentos para niños.

Aquellas palabras cayeron sobre Viana como un jarro de agua fría, pero Lobo no las suavizó. Con un resoplido, se levantó y fue a llevarle la perdiz a Alda, sin despedirse. Viana tampoco hizo el menor comentario, aunque parpadeaba para contener lágrimas de rabia e indignación.

Uri, sin embargo, le dijo a Lobo adiós con la mano. Viana se quedó mirándolo y él le dedicó una radiante sonrisa.

—Parece que eres el único que no está enfadado conmigo —comentó con un suspiro—. Quizá Lobo tenga razón y debería quedarme aquí, cuidando de ti, mientras otros van a la guerra. Pero eso ya lo hice una vez y no me gustó lo que sucedió después.

Sin embargo, tenía que admitir que Lobo la conocía muy bien. Era cierto que sus motivos para unirse a la lucha contra los bárbaros eran fundamentalmente de índole personal. Quería recuperar su patrimonio, pero sobre todo quería vengarse de los bárbaros por todo lo que le habían hecho padecer. Quizá debería empezar a comportarse de otra forma para que Lobo se diese cuenta de que estaba dispuesta a cambiar con tal de unirse a los rebeldes.

Y lo intentó. Hasta Lobo se percató de ello. Empezó a entrenar con los soldados para aprender a manejar una espada, y por las noches se sentaba junto a ellos a escuchar relatos de batallas. Obedecía hasta la mínima orden de su mentor, y ya no volvió a mencionar el manantial de la eterna juventud ni a escaparse al pueblo por su cuenta.

No obstante, había dos asuntos que seguían requiriendo parte de su atención y que la apartaban de los demás, impidiendo que se integrase completamente en el grupo.

El primero de ellos era, naturalmente, Uri. Ahora que había empezado a aprender algunas palabras, Viana, entusiasmada por sus progresos, pasaba mucho tiempo con él, enseñándole a comportarse y, sobre todo, a hablar. Y poco a poco, el joven empezó a hacerse entender. Aprendió términos de uso cotidiano y empezó a construir frases sencillas. Viana le preguntó cómo se llamaba de verdad y de dónde procedía. A la segunda pregunta, Uri respondía que había venido del bosque, pero se mostraba incapaz de ser más preciso. A la otra, sin embargo, contestaba desconcertado que él, por supuesto, se llamaba Uri.

–Tú sabes –le decía dolido, como si no entendiera por qué su amiga parecía haber olvidado su nombre de repente.

–No, no –respondía Viana–. Uri es el nombre que yo te puse. Pero tú debías de tener uno propio... antes de conocerme a mí.

El chico la miraba sin comprender, y Viana conservaba la esperanza de que sería capaz de contestarle cuando supiera hablar mejor.

También le preguntaba por su pasado y la gente a la que había dejado atrás, pero Uri tampoco parecía tener nada que contarle.

–Yo en el bosque –le explicaba pacientemente.

–Sí, pero... ¿no tienes amigos? ¿Y familia?

–Familia en el bosque –insistía Uri–. Amigos, tú –concluía con una radiante sonrisa.

Viana estaba cada vez más convencida de que el pobre Uri había perdido completamente la memoria. Sus primeros recuerdos se remontaban al momento en que ella lo había encontrado en el bosque. Todo lo anterior se había borrado de su mente, quizá para siempre.

Sin embargo, la muchacha no dejaba de intentar averiguar más cosas. Así, una noche, mientras contemplaban las llamas, sentados cerca del fuego, le preguntó entre susurros:

–Uri, ¿por qué estás aquí?

–Contigo –respondió él, como si fuera evidente.

–No, quiero decir... ¿a dónde ibas cuando te encontré? ¿Por qué estabas desnudo en medio del río?

Los ojos verdes de Uri parecieron desenfocarse un momento, como si estuviera recordando algo lejano.

–Yo... –empezó; pero le faltaban las palabras–. Voy lejos –dijo por fin.

–¿A dónde? –insistió Viana–. ¿Lo recuerdas?

–Aquí –concluyó él. Parecía que quería explicarle más cosas, pero no sabía cómo.

–No te preocupes –lo tranquilizó ella–. Ya me lo contarás más adelante, cuando puedas. Si es que puedes –añadió en voz baja.

Los progresos con Uri, sin embargo, no terminaban de hacerle olvidar el segundo asunto que mantenía su mente ocupada, y que sospechaba que terminaría por dar al traste con sus esfuerzos por ser aceptada como miembro del grupo de rebeldes.

No podía dejar de pensar en Rocagrís, ahora en manos de los bárbaros, y en todas las cosas que había dejado atrás. Hacía ya mucho que no echaba de menos sus vestidos, su laúd o sus labores de bordado. Ni siquiera la comodidad de su habitación o las suculentas comidas que solían disfrutar ella y su padre en tiempos mejores. Incluso la época en la que leía aquellas novelas de romance y caballería que tanto le gustaban parecía haber quedado olvidada.

Sin embargo, si hubiera podido rescatar algo de todo lo que había perdido, sin duda habría elegido las joyas de su madre, el único recuerdo que le quedaba de ella. Pensaba mucho en aquel estuche de terciopelo que había ocultado bajo una losa debajo de su cama. Se preguntaba si los bárbaros lo habrían encontrado, y, en el caso de que lo hubieran hecho, qué habría sido de aquellas alhajas que tanto valor tenían para ella. Y se imaginaba una y otra vez entrando furtivamente en su antiguo dormitorio para recuperarlas.

Tantas veces lo imaginó que llegó un momento en que supo que no tardaría en hacerlo de verdad. Y cuando llegó a esta conclusión suspiró, pesarosa.

Porque sabía perfectamente que, si llevaba a cabo su plan, Lobo jamás la admitiría en las filas de los rebeldes.

De modo que aún dudó un par de días más antes de tomar la decisión definitiva. Sí, regresaría a casa a buscar las joyas de su madre. Y tendría que hacerlo a escondidas porque, de conocer sus planes, Lobo no se lo permitiría. Como tantas otras cosas, reconoció con amargura. «Es cierto que se trata de una empresa peligrosa», pensó, «y que él tiene razón al decir que todo lo que planeo conlleva sus riesgos... igual que ir a la Fiesta del Florecimiento o buscar el manantial de la eterna juventud. Pero son cosas que quiero hacer, y que nadie va a hacer por mí». Era muy consciente de que si ella no regresaba a casa a por las joyas de la familia, nadie más lo haría. Y no podía permitir que se perdieran para siempre. La simple idea de que una mujer bárbara luciera sobre su pecho el collar de esmeraldas de su madre le ponía los pelos de punta; además, sabía que aquellas piezas podían sufrir un destino peor: podrían desmontarlas, fundir el oro y la plata y vender las piedras a cualquier mercader. Y eso Viana no pensaba permitirlo. Siglos de historia de su familia habían pasado por esas joyas.

«Iré a buscarlas», resolvió. «Aunque Lobo me prohíba unirme al ejército rebelde después».

Una vez lo hubo decidido, se sintió mucho mejor, y empezó a planear su escapada. Le parecía demasiado arriesgado viajar sola hasta Rocagrís, pero tampoco sabía a quién pedir que la acompañara. Lobo, por supuesto, estaba descartado. Dorea no le sería de mucha utilidad; además, aunque la vieja nodriza conocía muy bien el valor que aquellas joyas tenían para ella, encontraría su plan demasiado peligroso. Garrid era una buena opción, pero estaba demasiado enfrascado en la organización del ejército rebelde y no pospondría aquella tarea sin una buena razón.

Por un momento, Viana acarició la idea de ir con Uri. Se sentía a gusto con él y sabía que, si abandonaba el campamento y lo dejaba atrás, aunque fueran pocos días, lo iba a echar mucho de menos. Pero la sensatez se impuso y la joven comprendió que, fuera de los límites del bosque, Uri llamaría mucho la atención. Además, sabía que Dorea cuidaría bien de él.

De modo que Viana optó por hablar con Airic. Dudó mucho antes de tomar esta decisión, porque el muchacho era todavía muy joven y, si aceptaba, probablemente tendrían que partir sin pedirle permiso a su madre. Sin embargo, Airic había demostrado tener ingenio y muchos recursos, y eso era lo que Viana necesitaba. No pensaba tomar el castillo por la fuerza, sino entrar en él mediante algún tipo de ardid. Y un chico como Airic despertaría menos sospechas que un adulto.

Así que, una tarde, Viana y Uri se acercaron al muchacho, que estaba tallando flechas.

—Airic, ¿tienes un momento? Me gustaría proponerte algo.

Él dejó inmediatamente lo que estaba haciendo.

—Claro, mi señora, faltaría más.

—No, no, puedes seguir con tu trabajo —lo tranquilizó ella—. Solo necesito que me escuches y que me des una respuesta, ¿de acuerdo?

Airic asintió, intrigado.

—No sé si sabes que tuve que marcharme de mi casa de forma un tanto precipitada —comenzó Viana—. No me refiero a Torrespino, sino a la casa de mi padre, el duque Corven de Rocagrís, que cayó en la batalla contra los bárbaros. Pues bien... Harak ha entregado la propiedad de mi familia a uno de los suyos, y yo quiero regresar para recuperar algo que dejé escondido allí.

A pesar de las indicaciones de Viana, Airic no pudo evitar dejar las flechas a un lado para mirarla con ojos brillantes.

–¿Regresar a Rocagrís, mi señora? ¿De qué manera? ¿Y qué es eso que queréis ir a buscar? Si se puede preguntar –añadió rápidamente, temiendo haber sido demasiado indiscreto.

Viana sonrió.

–Se trata de las joyas de mi madre, que en paz descanse –respondió–. Significan mucho para mí, y no quiero que caigan en manos de los bárbaros.

–Por supuesto que no –coincidió Airic, escandalizado ante la idea–. Iremos a buscarlas, mi señora. ¿Atacaremos el castillo?

–Me temo que no, Airic. Lobo no querrá descubrir nuestras fuerzas tan pronto, ni estará de acuerdo en que vaya a recuperar lo que es mío, de modo que tendré que hacerlo sola. Conozco bien el castillo donde me crie. Encontraré un modo de entrar, recuperar las joyas y salir sin que nadie me descubra. Pero necesitaré que alguien me acompañe. ¿Querrías hacerlo tú?

–¡Por supuesto, mi señora! –respondió el chico, dando un salto–. ¡Ya sabéis que podéis contar conmigo para lo que haga falta! Soy vuestro más leal y sincero servidor.

–No me cabe duda –sonrió Viana, conmovida–. Pero será peligroso, y me pregunto qué le voy a decir a tu madre si algo te sucediera.

–Soy casi un hombre –replicó él, algo ofendido–. Sé cuidar de mí mismo, y mi madre tiene que aceptarlo.

Viana tenía alguna duda al respecto, pero la desechó rápidamente al ver su entusiasmo. Hizo una pausa para pensar en los detalles de su plan. Su mirada se detuvo en un extremo del campamento, donde pastaban varios caballos que los rebeldes habían robado de las cuadras de Robian. Los habían utilizado en una incursión reciente y, por lo que Viana sabía, no tenían intención de organizar otra hasta varios días después. Una idea cruzó su mente.

–¿Sabes montar a caballo? –le preguntó a Airic.

Él vaciló.

–No muy bien, pero puedo aprender sobre la marcha.

Viana sospechó que, en realidad, no sabía montar en absoluto. No era extraño, tratándose de un muchacho de origen humilde.

–Tendrá que bastar con eso –suspiró Viana–. Si vamos a pie, tardaremos mucho más. Pero Rocagrís está a dos días a caballo. Necesitaremos, pues, víveres y monturas para el viaje. Tomaremos un par de caballos prestados –añadió en voz baja.

Se estremeció al decirlo. No podía creer que fuera a regresar por fin.

Airic siguió la dirección de su mirada y entendió enseguida cuáles eran sus planes. Asintió.

–Entonces, ¿él no viene con nosotros? –preguntó, señalando a Uri.

–No, él no viene. La gente se fijaría en su aspecto, y nos conviene pasar desapercibidos.

–Mejor –opinó el chico, satisfecho.

Uri los miraba alternativamente, tratando de comprender la conversación. Cuando se alejaron de Airic, con la promesa de volver a reunirse por la noche para ultimar los preparativos, Uri se dirigió hacia ella, vacilante.

–¿Tú... viaje? –inquirió–. ¿Dónde?

–A casa –respondió ella sonriendo.

–¿Casa? –repitió Uri, señalando a su alrededor.

–No, Uri, esto no es mi casa. Unas personas me echaron de mi hogar, y ahora quiero regresar.

–¿Yo... no voy contigo?

–No, Uri, esta vez no. Pero no te preocupes; volveré pronto. No me marcho para siempre.

–Para siempre –repitió Uri, paladeando la expresión–. ¿Por qué... yo no voy contigo?

Viana se detuvo, tratando de organizar sus ideas. Era largo de explicar.

–Porque eres diferente –dijo, acariciando su extraño pelo–. Y yo voy a un lugar donde hay muchas personas. Personas como yo y como Airic. Pero no como tú.

Uri entornó los ojos y meditó aquella información.

–¿Personas... como tú? ¿Muchas? –quiso saber. Paseaba la mirada por el campamento, y parecía asombrado al descubrir que había más gente en alguna parte. Más personas, además de aquellas a las que conocía.

–Muchas más –confirmó Viana.

Uri alzó la cabeza con decisión.

–Yo voy contigo –afirmó.

–No, Uri, no puedes. En este viaje necesito que nadie se fije en mí. Que nadie me mire –trató de explicarle–.

Y tú eres diferente. La gente te mirará. Y yo no podré esconderme de mis enemigos.

—¿Enemigos? —repitió Uri.

—Gente mala —definió Viana; pensó que también tendría que explicarle aquello, pero, ante su sorpresa, Uri asintió lentamente y con seriedad, como si comprendiera el concepto incluso mejor que ella.

—Gente mala —repitió.

Tomó la mano de Viana y la alzó para mirarla en contraste con la suya. Solía hacerlo a menudo: unir piel con piel para observar las diferencias entre la suya, parda y moteada, y la de ella, que había sido blanca y fina, pero que la vida al aire libre había bronceado.

—Gente mala... no debe mirar.

—Me alegro de que lo entiendas —dijo ella con sinceridad.

Pero él parecía angustiado, y Viana no sabía si se debía a su inminente separación o al hecho de que existieran personas malvadas de las que había que esconderse.

—Volveré, de verdad —le prometió—. Serán solo unos pocos días.

Uri tomó sus manos y la instó a mirarlo a los ojos.

—Yo... tengo que ver.

—¿Qué es lo que tienes que ver?

—Gente mala —respondió él.

—¿A la gente mala? —repitió ella con sorpresa—. ¿A qué te refieres? ¿A mis enemigos, los bárbaros? ¿O es que tú también tienes tus propios enemigos?

Uri pareció confuso, y Viana se dio cuenta de que no había entendido del todo la pregunta.

–Yo... viaje. A casa de muchas personas. De los enemigos.

–Quieres ir fuera del bosque –comprendió Viana–.
A donde hay más gente. Donde están los bárbaros. ¿Por
qué? ¿Para qué?

Pero la respuesta del muchacho fue tan extraña que no
supo interpretarla: alzó las manos y dio una vuelta sobre
sí mismo, para que ella lo viera bien.

–No lo entiendo, Uri.

Él sacudió la cabeza, como si desistiera de tratar de
explicárselo. Y Viana no insistió.

Airic y ella organizaron el viaje rápida y discretamente
y, apenas tres días más tarde, cuando rayaba el alba,
salieron sigilosamente del campamento, arrastrando tras
de sí dos de los caballos de los rebeldes. Viana sabía que
Lobo los echaría de menos, pero esperaba que no adivi-
nara lo que se proponía hasta que estuviesen bien lejos.
Se preguntó una vez más si no sería un plan descabellado.
Pero no parecía mucho más peligroso que adentrarse en
el Gran Bosque y, después de todo, no había salido tan mal
parada.

Justo en los lindes de la floresta se encontraron con
Uri, que los estaba esperando.

–¿Qué haces aquí? –inquirió Viana, un tanto desconcertada, temiendo que el joven quisiera acompañarlos.

–Yo... digo adiós –respondió Uri, moviendo una mano
en señal de despedida.

–Entiendo –asintió ella, emocionada ante su gesto.

–Mi señora, no tenemos mucho tiempo –protestó Airic.

—Será solo un momento.

Se acercó a Uri y, tragando saliva, le apartó el pelo de la cara con una caricia.

—No te preocupes por mí, Uri. Volveré, te lo prometo. Pórtate bien y cuida de todos, ¿vale?

—Tú... vuelves. Y enseñas. Yo hablo mejor. Y puedo hablarte ti.

—¿Quieres hablarme? ¿Qué quieres contarme?

—Mucho —dijo él con fervor, y Viana entendió que se sentía frustrado y limitado por su escaso conocimiento del lenguaje.

El corazón le latió un poco más deprisa. ¿Quería decir aquello que Uri estaba empezando a recordar retazos de su pasado perdido? Acarició la idea de retrasar su viaje, pero comprendió que no podía dejar pasar la oportunidad de marcharse ahora que lo tenía todo dispuesto.

—Claro que sí, Uri —le dijo—. Volveré y seguiremos practicando, y me contarás muchas cosas.

—Después —prosiguió él—, vamos a la casa de mucha gente.

Viana no tenía tiempo de discutir con él ni de decirle que, con su aspecto, lo más probable es que jamás pudiera salir del bosque.

—Claro, Uri. Cuando vuelva.

—Tú vuelves —repitió él, y la abrazó con fuerza.

Viana hundió la cabeza en su hombro, ante la mirada desaprobadora de Airic, y permitió que él la estrechara un breve instante.

—Yo vuelvo —le prometió.

Después, ambos se separaron –sus manos quedaron prendidas un momento antes de desligarse por completo– y la muchacha dio la espalda al bosque, y al muchacho que había encontrado en él, para dirigirse al hogar familiar, sin estar segura de si iba a poder cumplir su promesa.

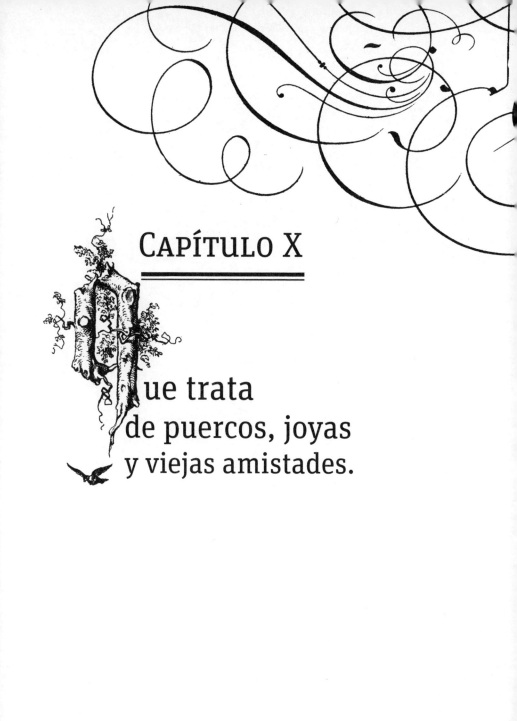

Capítulo X

ue trata
de puercos, joyas
y viejas amistades.

Así, Airic y Viana regresaron a la civilización, aunque viajaban con cautela, procurando no dejarse ver demasiado; después de todo, Viana seguía siendo una proscrita. Pero aun así podía hacerse pasar por un muchacho cualquiera y viajar libremente por los caminos, incluso saludar a los campesinos que pasaban en sus carromatos. Iba siempre con la capucha calada hasta los ojos, y tuvo la suerte de que el tiempo no fuese del todo favorable, con nubes y ligeras lloviznas, puesto que habría parecido extraño verla cubierta bajo un sol radiante.

Pese a todo ello, Viana añoraba a Uri y a sus amigos del bosque, incluido Lobo. Sí, era estupendo poder cabalgar bajo el cielo abierto, pero a veces también echaba de menos la protección y la seguridad que le daba el laberinto de árboles en el que había aprendido a vivir.

El viaje se desarrolló sin demasiados incidentes. En una ocasión tuvieron que ocultarse en un pajar para que no los descubriera una patrulla de bárbaros, y en otra optaron por bordear una población importante para evitar que alguien pudiera reconocer a la joven que había desafiado al gran rey Harak. Viana sabía que mucha gente la apoyaba en secreto, pero también había otros que no dudarían en venderla a los bárbaros a cambio de la suculenta recompensa que ofrecían por su cabeza.

Por fin, una tarde, llegaron hasta las inmediaciones de Rocagrís. Descabalgaron en un bosquecillo de abedules y se asomaron a un recodo del camino desde el que se vislumbraba su destino.

Viana parpadeó para contener las lágrimas. Había abandonado aquel lugar año y medio atrás. Se le antojaba una eternidad y, sin embargo, parecía que nada había cambiado. Si acaso, la hiedra de los muros había crecido y nadie se había ocupado de arreglar los desperfectos que se apreciaban en el tejado del torreón, probablemente causados por las nieves del invierno. La muchacha suspiró. Era consciente de que muchos sirvientes habrían abandonado el castillo al conocer la suerte de sus amos. Pero otros se habían quedado, y Viana esperaba que lo hubieran hecho por fidelidad a su familia. Ahora obedecían a los bárbaros que habían ocupado el lugar de los ausentes, pero quizá quedara en ellos una pizca de lealtad hacia la memoria del duque. En un momento de apuro, la complicidad de un criado podría ser clave para el éxito de su empresa.

–¿Qué hacemos, mi señora? –preguntó Airic.

Viana tardó un poco en contestar. Seguía contemplando el castillo, tratando de no dejarse llevar por la melancolía. El portón aún se encontraba abierto; no lo cerrarían hasta que se hiciera de noche. Sin embargo, había un guardia apostado en la entrada, rascándose la barba indolentemente. Viana se mordisqueó el labio inferior, pensativa.

—Se me ocurrirá algo —dijo por fin—. Lo importante es no despertar sospechas. Si pudiésemos entrar al anochecer, cuando los bárbaros estén cenando, podría llegar hasta mi antigua habitación sin que nadie lo advirtiera. Pero para eso debo estar dentro antes de que cierren las puertas.

Airic no respondió, pero se quedó mirándola, con una fe ciega en ella. Viana se sintió un poco incómoda, aunque procuró no dejarlo traslucir. Era cierto que había llegado hasta allí sin contar con un plan; sin embargo, confiaba en que encontraría la forma de llevar a cabo sus propósitos. Lo que sí tenía claro era que no pondría a Airic en peligro; lo había traído solo como apoyo, y no tenía la menor intención de hacerle entrar en una fortaleza llena de bárbaros.

En aquel momento resonó por el bosque el sonido de un cuerno que trajo a Viana multitud de recuerdos: tardes de invierno junto al fuego, tardes de verano en el jardín trasero, tardes de otoño frente a la ventana, contemplando la puesta de sol. Aquel cuerno sonaba solo por las tardes. ¿Qué era?

Se dio la vuelta, dispuesta a desvelar el misterio, y se internó entre los abedules.

No tardó en volver a escuchar el mismo sonido, y en esta ocasión lo reconoció apenas un instante antes de que una manada de formas oscuras se desparramara por la ladera de una pequeña loma.

—Solo son cerdos —dijo Airic decepcionado.

Pero Viana sonrió. Detrás de la piara apareció ladrando un perro mestizo, y tras él, silbando, aún con el cuerno colgado del cinto, caminaba el porquerizo, un muchacho pelirrojo, alto y desgarbado.

—Son mucho más que cerdos —dijo la joven—. Son nuestro pasaje al interior del castillo.

Se acercó al chico que cuidaba de los animales. Entre la sombra de los árboles, y a la tenue luz del atardecer, resultaba fácil confundir a la heredera de Rocagrís con un campesino cualquiera.

—¿A quién pertenecen estos cerdos, muchacho? —le preguntó disimulando la voz.

El porquerizo la miró con cierta desconfianza.

—Antes eran del duque Corven, pero ahora pertenecen a los bárbaros. ¿Quién quiere saberlo?

—¿Y cómo es que hay tan pocos? —siguió preguntando Viana, ignorando su demanda—. Recuerdo una piara de más de tres docenas de animales. ¿Has sido negligente en tu tarea, muchacho?

—No sé lo que significa «nigligente» —respondió él con tono hosco—, pero si lo que quieres saber es si he perdido los puercos, no, no es culpa mía. Esos condenados bárbaros cenan cerdo asado una noche sí y otra también. He intentado explicarles que los puercos no crecen en los árboles, pero no me han escuchado —suspiró de mal humor—. Pronto ya no tendré piara que cuidar, y entonces, ¿qué será de mí? Pero eso, ¿a ti qué te importa?

Viana salió entonces de entre las sombras y se mostró abiertamente ante el mozo.

—Es natural que tenga interés en preservar lo que es mío —respondió con orgullo.

El porquerizo la miró un momento sin comprender. Entonces, por fin, descubrió a su ama bajo aquel aspecto tan masculino, y se arrojó ante ella.

–¡Perdonadme, mi señora! –suplicó–. No sabía quién erais.

Viana rio.

–Y es mejor así –dijo–. No habría dicho mucho en favor de mi disfraz el que me hubieras reconocido –hizo una pausa para recordar su nombre–. Tú eres Vauc, ¿verdad?

–Sí, mi señora –respondió él, poniéndose colorado–. Me honra que os acordéis de mí.

Viana pensó que aquello no tenía nada de particular. Había jugado a perseguir los cerdos infinidad de veces cuando era niña. Sin embargo, para Vauc, aquella chiquilla traviesa se había convertido, pese a sus humildes vestimentas, en una mujer inalcanzable.

–¿Por qué habéis regresado? –dijo el porquerizo–. Si os descubren, ¡os matarán!

–No nos vas a delatar, ¿verdad?

–¿Yo? ¡Ni por todo el oro del mundo! ¡Así mueran todos los bárbaros escaldados en aceite hirviendo y les arranquen sus partes pudendas con tenazas al rojo vivo! –maldijo, y escupió para reforzar sus palabras. Luego pareció arrepentirse por haber sido tan grosero, y miró a Viana de reojo. Pero ella sonreía.

–Bien –dijo–, porque voy a necesitar la ayuda de alguien muy leal. ¿Estás dispuesto a echarme una mano?

Vauc la miró con cierto temor. Viana adivinó que, aunque seguía siendo fiel a su familia, tampoco estaba muy dispuesto a arriesgar el pellejo. Era lógico. Si fuera así, no se habría quedado a trabajar para los bárbaros. Pero ella no podía reprochárselo.

—No tendrías que enfrentarte a ellos —lo tranquilizó—. Tan solo préstame la piara un rato. Si lo hacemos bien, nadie se enterará de que he estado aquí.

De modo que, cuando el sol ya se ponía por el horizonte, la piara de cerdos avanzó con cierto desorden hasta el portón del castillo. El guardia se envaró al ver al muchacho que los guiaba.

—¡Eh, tú! —lo llamó—. ¿Dónde está el porquerizo?

—Mi primo Vauc ha tenido que volver al pueblo de impro... de repente —se corrigió Viana—. Su madre, o sea, mi tía, se ha puesto enferma, ¿sabéis? Así que me pidió que trajera los puercos de vuelta en su lugar.

El guardia la miró de arriba abajo. Viana trató de mantener la calma, procurando ponerse a contraluz. Llevaba la capucha puesta, pero tampoco quería calársela demasiado, por si el bárbaro sospechaba de ella.

—No habrás perdido ningún cerdo, ¿no?

Viana trató de mostrarse convenientemente atemorizada.

—Espero que no, señor —respondió.

—Bien, porque responderás con diez latigazos por cada animal perdido. Y dile a tu primo que a él le reservo otros diez por abandonar su puesto.

–Claro, señor –asintió Viana, esta vez preocupada de verdad; cuando el duque Corven gobernaba el dominio, ningún criado habría sido azotado por atender a su madre enferma. Deseó que fuera una simple amenaza y que Vauc no tuviera problemas por ayudarla.

Entró en el castillo con la piara –hubo de salir corriendo detrás de un cerdo descarriado, pero consiguió devolverlo a su lugar– y, sin detenerse a mirar a su alrededor, la condujo a la cochiquera y cerró la puerta, deseando que no se le hubiera despistado ningún animal por el camino. Varios criados se quedaron mirándola, pero, por suerte para ella, todos eran nuevos y ninguno la conocía. Se caló bien la capucha y entró en la cocina.

Había contado con que habría mucho ajetreo allí, pues era hora de preparar la cena, y no se equivocó. Se quedó en un rincón oscuro, como si no se atreviera a entrar, y la cocinera apenas le dedicó un breve vistazo.

–¿Quién eres tú, zagal?

–Un amigo de Vauc, el porquerizo –respondió ella–. He traído los cerdos en su lugar. Él ha tenido que marcharse al pueblo.

–¡Otra vez! –se rio la cocinera–. El amo se va a enfadar mucho cuando se entere. Bien, muchacho, siéntate a la mesa y no molestes. Te daré algo de cenar cuando haya terminado.

Viana obedeció. Se dedicó a observar durante un instante a los criados que se movían por allí. Apenas le sonaban dos o tres, y la cocinera también era nueva. Respiró hondo y procuró no llamar la atención. Era habitual reservar un lugar en la mesa a mozos, repartidores y recaderos si llegaban al castillo demasiado tarde como para regresar a comer a sus casas. Viana lo sabía, y esperaba, por tanto, que a nadie le extrañara ver allí a un muchacho desconocido. Sin embargo, y aunque era poco probable que alguien la reconociera, debía andarse con ojo.

Comió rápidamente el plato de potaje que le sirvieron y se despidió enseguida. Nadie le prestó atención: estaban terminando de preparar la cena y tenían cosas más importantes en que pensar.

De modo que se deslizó rápidamente fuera de la cocina, sin que nadie lo advirtiera, y se coló discretamente por el pasillo que conducía a las escaleras. Sabía que todos los bárbaros se habían reunido en el salón, y esperaba poder llegar hasta su antigua habitación, en el piso de arriba, sin toparse con nadie. En ello confiaba; de lo contrario, le habría resultado muy complicado explicar qué hacía el primo del porquerizo en los aposentos de los señores.

Se detuvo apenas un momento al pie de la escalera para escuchar lo que decían los vozarrones provenientes del salón y trató de entender sus palabras. Parecían celebrar la noticia de que pronto habría otra guerra. Viana se arriesgó a quedarse allí un rato más para recabar información. Los bárbaros hablaban de una nueva campaña que comenzaría hacia el final del verano, cuando volviera a soplar el frío viento del norte. Era bien sabido que las guerras debían iniciarse en primavera, pero los bárbaros peleaban mejor en invierno; así, mientras las primeras heladas templaban el ánimo del ejército meridional, los hombres de Harak lucharían con fuerzas renovadas.

Viana escapó escaleras arriba, pensando en lo que acababa de escuchar. Sabía que los reyes del sur habían pactado con Harak para evitar una guerra. Sin embargo, aquella paz era solo aparente. Si se enterasen de lo que los bárbaros planeaban, caviló Viana, seguramente se unirían al ejército rebelde. Debía recordar transmitirle a Lobo aquella información.

Pero eso tendría que esperar. Por el momento, Viana tenía ante sí una tarea delicada, y debía concentrarse en ella.

No le resultó difícil llegar a la planta superior. Como sospechaba, tanto los amos del castillo como los criados estaban en el salón y sus inmediaciones.

Los recuerdos la asaltaron dolorosamente mientras recorría las estancias del que había sido su hogar. Por un momento deseó arrancarse aquellas prendas masculinas, embutirse en uno de sus antiguos vestidos y correr a su habitación a dejarse caer sobre su cama de dosel. Después se arreglaría para la cena y bajaría al salón, donde su padre la estaría esperando y un delicioso asado de cisne aguardaría sobre la mesa. Y hablarían de cosas intrascendentes, y al final, como siempre, comentarían lo poco que faltaba para la boda de Viana con Robian.

Robian. Al pensar en él, la muchacha volvió a la realidad, apretó los dientes y sacudió la cabeza. No. Nada volvería a ser como antes. Los viejos tiempos habían quedado atrás.

Mientras recorría la galería, en la que colgaban los retratos de los más ilustres miembros de su linaje, sus ojos se clavaron en el escudo de armas de Rocagrís que adornaba el manto de uno de ellos. Aunque su padre lo había exhibido con orgullo, a Viana siempre le había parecido demasiado sobrio: no contenía nada más que un roque de oro en campo de plata. Sin embargo, en aquel momento comprendió que ella, como superviviente de la estirpe de Rocagrís, era la única con derecho a ostentar aquel distintivo. Se juró a sí misma que lo recuperaría de alguna manera, junto con el castillo y el dominio entero.

De alguna manera.

Reprimiendo un suspiro, empujó la puerta de su antigua habitación y se coló en el interior...

... Para descubrir que ya estaba ocupada.

Viana se detuvo en seco junto a la entrada, paralizada por el pánico; en el interior de la estancia, una joven en camisón lanzó un grito ahogado mientras la contemplaba con horror.

–¿Quién eres tú, muchacho, y cómo osas irrumpir así en mi alcoba? –exigió saber la chica con voz aguda, cubriéndose pudorosamente con ambos brazos.

–Yo... yo... –acertó a decir Viana–. Buscaba las cocinas y... –se detuvo un momento para observar a la dama–. No puede ser. ¿Belicia? –preguntó, incrédula.

Ella dejó escapar una exclamación enojada.

–¿Todavía sigues ahí? ¡Fuera de aquí, pícaro insolente, o llamaré a mi esposo para que se haga un abrigo con tu piel!

—Eso debe de doler —murmuró Viana, desconcertada y divertida a partes iguales.

Era Belicia de Valnevado, naturalmente. Aunque estaba más delgada y desmejorada en general. Las ojeras que subrayaban sus ojos destacaban contra la marmórea palidez de su rostro. Su cabello, que Viana recordaba como una masa vivaz y rebelde de rizos castaños, se encrespaba ahora sobre sus hombros, sin brillo, sin gracia. La sonrisa que asomaba a los labios de la intrusa se borró rápidamente al ver que la adversidad había dejado una profunda huella en su amiga.

—Belicia, ¿qué te ha pasado? —preguntó.

Entonces, ella reconoció su voz y se quedó mirándola como si hubiese visto un fantasma.

—Pero tú... tú... —balbució.

—Soy yo, Belicia. Viana. Te acuerdas de mí, ¿verdad?

Belicia estalló en una risa histérica regada con lágrimas de alegría y nerviosismo.

—¿Cómo no me voy a acordar de ti, boba?

Las dos amigas se fundieron en un abrazo.

—Apestas a cuadra —dijo Belicia arrugando la nariz.

—A pocilga, más bien —puntualizó Viana—. Pero soy una proscrita; no me puedo permitir baños calientes ni hermosos vestidos.

Belicia suspiró. Se separó de ella y la observó con aire crítico.

—Madre mía, Viana, si pareces un mozo cualquiera —le dijo—. Con esa ropa... si es que se le puede llamar ropa... ¿Y qué ha pasado con tu preciosa cabellera?

Viana hizo una mueca.

–Tuve que prescindir de ella –respondió–. Pero, por extraño que te parezca, no la echo de menos. El pelo corto es mucho más práctico.

–Puede ser, pero no resulta nada atractivo.

–¿Y para qué quiero ser atractiva? –se rio Viana–. ¿Para alegrarle la vista a alguien como Robian?

Sobrevino un silencio entre las dos.

–Ese miserable –siseó entonces Belicia–. No me explico cómo pudo dejarte plantada de esa forma. Pero cuéntame tus aventuras, por favor –añadió, más animada; la tomó de las manos y la hizo sentar en el lecho, junto a ella–. Todo el mundo habla de ti. ¿Es verdad que intentaste abatir al rey Harak tú sola?

–Fue una mala idea –replicó Viana, incómoda–. No estoy segura de qué es lo que se cuenta de mí, pero casi preferiría no saberlo. ¿Y tú? ¿Qué estás haciendo aquí?

Una sombra cruzó el expresivo rostro de Belicia.

–¿No lo recuerdas? Nos casaron a ambas con dos horribles guerreros bárbaros. Tú escapaste de tu esposo. Yo no lo he conseguido. Ni siquiera me he atrevido a intentarlo.

Dos ardientes y solitarias lágrimas rodaron por sus mejillas.

Y entonces Viana comprendió de pronto qué hacía Belicia allí, en su antiguo cuarto, en la casa de su familia.

–¿Eres la nueva señora de Rocagrís? –murmuró–. Tu marido... ¿es el bárbaro al que Harak ha regalado parte del dominio de mi padre?

Belicia asintió.

—Hasta hace poco vivíamos en Valnevado —suspiró—. No estaba tan mal porque al menos no tuve que marcharme de mi casa, como tú... Pero, con el tiempo, mi antiguo hogar se llenó de malos recuerdos —trató de contener las lágrimas—, y cuando llegamos aquí... bueno, las cosas no mejoraron, pero en cierto sentido fue un alivio. Espero que no te importe que me haya quedado con tu habitación —añadió con timidez—. Me recordaba tanto a los viejos tiempos... Cuántos momentos felices pasamos aquí, ¿recuerdas? Entre bromas y risas, soñando con un brillante futuro...

Se le quebró la voz y no fue capaz de seguir hablando. Viana, consternada, la abrazó para que llorara sobre su hombro. En esta ocasión, a Belicia no le importaron el olor ni la suciedad que impregnaban el atuendo de su amiga. Sollozó un buen rato, agradecida de tener, por fin, a alguien en quien confiar en un entorno tan hostil.

—Belicia, lo siento... lo siento mucho —murmuró Viana.

—Ha sido horrible —se desahogó ella—. Al principio, Heinat visitaba mi lecho todas las noches... todas las noches —repitió, redoblando su llanto—. Pero yo no quería darle un heredero... así que me escapé y fui al herbolario a por raíz de doncella...

—¿Raíz de doncella?

—Sabes lo que es, ¿no? Si la ingieres regularmente, impide que te quedes en estado. Sé que otras damas de Nortia la están tomando también —añadió Belicia, con un brillo febril en sus ojos cansados—. Es nuestra pequeña rebelión, ¿sabes? No podemos luchar contra los bárbaros en una batalla, pero sí está en nuestra mano evitar que nuestros vientres engendren a sus bastardos.

Viana se estremeció. Ella había conseguido mantenerse virgen gracias a las artimañas de Dorea, pero la pobre Belicia no había tenido tanta suerte. Había evitado quedarse embarazada, sí, pero ¿a qué precio? Viana conocía los efectos de la raíz de doncella. Quienes abusaban de ella corrían el riesgo de quedarse estériles de por vida. Incluso se sabía de mujeres que habían muerto, envenenadas lentamente por la misma planta que mataba toda posibilidad de que germinase una nueva vida en su interior. Lo que estaba haciendo Belicia era muy valiente... pero muy arriesgado.

Sin embargo, en el fondo entendía a su amiga y otras tantas damas que compartían la misma práctica. La mayor parte de los hombres de Nortia habían perecido en la guerra. Muchas preferían que su linaje se extinguiese con ellas a contaminarlo con sangre bárbara.

–¿Y qué pasó? –preguntó en voz baja, con un estremecimiento.

–Bueno. Naturalmente, mi esposo me dio una paliza por escaparme –respondió Belicia, riendo sin alegría–. Pero no encontró la bolsita de raíz de doncella. Así que aún no le he dado el heredero que tanto desea. Ni se lo daré nunca –concluyó con fiereza.

Viana sintió un nuevo escalofrío. Allí tenía el ejemplo de lo que habría sido su vida de no haber escapado de Holdar... o de no haber contado con la ayuda de Dorea en los momentos más difíciles.

–¿Y tu madre, Belicia? –le preguntó con suavidad–. ¿Vive aquí, con vosotros, o la han obligado a quedarse en Valnevado?

Los ojos de la muchacha se llenaron de lágrimas otra vez. Viana no recordaba haberla visto nunca llorar tanto.

–Mi madre murió el pasado invierno –respondió Belicia en voz baja–. Ahora estoy sola... con los bárbaros.

–Oh, Belicia, lo siento muchísimo –susurró Viana, abrazándola con fuerza–. De verdad que lo siento. Si hubiese sabido lo mal que lo estás pasando...

–Pero todo eso se ha terminado, ¿verdad? –respondió Belicia, separándose de ella para mirarla con ojos brillantes–. Porque tú has venido a rescatarme.

–¿Qué? –soltó Viana–. Belicia, yo ni siquiera sabía que estabas aquí. En realidad he venido... –se detuvo. De pronto, le parecía indecente revelar que había regresado para recoger unas joyas, por mucho valor sentimental que tuvieran para ella. Y se avergonzó de haberse acordado de ir a buscarlas, en lugar de preocuparse por averiguar qué había sido de su mejor amiga.

–Es verdad, tú no sabías que yo estaba viviendo en tu casa y ocupando tu cuarto –Belicia dejó escapar una risilla nerviosa–. Pero entonces, ¿por qué has venido?

Viana suspiró y se lo contó, suponiendo que Belicia se enfadaría con ella. Sin embargo, su relato consiguió arrancarle una sonrisa ilusionada.

–¡Qué emocionante! ¡De modo que te has hecho pasar por un porquerizo para entrar en el castillo de tu familia, que te fue injustamente arrebatado, y así poder recuperar las joyas de tu madre, que escondiste antes de ser conducida a un terrible destino! ¡Es tan romántico...! Vamos, Viana, ¿a qué esperas? ¡Hay que ver si siguen donde las dejaste!

Dejándose contagiar por su entusiasmo, Viana procedió a mover la cama a un lado. Las dos se inclinaron sobre la losa suelta y la retiraron con emoción contenida. Viana introdujo la mano en el hueco y la sacó con el estuche de terciopelo que había ocultado allí año y medio atrás.

–¡Viana, lo has conseguido! –exclamó Belicia–. ¡Has preservado el legado de tu madre de la codicia de los bárbaros! ¿Puedo verlas?

–Claro que sí –accedió ella.

Abrió el estuche con cuidado, y ambas contemplaron las joyas, extasiadas ante los destellos que despedían bajo la luz de las velas. Los ojos de Viana se llenaron de lágrimas al contemplar la gargantilla de esmeraldas que su madre solía llevar en las ocasiones especiales.

–A la duquesa le gustaba mucho este collar –dijo Belicia, adivinando lo que pensaba–. Se lo vi puesto alguna vez, en Normont, durante la celebración del solsticio. Estaba muy guapa con él. Bueno, siempre estaba muy guapa, llevara lo que llevara.

Viana se esforzó por volver al presente. Contempló a Belicia un momento y sintió un nudo en la garganta y una punzada en el corazón. Su amiga no era más que la sombra de la joven inquieta, alegre y descarada que había sido. La abrazó con fuerza. La quería como a una hermana. No la dejaría allí, a merced de los bárbaros. No;

ahora que la había visto, no podía seguir con su vida como si nada, fingiendo que no sabía nada de ella, dando la espalda al hecho de que la aguardaba un futuro lleno de desdicha.

—Belicia —dijo entonces, escogiendo las palabras con cuidado—, es verdad que no he venido aquí por ti. Lo cierto es que no sabía nada de ti, pero, la verdad, estuve tan ocupada salvando mi propia piel que no me detuve a preguntarme qué te había pasado. Pero ya que he venido... —respiró hondo—, creo que podría intentar rescatarte. ¿Qué me dices? ¿Vendrías conmigo?

Belicia la miró con los ojos muy abiertos.

—¿Hablas en serio?

—Bueno —trató de puntualizar Viana—, nosotros vivimos en el bosque, ¿sabes? No en el bosque profundo, claro, sino en los límites... Aun así, no se pueden comparar nuestras cabañas con la comodidad de un castillo como Rocagrís...

—Todo eso no me importa —interrumpió Belicia—. Haría lo que fuera por salir de aquí y por escapar de Heinat... Muchas veces he soñado con matarlo a sangre fría, como hiciste tú, pero no me he atrevido...

—Espera, yo no lo maté a sangre fría; fue un accidente...

—... Incluso me hice con una redoma de veneno —prosiguió Belicia sin hacerle caso—, pero nunca la he usado. Tenía miedo de que sospecharan de mí...

Se echó a llorar otra vez.

—Vamos, cálmate —la consoló Viana—. Te sacaré de aquí. No permitiré que ese sucio bárbaro vuelva a ponerte las manos encima.

—Ay, gracias, Viana —suspiró Belicia—. No sabes cuánto he deseado que llegara este momento... Pero no tenía nadie que viniera a rescatarme. Todos los hombres de mi familia murieron en la guerra y, por otro lado... yo no tenía ningún enamorado que me echase de menos.

Viana recordó entonces que Belicia se había sentido atraída por el príncipe Beriac desde que era muy pequeña. Naturalmente, el heredero de Nortia había sido uno de los primeros en sucumbir bajo el hacha del rey Harak.

—Estoy segura de que a él le gustabas —le dijo con cariño.

—Viana, tú sabes que eso no es verdad.

—Sí que lo es. Lo que pasa es que no podía demostrártelo porque, como príncipe, estaba destinado a una boda pactada con alguna princesa del sur. Las dos lo sabíamos.

—Sí, pero...

—Estoy convencida de que si las cosas hubiesen sido diferentes... si los bárbaros se hubiesen quedado en su tierra... la vuestra habría sido una bella y trágica historia de amor imposible. Y Oki la habría relatado a nuestros descendientes durante la noche del solsticio.

—Ay, Viana, eso es muy bonito...

—Es mucho menos de lo que mereces. Y ahora, sécate esas lágrimas: nos vamos de aquí.

Una sonrisa iluminó el pálido rostro de Belicia como un rayo de sol hendiendo un manto de nubes. Tratando de dominar su excitación, como cuando eran niñas y tramaban una nueva travesura, se pusieron en pie y pegaron una oreja a la puerta para averiguar si rondaba por allí cerca alguien que pudiera escucharlas. Les llegaron los vozarrones de Heinat y sus hombres desde el piso de abajo, cantando y riendo a carcajadas, como si se hallasen en una taberna.

—Todavía tenemos tiempo —susurró Belicia—, pero no debemos confiarnos. Cuanto antes salgamos de aquí, tanto mejor.

Viana se incorporó, pensando con rapidez. Había planeado volver a salir por la puerta principal, igual que había entrado. Pero ahora, con Belicia, no le sería posible. Se asomó a la ventana. La noche había caído sobre Nortia, negra como la boca de un lobo.

—Tienes un plan para escapar, ¿no? —oyó que decía Belicia a su espalda, con una nota de histerismo en su voz—. ¡Dime que tienes un plan!

—No te preocupes —murmuró Viana; pero lo cierto era que no tenía ni idea de cómo sacar a su amiga de allí.

La ventana estaba demasiado alta como para saltar al vacío sin más. Por el muro, sin embargo, trepaba una tupida mata de enredaderas. En tiempos del duque Corven, solía recortarse todos los años, cuando llegaba el otoño; pero Rocagrís había quedado abandonado durante mucho tiempo, y nadie se había preocupado de podar las plantas desde entonces. Viana se quedó mirando la enredadera, preguntándose si podrían bajar por allí. Ella, probablemente, sí sería capaz, pero Belicia lo tendría más difícil. Quizá por eso, su marido no había considerado que aquellas plantas pudieran facilitarle la huida; la joven no solamente no estaba acostumbrada a aquellos equilibrios, sino que además era una dama nortiana: los bárbaros pensaban que ninguna de ellas tenía el coraje necesario para intentar una aventura semejante.

Sin embargo, y aunque lograran llegar al suelo sin romperse ningún hueso, todavía habría que salir del recinto. Viana se preguntó cómo iban a poder salvar la muralla.

«Ya pensaré en ello cuando lleguemos allí», decidió.

–Belicia, mira: ¿crees que podrás bajar por aquí?

Ella ni siquiera necesitó asomarse a la ventana para entender lo que quería decir su amiga.

–¡No sabes la de veces que lo he pensado! –suspiró–. Pero está demasiado alto, Viana. Nos romperemos la cabeza.

–No si tenemos más puntos de apoyo. Venga, vamos a ver qué tienes en tu arcón.

Ante la mirada perpleja de Belicia, Viana arrancó las sábanas de la cama y sacó varios vestidos del baúl de su compañera. Esta, sin embargo, no dijo nada cuando la joven empezó a rasgar las prendas y a atarlas unas a otras. Apenas tardó unos minutos en confeccionar la tosca sarta de ropa que les serviría de cuerda. Ató un extremo al parteluz de la ventana y lanzó el otro al vacío. Belicia la miró con aprensión.

–No sé si seré capaz.

–Claro que serás capaz –replicó Viana–. Utiliza la enredadera para sujetarte y será más fácil. ¿O es que quieres ser la esposa de Heinat toda tu vida?

Belicia negó enérgicamente con la cabeza. Después, sacando fuerzas de flaqueza, se recogió las faldas y se encaramó al alféizar de la ventana. Se aferró con fuerza al lío de ropa y se descolgó con una pequeña exclamación de pánico.

Viana la sostuvo por la muñeca hasta que logró estabilizarse.

–Muy bien, y ahora ve bajando poco a poco –le indicó.

Belicia obedeció y, tras unos angustiosos minutos, logró descolgarse por la soga lo suficiente como para poder saltar al suelo sin sufrir daños.

Viana sabía que no disponían de mucho tiempo. Se metió el estuche de las joyas en el zurrón y descendió por la ristra de prendas hasta reunirse con Belicia en el patio.

–¡No me lo puedo creer! –susurró ella estremeciéndose, en parte de frío, en parte de emoción–. ¡Estamos huyendo! Y ahora, ¿qué hacemos?

Viana la guio hasta un rincón en sombras al pie de la muralla. Desde allí se asomó con precaución para estudiar el terreno.

Como había supuesto, el portón de entrada estaba ya cerrado. Sentados junto a él, había dos guardias que jugaban a los dados a la luz de las antorchas. Por fortuna, la ventana por la que acababan de descolgarse no se encontraba en su ángulo de visión. Y la escalera para subir a la muralla, tampoco.

Siguió observando lo que sucedía a su alrededor. No había nadie vigilando en las almenas. Sin embargo, en el momento en el que subieran hasta allí serían visibles para los guardias de la puerta. Tendrían que actuar con suma cautela.

Se dirigió, pues, a la gradería que conducía al adarve, indicando a Belicia que la siguiera. Las dos muchachas se deslizaron en silencio a la sombra de la muralla y treparon por las escaleras.

–¡Agáchate! –susurró Viana cuando alcanzaron las almenas.

Se quedaron un momento encogidas junto al muro, temblando. Viana se atrevió a alzar la cabeza, pero los guardias seguían inmersos en su partida y no advirtieron su presencia.

–Y ahora, ¿qué? –musitó Belicia.

–Quédate aquí y no hagas ruido –respondió Viana en el mismo tono.

Se arriesgó a asomarse entre las almenas y a ulular como un búho una, dos, tres veces. A sus pies, Belicia dio un respingo. Viana se agachó rápidamente junto a ella antes de que los guardias miraran hacia allá.

–¿Qué haces? –susurró su amiga, aterrorizada.

–Pedir refuerzos –respondió Viana en el mismo tono.

El grito del búho, lanzado por triplicado, era la señal de aviso que solían utilizar los proscritos del Gran Bosque. La muchacha esperaba que Airic la escuchara desde el lugar donde había acampado, en el bosquecillo de abedules, y reconociera en ella una petición de auxilio.

Sin embargo, por el momento le preocupaban más los guardias. Uno de ellos había alzado la mirada para observar con curiosidad el lugar desde el que había sonado el canto del búho. Las dos amigas permanecieron muy quietas, a la sombra de las almenas, hasta que el bárbaro dejó de prestar atención a lo que sucedía en la muralla.

Entonces Viana se incorporó de nuevo y volvió a ulular con fuerza. En esta ocasión, el guardia no se molestó en levantar la cabeza.

Las dos muchachas esperaron, temblando de nerviosismo e impaciencia. Viana, asomada al exterior entre dos almenas, aguardaba la llegada de Airic. Si el chico no había oído su llamada, estaban perdidas.

Sin embargo, sus temores se disiparon cuando, momentos después, una sombra rápida y vivaz se deslizó por el exterior del castillo, pegada a la muralla. Por fortuna, Rocagrís no disponía de foso.

—¡Airic! —lo llamó Viana; se quedó un momento quieta, temiendo que los guardias la hubiesen oído. Pero ellos seguían centrados en su partida. Hablaban tan alto, además, que su voz tapaba las de las fugitivas.

—¡Mi señora! —respondió Airic desde abajo—. ¿Qué hacéis ahí? ¿No ibais a esperar hasta el amanecer?

Aquel había sido el plan inicial, en efecto: quedarse a dormir con los demás criados y marcharse por la mañana por la puerta principal.

—¡He cambiado de idea! —replicó Viana entre susurros—. ¡Tenemos que salir de aquí ahora mismo! ¡Ve a buscar una cuerda y lánzamela! ¡Y trae también los caballos!

Airic asintió y desapareció entre las sombras de la noche. Belicia y Viana se acurrucaron en el adarve, al abrigo de las almenas, y aguardaron temblando hasta que, un rato más tarde, oyeron ulular tres veces al búho.

–Ya está –dijo Viana aliviada.

Respondió con la misma señal, sin quitar ojo a los guardias. Pero ellos parecían haberse acostumbrado a la presencia del búho que, por lo visto, había visitado el castillo aquella noche, porque no se molestaron en alzar la vista.

Apenas un instante más tarde, una cuerda atada a un contrapeso se elevó por encima de la muralla. Viana la agarró antes de que cayera al suelo y procedió a amarrarla a la almena. Se aseguró de que estuviera bien atada y se volvió hacia Belicia.

–Vas a tener que bajar por aquí. ¿Crees que serás capaz?

–Ya no puedo volver atrás –respondió ella.

Viana asintió.

–Toma –le dijo tendiéndole los guantes de cuero que llevaba en el zurrón–. Póntelos; así no te despellejarás las manos.

Belicia obedeció. Después respiró hondo y se colgó de la cuerda.

Su cuerpo se balanceó peligrosamente sobre el vacío y la muchacha no pudo evitar lanzar un grito de miedo.

Viana se agachó inmediatamente. Uno de los guardias estaba mirando hacia su posición. Por fortuna, desde allí no podía ver a la joven que colgaba de la cuerda, por la parte exterior de la muralla.

El bárbaro mantuvo la vista fija en el adarve durante un instante eterno. Después volvió a su partida de dados.

Viana respiró hondo y se asomó para ver qué tal le iba a Belicia. La muchacha parecía a punto de dejarse caer.

—No puedo más, Viana —jadeó.

—Tranquila. Baja poco a poco, ¿de acuerdo? Deja que tus manos se deslicen por la cuerda; llevas guantes, no te harás daño.

Lenta, muy lentamente, Belicia descendió por la soga. Pero sus brazos no aguantaron la tensión y, cuando apenas le faltaban un par de metros para llegar al suelo, se dejó caer.

Aterrizó como un fardo en los matorrales que crecían al pie de la muralla. En esta ocasión, su exclamación de miedo y sorpresa se oyó con más claridad en la noche.

Viana echó un vistazo preocupado hacia la entrada principal. Los dos guardias estaban de pie y miraban fijamente en su dirección. Respiró hondo.

—¡Corred, vamos, montad! —les gritó a sus amigos desde lo alto de la muralla. Entonces, sin molestarse ya en permanecer oculta, se incorporó y se dispuso a descender por la soga.

—¡Eh! —gritó uno de los guardias; después lanzó una maldición que Viana no entendió.

Pero no se detuvo. Calculó que los bárbaros tardarían unos minutos en dar la alarma y bajar el portón para perseguirlos, y ella no necesitaba más para descender por la cuerda. Esperaba que, entre tanto, Belicia y Airic estuviesen preparados para partir.

Se deslizó por la cuerda tan deprisa como pudo. Reprimió una exclamación de dolor al sentir que la fricción despellejaba las palmas de sus manos, pero no se detuvo. No había tiempo.

Cuando por fin alcanzó el suelo, Airic ya montaba uno de los caballos, y había ayudado a Belicia a subir al otro. Viana reprimió una maldición al ver que la muchacha montaba de lado, como correspondía a una dama. Ella misma había empezado a cabalgar a horcajadas tras su huida del castillo de Holdar, pero no había contado con que Belicia no había tenido ocasión de aprender. Montó delante de ella, y deseó que fuera capaz de aguantar la desesperada fuga que los aguardaba.

–Agárrate bien –le dijo–. ¡Nos vamos!

Sintió los brazos de Belicia sujetos en torno a su cintura y espoleó a su montura con fiereza.

Justo cuando los caballos partían al galope, oyeron voces tras ellos. Viana sintió que se le paraba el corazón: los bárbaros no se habían molestado en perder el tiempo con el portón: habían subido al adarve y los observaban desde las murallas. Pronto, los fugitivos oyeron silbar flechas a su alrededor.

–¡Más rápido, más rápido! –gritó Viana. Debían ponerse fuera del alcance de los proyectiles cuanto antes.

No había terminado de decirlo cuando sintió un dolor punzante en el hombro que le hizo lanzar un grito y soltar las riendas. Belicia chilló, asustada. Sobreponiéndose, Viana luchó por recuperar el control del caballo. Ante ella, Airic cabalgaba como podía, tratando de mantenerse sobre el lomo del animal, y ambos no eran más que una sombra fugaz entre los árboles. «No podemos quedarnos atrás», pensó la muchacha. Clavó los talones en los flancos del caballo con todas sus fuerzas, sin preocuparse más por la flecha que sobresalía de su hombro izquierdo. Ya tendría ocasión de curarse cuando estuvieran a salvo.

Y justo cuando alcanzaban la primera fila de árboles, justo cuando creía que lo habían conseguido, una última flecha silbó en la noche y detuvo su trayectoria de improviso. Viana oyó un jadeo de dolor y una voz temblorosa a su espalda.

–Creo... creo que me han dado...

Capítulo XI

n el que Viana experimenta muchos sentimientos intensos y discordantes en un espacio muy corto de tiempo; también se narra aquí la verdadera historia de Lobo y de cómo perdió su oreja, junto con otros acontecimientos de gran importancia para este relato.

VIANA SINTIÓ como si una garra de hielo le aferrase el corazón. No se atrevió a detener el caballo, pero notó que el abrazo de Belicia perdía fuerza y la muchacha se deslizaba hacia el suelo. La aferró como pudo, pero su situación no era muy favorable. Con el caballo al galope y un brazo inmovilizado, apenas podía sostener el cuerpo de Belicia y dominar a su montura al mismo tiempo.

—¡Airic! –gritó–. ¡Estamos heridas!

El muchacho frenó su caballo a duras penas, un poco más allá. No debían detenerse, porque Heinat y los suyos pronto saldrían en su persecución, pero no tenían más remedio.

Con un supremo esfuerzo, Viana detuvo su montura junto a la de él.

—¡Mi señora...! –exclamó el muchacho, horrorizado.

Viana hizo caso omiso de la flecha que aún sobresalía de su hombro izquierdo.

—¡No hay tiempo! Ayúdame, lleva tú a Belicia.

Sostuvo a su amiga como pudo. Se le encogió el estómago al ver que tenía una flecha clavada en la espalda.

Una mancha escarlata teñía su camisón, cuya blancura había supuesto una diana perfecta en la oscuridad de la noche.

—Belicia... No... —susurró Viana con voz ronca.

La muchacha yacía yerta entre sus brazos, pálida como un fantasma, pero todavía respiraba. Viana sabía que sería peor tratar de arrancar la flecha.

—Ten mucho cuidado —imploró a Airic cuando este subió a Belicia a su caballo.

—Señora, es difícil que sobreviva a una herida como esta.

Viana sintió que las lágrimas se le agolpaban en los ojos, pero no podía permitirse llorar. No en aquel momento. No hasta que estuviesen a salvo.

—¡Lo conseguirá! —replicó con fiereza—. Sujétala bien y escapad de aquí. Yo trataré de distraerlos —añadió, volviendo la cabeza hacia el camino; desde detrás del recodo, se oían ya los cascos de los caballos acercándose—. Nos encontraremos en la granja abandonada que hay a las afueras del próximo pueblo.

—Tened cuidado, Viana —dijo Airic muy serio, antes de picar espuelas y salir disparado con Belicia a cuestas. No iba muy seguro, pero al menos lograba mantenerse sobre el caballo y sostener el cuerpo de la fugitiva al mismo tiempo. Viana deseó que fuera capaz de conducirla sin contratiempos hasta el lugar de la cita.

La joven aguardó un instante hasta que sus compañeros se perdieron en la oscuridad. Entonces, y justo antes de que los bárbaros doblaran el recodo, hizo dar media vuelta al caballo y lo lanzó por una senda perpendicular al camino principal. Volvió la vista atrás para asegurarse de que los bárbaros iban tras ella, y se sintió satisfecha al comprobar que así era.

Fue una noche larga y angustiosa, pero Viana logró esquivar a sus perseguidores porque su caballo era ligero y veloz, y ella no suponía un gran peso para él. Sin embargo, los enormes bárbaros montaban imponentes caballos de guerra que, a pesar de su evidente fuerza y poderío, eran considerablemente más lentos.

Al amanecer llegó a la granja abandonada donde se había citado con Airic. No tardó en verlo aparecer.

–¿Te siguen? –le preguntó, ayudándolo a descargar el cuerpo inerte de Belicia.

–Creo que no –jadeó él.

Viana asintió. Se inclinó con ansiedad sobre el rostro de Belicia para comprobar que seguía respirando. Su piel, blanca como la cera, hacía presagiar lo peor; sin embargo, aún le quedaba un hálito de vida.

–Rápido, hay que curarla –dijo.

La llevaron hasta lo que quedaba del establo y la tendieron bocabajo encima de una manta que Airic desplegó sobre un montón de paja. Viana le desgarró el camisón teñido de rojo y examinó su herida con preocupación. La flecha estaba hundida justo debajo del omóplato derecho, y Viana comprendió que no sería capaz de extraerla sin ayuda.

–Ayúdame a romperla –le pidió a Airic, con un nudo en la garganta–. Por aquí, justo encima del orificio de entrada.

Quebraron la flecha con sumo cuidado. Belicia se estremeció y dejó escapar un gemido. Viana se apresuró a vendarle la herida como mejor supo. Deseó que la punta de la flecha, alojada todavía en el interior del cuerpo de su amiga, no hubiese causado daños irreparables. Sin embargo, la expresión de Airic no invitaba al optimismo.

—Aguanta, Belicia —susurró—. Pronto estarás a salvo.

Pero su amiga no podía escucharla.

—Viana, vos también estáis herida—dijo Airic.

Ella no respondió. Sabía que Belicia estaba mucho más grave; sin embargo, no podía seguir ignorando la flecha que sobresalía de su hombro. Le dolía mucho y no le permitía mover el brazo izquierdo. Además, corría el riesgo de infectarse, y en tal caso sí podría ser mortal.

De modo que suspiró, se quitó el jubón como pudo y se arrancó la manga de la camisa con la otra mano. Después, se arrodilló en el suelo.

—Adelante —le dijo a Airic—, sácala.

El muchacho se puso lívido.

—¿Estáis segura, señora?

Viana asintió.

—No ha atravesado ninguna zona vital, así que no hay motivo para dejarla dentro. Si no sale a la primera, retuércela en círculos mientras tiras de ella.

Ella también palideció mientras lo decía, pero no tenía otra opción. Se puso el cinturón entre los dientes y lo mordió con fuerza, aguardando el tirón.

Airic lo hizo lo mejor que pudo, pero Viana no pudo evitar aullar de dolor. Por fortuna, la flecha salió con relativa facilidad. Aun así, la muchacha se dejó caer en el suelo, temblando y casi a punto de perder el sentido. Airic lavó y vendó la herida y le dio agua a Viana, que poco a poco fue sintiéndose mejor.

−¿Creéis que podéis cabalgar? −le preguntó el chico.

Viana tragó saliva. Aún se sentía muy débil, y el hombro le dolía como si le hubiesen prendido fuego, pero de todas formas dijo:

−Tendré que poder. Hemos de llevar a Belicia a casa cuanto antes.

Confiaba en que, cuando llegara al campamento de los rebeldes, alguien sería capaz de extraerle la flecha adecuadamente. Había allí soldados y guerreros que tenían experiencia en heridas de ese tipo.

Se pusieron en marcha sin permitirse siquiera un descanso para comer o echar una cabezada. Debían regresar al bosque cuanto antes.

Era ya noche cerrada cuando alcanzaron las lindes del Gran Bosque, y aún tardaron un poco más en llegar al campamento. Cada paso que daban hacia su destino les parecía una eternidad. Cuando Airic y Viana cargaron con Belicia porque la maleza era ya demasiado cerrada para permitir el paso de los caballos, tuvieron la sensación de que ya no respiraba; pero ninguno de los dos lo dijo en voz alta.

Finalmente llegaron al claro donde se hallaba el campamento de los proscritos. Viana suspiró, aliviada, al comprobar que aún quedaban algunos hombres junto a la hoguera.

Los momentos posteriores fueron muy confusos. Voces, exclamaciones de preocupación, la frágil silueta de Belicia mientras la llevaban en volandas hasta la cabaña de las mujeres...

Viana esperó junto a la hoguera, muerta de miedo. Minutos después, vio salir a Dorea entre un velo de lágrimas. El rostro triste de la mujer le reveló la verdad antes de que ella negara con la cabeza.

Viana dejó escapar un grito y se precipitó al interior de la cabaña. Contempló el rostro blanco de Belicia, enmarcado de rizos castaños, sin ser capaz de reaccionar.

–Es demasiado tarde, Viana –dijo entonces Lobo a su espalda–. No hemos podido hacer nada por ella.

–No puede ser –susurró la muchacha–. ¡No puede ser!

Abrazó con fuerza el cuerpo de su amiga, sollozando. Su corazón ya no latía. Su piel empezaba a adquirir la implacable frialdad de la muerte.

–No puede ser –seguía repitiendo Viana–. Belicia, no, tú no...

–Lo siento mucho –dijo Lobo, colocando una mano sobre su hombro sano.

Pero Viana no quería consuelo. Lo único que deseaba era que su amiga volviese a respirar.

Aunque eso, naturalmente, era imposible.

Se quitó de encima a Lobo, se secó las lágrimas y salió de la cabaña porque tenía la sensación de que se ahogaba allí dentro. Ya en el claro, se detuvo un momento, pero tampoco soportaba las miradas de los demás porque sentía que se clavaban acusadoramente en su alma. «Sí, es culpa mía», pensó. «Si no hubiese vuelto a Rocagrís, si no hubiese tratado de salvar a Belicia... ella todavía seguiría viva».

–Mi señora... –murmuró Airic.

Pero ella sacudió la cabeza y se alejó a paso ligero, luchando por contener las lágrimas.

Nadie la siguió.

Se internó entre los árboles, agradeciendo la soledad y el silencio del bosque, y avanzó hasta llegar al arroyo. Y, allí sí, se echó a llorar desconsoladamente.

Se quedó un buen rato en cuclillas junto a la orilla, sollozando. Se sentía muy miserable.

«¿Cómo puede ser?», se preguntó. «Todo lo que intento me sale mal. Si escapé de los bárbaros fue gracias a Dorea, pero yo... nunca he hecho nada que valga la pena. Siempre que actúo por mi cuenta, todos mis planes se vuelven del revés. Qué tonta he sido... creyendo que tenía algún poder sobre mi destino. Y ahora la pobre Belicia está muerta por mi culpa».

–Viana –oyó una voz tras ella–. Estoy contento porque has vuelto.

La joven volvió la cabeza y, bajo la luz de la luna, descubrió una silueta que conocía muy bien.

–Uri –suspiró–. Yo también me alegro de verte.

Había estado fuera solo tres días, pero en aquel momento se dio cuenta de que, en efecto, lo había echado mucho de menos.

Y en tan poco tiempo, él había aprendido a hablar mejor. Aquel muchacho nunca dejaría de sorprenderla.

El chico se sentó junto a ella.

–¿Estás bien? ¿Qué te pasa? –le preguntó con dulzura.

–Estoy triste –confesó Viana–. He perdido a mi mejor amiga.

Antes de que se diera cuenta, le estaba relatando todo lo que había sucedido durante su viaje. Uri la escuchaba con el ceño fruncido y semblante reconcentrado, y Viana dedujo que no entendía muy bien lo que le estaba contando. Era lógico, se dijo ella. Conceptos como «castillo» o «joyas» resultaban desconocidos para él. Tampoco estaba segura de que aquel muchacho, en su inocencia, comprendiera de qué quería salvar a Belicia exactamente. Sin embargo, no dejó de hablar. Le hacía mucho bien saber que alguien la estaba escuchando sin juzgarla.

–Y Belicia ha muerto –finalizó–. Por mi culpa.

Rompió a llorar de nuevo. Uri la abrazó con cierta torpeza y le acarició el pelo para consolarla.

A Viana se le aceleró el corazón, pero no se detuvo a analizar sus sentimientos. Dio un respingo porque el hombro aún le dolía mucho; Uri lo notó y aflojó un poco su abrazo. Ella hundió la cara en su pecho y cerró los ojos, reconfortada por su presencia.

Notó que él rozaba su hombro con la yema de los dedos.

–Te has herido –le dijo–. ¿Duele?

–Un poco –respondió la muchacha–, pero ya me han curado.

Uri apartó con cuidado la ropa rasgada de la muchacha para inspeccionar la lesión. Viana se estremeció y apretó los dientes, pero le dejó hacer.

–No está curado –dijo por fin Uri, un poco desconcertado.

–Claro que sí –sonrió ella–. Me han sacado la flecha, y lavado y vendado la herida. Ya no sangra, ¿ves?

Lo cierto es que Uri no podía ver gran cosa en la penumbra. Viana pensó que quizá le había preocupado la mancha de sangre que teñía su camisa.

–No está curado –insistió Uri–. Tu piel... ya no es suave.

Le acarició la espalda por debajo de la camisa y Viana volvió a experimentar una deliciosa sacudida en su interior. Tragó saliva y luchó por mantener la cordura. No se merecía aquello, se dijo. No podía dejarse llevar por aquel sentimiento, fuera el que fuese, ni permitirse disfrutar de la presencia de Uri. No después de lo que había pasado.

–No importa –dijo ella–. Ya se curará. Sin embargo, Belicia...

Se le quebró la voz y no pudo evitar romper a llorar de nuevo.

Uri la estrechó otra vez entre sus brazos, con cuidado para no hacerle daño. Viana se abandonó en ellos sin poderlo evitar y permitió que él siguiera acariciándola para consolarla. Cuando cesaron sus lágrimas y el dolor empezó a ser sustituido por algo más grato y apremiante, la muchacha se dio cuenta de que también el chico del bosque respiraba entrecortadamente.

–Uri –susurró, maravillada–. ¿Qué estás haciendo?

321

Lo sabía perfectamente, pero él no parecía estar muy seguro.

–No lo sé. Viana, no sé qué me pasa.

Ella reprimió una sonrisa. Por fin, Uri comenzaba a comportarse de acuerdo con la edad que aparentaba.

Y, siguiendo un impulso, hundió los dedos en el cabello del chico y lo atrajo hacia ella. Cuando lo besó en los labios, Uri dejó escapar una exclamación de sorpresa. Pero instintivamente rodeó su cintura con los brazos y la estrechó contra su cuerpo. Viana jadeó, pero no intentó apartarse de él. Lo besó otra vez, y en esta ocasión Uri correspondió a su beso con entusiasmo.

–Uri –susurró ella; por algún motivo, su nombre, aunque fuese un nombre prestado, le parecía mágico–. Uri, Uri, Uri –repitió.

Él trató de besarla de nuevo, pero Viana lo apartó un poco, con suavidad. Tenía las mejillas ardiendo y el corazón a punto de salírsele del pecho.

–Espera un momento –murmuró–. Tengo que pensar.

–Me gusta –dijo Uri–. ¿Podemos hacerlo otra vez?

Viana estuvo a punto de dejar escapar una carcajada. Por un lado le divertía que tuviera que explicarle todo aquello, pero por otro sentía cierta inquietud. A Uri lo entusiasmaba todo lo nuevo. Quizá le habría gustado besar a cualquier chica.

En cambio, para ella aquel beso había supuesto mucho más.

Respiró hondo mientras se acurrucaba entre los brazos del muchacho del bosque. Una parte de ella deseaba abandonarse a él y admitir que lo que sentía era algo más que amistad. Pero una voz en su interior le recordaba que Uri era un ser extraño y salvaje, y que una joven como ella estaba destinada a casarse con alguien de la nobleza. Para eso estaba luchando, en realidad. Para expulsar a los bárbaros de Nortia y para que todo volviera a ser como antes.

—Se llama «beso» —le explicó—. Damos besos a las personas que nos gustan.

Uri ladeó la cabeza, pensando, y Viana comprendió que estaba haciendo una lista mental de la gente a la que encontraba agradable y a la que, por tanto, tendría que besar.

—A las personas que nos gustan de una manera especial —aclaró.

—¿Qué es especial? —quiso saber él.

Viana se preguntó cómo debía explicárselo. Suponía, por la forma en que él había reaccionado, que el beso lo había excitado. Pero ella necesitaba asegurarse de que había algo más.

—Me refiero al amor —susurró en voz baja—. Cuando amas a alguien, sientes algo aquí —añadió, colocando su mano sobre el corazón de Uri—. Tan fuerte que parece que no puedes respirar. Tan intenso que deseas estar siempre con esa persona y no separarte de ella nunca más.

Cerró los ojos mientras la asaltaba una punzada de nostalgia. Así la había hecho sentir Robian durante mucho tiempo. Se preguntó, con un poco de temor, si estaba preparada para arriesgarse a amar a otra persona.

—¿Tú te sientes así... conmigo? —preguntó Uri.

Viana tardó un poco en responder. En otras circunstancias, habría dado largas a cualquier muchacho que le hubiese preguntado aquello. Lo habría llamado insolente y habría fingido que se sentía muy ofendida, pero si le hubiese gustado de verdad, también le habría alentado, quizá con una caída de pestañas o con una leve sonrisa, a que siguiera intentándolo.

Pero comprendió enseguida que los fatuos juegos amorosos de la corte no tenían ningún sentido allí, en el bosque, con Uri.

–Creo que sí –respondió–. Por eso te he besado.

El chico sonrió ampliamente y después volvió a besarla con tanto ardor que la dejó sin respiración.

–Quieto, Uri, ¿qué haces? –lo detuvo ella.

–Te doy un beso –respondió él, un tanto desconcertado por la reacción de Viana–. Porque te amo.

La muchacha se quedó sin palabras. Uri había hablado con tanta franqueza y sencillez que la había desarmado por completo. Aun así, su corazón pareció volverse loco. «Siente lo mismo que yo, siente lo mismo que yo...», pensaba; en realidad, no podía pensar en otra cosa. «¿Y qué siento yo? Lo amo, y él me ama. Oh, no puede ser. Estamos enamorados».

–Espera –logró decir–. Espera.

Se separó un poco de él y se miraron a los ojos. Viana alzó la mano para acariciarle el rostro, todavía maravillada por lo que acababa de descubrir.

–Es... extraño –dijo entonces Uri.

–Lo sé –convino Viana.

tante–, y me voy a llevar a Uri. Creo que ya es hora de que le enseñe a cazar. Tiene que empezar a ganarse su sustento.

Dorea no dijo nada. Viana pensó en detenerse, correr hacia ella y llorar en su regazo, como hacía cuando era niña. Pero se armó de valor y siguió adelante.

Se reunió con Uri junto al árbol y se inclinó a su lado.

–Uri –le dijo en voz baja–, ¿estarías dispuesto a llevarme hasta el corazón del bosque? ¿Al lugar del que procedes, donde está tu gente?

Sintió que le temblaba la voz de emoción al decirlo. De pronto, todas las historias fantásticas que había oído sobre el Gran Bosque desde que era pequeña volvieron a cobrar vida en su imaginación. «Al lugar donde los árboles cantan», pensó.

–Sí, Viana –respondió él, poniéndose en pie de un salto; parecía tan excitado como ella–. Vamos.

La joven asintió.

–Vamos –corroboró.

Uri siguió a Viana a través del claro. No pareció preocuparlo el hecho de que ella no se despidiese de nadie. Por allí cerca estaba Airic, practicando con el arco junto a uno de los soldados, pero Viana no le dijo nada; seguramente el muchacho estaría dispuesto a seguirla hasta donde fuera necesario, y ella no podía permitir que se pusiera de nuevo en peligro por su causa.

Se detuvieron un momento junto a la tumba de Belicia. Viana contempló el montón de tierra bajo el que reposaba el cuerpo de su amiga. Apretó los dientes y juró:

—Echaremos a esos bárbaros de Nortia, Belicia. Te lo prometo.

Después, se puso en marcha sin mirar atrás una sola vez. Uri la siguió.

La primera jornada de la expedición no fue muy diferente de un día de caza corriente. La mayor parte del recorrido discurría por terreno ya explorado.

Uri y Viana no hablaron mucho aquella mañana. La presencia del chico del bosque reconfortaba a la muchacha, pero ella no podía permitirse distracciones. Sentía que tenía por delante una misión vital para el futuro de su tierra, y quería estar a la altura. Sabía que era la segunda vez que emprendía aquel viaje; ahora partía con la sombra de su primer fracaso aleteando a su espalda, y la certeza de que nadie la creería si les contaba la historia de Uri y su milagroso poder curativo. No; estaba sola en aquella empresa. Y, sin embargo, no podía volver con las manos vacías: tenía que regresar con el secreto de Harak antes de que Lobo y los suyos se enfrentaran a él.

Por su parte, Uri también había adoptado un aspecto grave que no era propio de él. Viana ignoraba si el muchacho había recuperado totalmente la memoria o solo algunos fragmentos; lo que sí parecía claro era que estaba resuelto a conducirla hasta el lugar de donde había venido porque debía salvar a su pueblo de los bárbaros. Tenía una fe ciega en ella y, aunque Viana no estaba tan segura de poder ayudarlo, sí tenía claro que al menos iba a intentarlo. Por otro lado, era la única que había escuchado a Uri y había tomado en serio sus comentarios sobre la gente del bosque.

Claro que también era ella la única que estaba al tanto de lo que él era capaz de hacer. Viana se preguntaba por qué la había escogido Uri entre todos los demás. Quizá porque estaba enamorado de ella o quizá porque pensaba realmente que podía ayudarlo. Viana no lo sabía, pero no le importaba. El caso era que Uri confiaba en ella para salvar a los suyos, y la joven no quería decepcionarlo.

Preocupados en estos asuntos, ambos parecieron olvidar el sentimiento que los unía y que acababan de descubrir. Sin embargo, de vez en cuando intercambiaban miradas, sonrisas cómplices y roces que hacían que el corazón de Viana latiera más deprisa.

Aquella noche, sentados junto al fuego, aunque no demasiado cerca –incluso después de todo el tiempo que había pasado en el campamento, Uri seguía manteniéndose a una prudente distancia de las hogueras–, Viana se recostó junto a él y cerró los ojos con un suspiro al sentir su brazo rodeando su cuerpo. Tomó la mano de él para acariciar sus dedos, y se sorprendió al hallar en su palma una cicatriz reciente.

–¿Cómo te has hecho este corte, Uri? –preguntó, preocupada–. Tiene un color muy feo.

Uri retiró la mano.

–No pasa nada –respondió con rapidez–. Yo curo.

Viana supuso que tenía que creerlo; después de todo, ella misma había sido testigo de sus habilidades. Decidió, pues, cambiar de tema:

351

–Háblame de tu gente –le pidió–. ¿Son todos como tú?

Recordaba que, en cierta ocasión, el muchacho le había dado una respuesta contradictoria, del tipo «sí pero no» o algo parecido. Sin embargo, aquello había sucedido tiempo atrás, cuando Uri apenas sabía hablar.

La desconcertó, por tanto, el hecho de que él adoptara una actitud reservada.

–Yo soy como ellos –dijo solamente; parecía apenado, y a Viana incluso le pareció detectar un breve destello de rabia en el fondo de sus ojos verdes. Pero el muchacho no quiso explicar más. Y Viana no continuó preguntando, aunque no podía evitar sentirse intrigada.

Durante la jornada siguiente trató de sonsacarle, pero Uri se mantuvo inescrutable. Viana empezó a preocuparse. ¿Qué era lo que tenía que ocultar? ¿Qué encontraría en el corazón del bosque?

La joven tenía muchas preguntas y, de pronto, a Uri ya no le interesaba dar respuestas. Resultaba frustrante. «Pero debo saber a qué me voy a enfrentar», pensó Viana. «Se cuentan muchas historias sobre el Gran Bosque y necesito estar preparada». Confió, sin embargo, en que a lo largo del viaje Uri se relajaría un poco al respecto y se animaría a confiar en ella.

No fue así. A medida que avanzaban a través del bosque, el muchacho parecía mostrarse más tenso y nervioso. «Algo terrible debe de haberle sucedido allí», pensó Viana. Recordó los comentarios de Uri acerca de los bárbaros, e imaginó al punto un escenario posible que explicaba la historia del chico del bosque, desde el principio hasta el final: probablemente, los esbirros de Harak habían llegado hasta el pueblo de Uri en busca del manantial de la eterna juventud, o lo que fuera que usaran para curar a los suyos de forma tan espectacular, y les habrían arrebatado su secreto de forma violenta, quizá matándolos a todos y destruyendo el lugar. Uri había conseguido escapar para pedir ayuda en el mundo civilizado, pero las traumáticas experiencias sufridas le habían hecho perder la memoria. Poco a poco estaba recobrándola, y en su interior se debatían ahora dos sentimientos: por un lado, el urgente deseo de regresar a su tierra para ayudar a su gente; por otro, el terror que le provocaban los recuerdos que había ido recuperando. Cuando llegó a esta conclusión, Viana no pudo evitar sentir que la inundaba una nueva oleada de amor y admiración hacia el muchacho del bosque. Se había enfrentado a los bárbaros, había escapado de ellos... y ahora regresaba para plantarles cara.

Igual que había hecho ella.

Viana tomó la mano de Uri, la apretó con fuerza y le dedicó una radiante sonrisa para mostrarle su apoyo. Quizá, cuando llegaran a su destino, se encontrarían con un poblado arrasado o, en el mejor de los casos, gobernado por los bárbaros. Quizá ella tuviera que ser fuerte por los dos.

De modo que no volvió a preguntarle al respecto, cosa que pareció relajar a Uri. Y los dos se concentraron en el viaje que tenían ante ellos. Viana trató de enseñar al chico a cazar, y pronto descubrió que no se le daba mal. También tenía un instinto especial para moverse por el bosque. La muchacha recordó cómo había sido su primer viaje a través de la espesura y la forma en que Uri parecía tropezar constantemente con sus propios pies, y se alegró de ver que el chico recuperaba la memoria rápidamente, y que sus capacidades regresaban con ella. Era imposible, se dijo, que alguien que procedía del corazón de un inmenso bosque no supiera cómo desenvolverse en él.

Al igual que la primera vez, la floresta fue volviéndose más frondosa e intrincada a medida que iban avanzando. Aunque el paisaje era cada vez más extraño para Viana, Uri parecía reconocer más elementos cada día: se detenía para acariciar la corteza de un nudoso árbol con una abierta sonrisa; se agachaba para posar la mano sobre una raíz musgosa; alzaba la cabeza para contemplar el hermoso tapiz formado por las hojas de los árboles... Todo en su actitud indicaba que comenzaba a encontrarse en casa.

Así, una mañana llegaron al río donde se habían conocido, varios meses atrás.

Ninguno de los dos dijo nada. Solo se detuvieron junto a la orilla y contemplaron, con las manos entrelazadas, la roca sobre la que Viana había encontrado a Uri inconsciente. Tras un instante de silencio, cruzaron una mirada y sonrieron.

Y se besaron tierna y apasionadamente.

Decidieron acampar allí aquella noche.

Mientras el fuego crepitaba alegremente, Viana contempló la oscura espesura que se extendía más allá del río. Territorio inexplorado. Y, aunque se sentía inquieta, una parte de ella estaba tranquila porque Uri la acompañaba.

Se durmió, confiada, en brazos del chico del bosque.

Y fue él quien la despertó de madrugada, sacudiéndole el hombro de forma apremiante.

–¡Viana! –susurró–. ¡Cuidado!

La muchacha abrió los ojos inmediatamente y se incorporó, en tensión, sacudiéndose como pudo las nieblas del sueño. Miró a su alrededor, aguzó el oído, pero no vio nada extraño. Los rescoldos de la hoguera iluminaban el rostro de Uri con un resplandor anaranjado, fantasmal.

–Viana, corre –dijo entonces él, señalando la oscuridad.

Ella recogió su bolsa, su arco y su carcaj y empuñó el cuchillo, con la vista clavada en el lugar que le indicaba Uri.

Lo único que vio fueron dos luces que se bamboleaban en el aire, lenta e hipnóticamente. Parecían demasiado grandes para ser luciérnagas. Viana las contempló, extasiada. Eran tan suaves y a la vez tan radiantes... tan bellas...

–¿Son... hadas? –preguntó, en un susurro lleno de admiración.

Hizo ademán de acercarse a las luces, pero Uri tiró de ella hacia atrás con violencia. Viana reaccionó. No era propio de él comportarse con tanta brusquedad. Comprendió entonces que el Gran Bosque era su territorio, y nadie conocía mejor que él sus peligros y sus misterios. Quizá fueran fuegos fatuos o algo igualmente engañoso. Sin apartar la mirada de las luces, luchando por no dejarse confundir por su belleza, retrocedió unos pasos, con el cuchillo a punto.

Las luces se movieron hacia delante, las dos a la vez. Fue un movimiento más rápido de lo normal.

–Viana –susurró Uri, tenso, con la voz ronca–. ¡Corre!

Ella no lo cuestionó. Dio media vuelta y echó a correr desesperadamente tras él.

Justo antes de hacerlo, entrevió a la bestia que saltó de entre las sombras para atraparlos. Era similar a un gigantesco gato montés, con una boca inmensa en la que Viana habría jurado que había tres hileras de dientes y una larga cola de león que batía el aire con furia tras él. Tenía dos apéndices a modo de bigotes, rematados ambos por sendos globos luminosos que se agitaban en el aire al ritmo de su carrera.

Viana se quedó un instante paralizada de terror; ahora ya no se fijaba solo en los apéndices luminiscentes del monstruo, que ella había tomado por seres feéricos, sino también en sus terroríficos colmillos y en sus enormes zarpas. Uri tiró de ella con urgencia, y Viana se obligó a sí misma a seguir corriendo sin pensar en lo que los perseguía.

A la luz de la luna, Viana vio que Uri se precipitaba al río, y no dudó en seguirlo.

El agua les llegaba hasta la cintura. Los dos jóvenes lucharon contra la corriente para llegar al otro lado, y Viana oyó un rugido lleno de frustración a sus espaldas.

Se arriesgó a echar un vistazo por encima de su hombro. Distinguió la sombra de la bestia caminando por la orilla, arriba y abajo, buscando un lugar por el que pasar. «No se lanzará al agua», comprendió enseguida. Sin embargo, era cuestión de tiempo que se aventurara a saltar a las rocas que salpicaban el río y que podrían servirle de puente para cruzar al otro lado.

Tenían que darse prisa. Viana perdió el equilibrio y estuvo a punto de caer al agua poco antes de llegar a la orilla, pero Uri la sostuvo.

Momentos después, ambos corrían hacia lo más profundo del bosque. Una vez dejaron atrás el río y se internaron en la espesura, Viana tuvo que bajar el ritmo porque ya no veía nada en la oscuridad: los árboles impedían que les llegara la tenue luz de la luna y las estrellas. Uri, sin embargo, no había reducido la velocidad de su carrera.

—¡Espera, Uri! —lo llamó ella, jadeando—. ¡No me dejes atrás!

El chico retrocedió para tomarla de la mano. Justo en aquel momento, escucharon el bramido triunfante de la criatura que los perseguía. Viana se estremeció: había sonado demasiado cerca.

Uri, por el contrario, no se dejó amilanar. Siguió avanzando entre la espesura, arrastrando a su compañera tras de sí. Viana tropezaba con las raíces de los árboles; el follaje también entorpecía su marcha, y no pudo evitar preguntarse cómo era posible que Uri se moviera con tanta confianza en plena oscuridad. De nuevo oyeron el rugido de la bestia tras ellos. Viana echó una mirada atrás y entrevió, a lo lejos, la luz fantasmal de sus apéndices flotando entre los árboles.

–Uri, ¿sabes a dónde vas? –murmuró, estremeciéndose de nuevo; lo cierto era que en aquel bosque no parecía haber ningún lugar donde refugiarse–. ¿Por qué no trepamos a un árbol? Quizá esa criatura no pueda alcanzarnos allí.

–Él sube –fue la respuesta del muchacho en la oscuridad.

Habían cambiado las tornas, comprendió Viana. Cuando se conocieron, era ella quien parecía saberlo todo, quien debía enseñarle a él tantísimas cosas... Pero ahora, en su mundo, Uri era el experto, y Viana solo podía dejarse llevar. Sin embargo, eso no terminaba de explicar la seguridad con la que él se movía en la noche.

–Uri, ¿puedes ver en la oscuridad?

–No necesito ver –dijo él.

Viana se fijó en que pasaba la palma de la mano por los troncos de los árboles. ¿Podía reconocerlos al tacto? Aquella posibilidad resultaba fascinante.

De pronto, Uri se detuvo y a Viana se le cayó el alma a los pies. Ante ellos había una barrera de árboles tan juntos que no los dejarían pasar entre sus troncos. ¿Cómo era posible que Uri la hubiera conducido a un callejón sin salida? ¿Había hecho mal fiándose de él?

–Uri... –murmuró, tensa. Las luces que los perseguían estaban cada vez más cerca.

El chico no respondió. Había colocado las palmas de las manos sobre los troncos de dos árboles contiguos y aguardaba... ¿a qué? ¿Acaso pretendía separarlos a la fuerza?

Viana cargó el arco y apuntó a la oscuridad, respirando entrecortadamente. No veía a la criatura, pero de vez en cuando detectaba el destello de sus apéndices entre la maleza. Y, aunque no fuera un blanco fácil, tal vez tuvieran una oportunidad.

Inspiró profundamente, tratando de calmarse. Pero las manos le temblaban, y la flecha que debía matar a su perseguidor se agitaba sin control contra la cuerda. Tragó saliva y aguardó.

Justo entonces, los globos luminosos reaparecieron en la oscuridad.

Viana disparó tratando de apuntar a un punto intermedio entre ambos, donde la criatura debía de tener la cabeza.

Por un instante, las luces desaparecieron. La chica contuvo el aliento.

Pero entonces resurgieron de pronto, mucho más cerca, y Viana lanzó una exclamación de terror que se entremezcló con el bramido de la bestia.

Uri tiró de ella y la lanzó contra los árboles. Viana se cubrió el rostro con las manos...

... pero el choque no se produjo. Cayó hacia delante y agitó los brazos en el aire, tratando de mantener el equilibrio. Para su sorpresa, aterrizó en un mullido montón de arbustos. Luchó por vencer el desconcierto que se apoderaba de ella y se puso en pie, algo mareada. Se volvió justo a tiempo para ver las luces de la bestia abalanzándose sobre ella...

... Y de pronto se oyó un extraño sonido, como un chasquido, como si todo el bosque crujiera a su alrededor... y las luces desaparecieron. Se oyó un choque y un bramido furioso, después unos arañazos... y ya nada más.

Viana, todavía con el corazón desbocado, palpó a su alrededor, tratando de situarse en la oscuridad. Para su sorpresa, sus manos se toparon con una barrera arbórea, la misma que momentos antes les había cerrado el paso. Solo que ahora se interponía entre ellos y la criatura que los perseguía.

–No lo entiendo –murmuró la muchacha. Siguió explorando a su alrededor y descubrió que estaban encerrados en un círculo formado por troncos de árboles, como una jaula protectora.

–Ahora podemos dormir –dijo Uri a su lado.

Viana se aferró a él como si temiera que fuese a desaparecer en cualquier momento. Los brazos de Uri la rodearon, reconfortándola.

–¿Cómo has hecho...? –empezó ella–. ¿Cómo has podido...? ¿Se han movido los árboles?

–Árboles buenos –dijo Uri–. Con ellos, nosotros estamos a salvo.

Viana no estaba tan segura. Le costaba entender lo que había sucedido. ¿Uri había hecho que los troncos de los árboles se movieran, primero para dejarlos pasar y después para protegerlos en el interior de un impenetrable círculo de troncos?

–Uri... ¿Eres un brujo? –le preguntó con un estremecimiento.

—No sé qué cosa es un *burujo* —respondió él—. Yo soy Uri.

Viana decidió no darle más vueltas. Parecía que él tenía razón y que estaban a salvo, por el momento. No se oía el bramido de la bestia ni se veía su luz amenazadora en la oscuridad.

—Quizá deberíamos encender un fuego... —sugirió, pero sintió que Uri se tensaba entre sus brazos.

—No. Fuego no —replicó—. Aquí no.

—Como quieras —aceptó ella; era su mundo, y ella tenía que aprender y respetar sus normas.

Aquella noche no echó de menos la consoladora calidez del fuego. Cayó dormida entre los brazos del muchacho del bosque, mientras los árboles velaban su sueño y los protegían de todo peligro.

El amanecer la arrancó de una pesadilla en la que se mezclaban bárbaros aullantes, bestias espantosas y árboles amenazadores. Cuando despertó, con una exclamación de angustia, se halló en un entorno tan hermoso que le hizo pensar que todavía seguía soñando.

Pero, si era así, no había bárbaros ni criaturas dañinas por ninguna parte. Los árboles que los habían salvado la noche anterior (¿o también eso lo había soñado?) formaban un conjunto bastante compacto, pero sus troncos no estaban tan juntos como le había parecido en aquel momento. O quizá habían vuelto a separarse, igual que habían hecho para franquearles el paso durante su huida (¿había sucedido de verdad o se lo había imaginado?). Las ramas, que habían parecido aviesos brazos retorcidos en la oscuridad, a la luz del día se mostraban cuajadas de brotes verdes y flores fragantes. La hierba sobre la que yacía era fresca y suave, y los matorrales que crecían a su alrededor rebosaban de bayas de aspecto apetitoso y pequeñas florecillas silvestres. Bellísimas mariposas revoloteaban sobre su cabeza; insectos voladores zumbaban perezosamente a su alrededor mientras los rayos de sol que se colaban por entre las hojas acariciaban gentilmente su rostro. Viana alzó la cabeza para admirar el delicado tapiz de luces y sombras que formaban las copas de los árboles. Una suave brisa sacudía las ramas y hacía temblar las hojas en un susurro vegetal.

Miró a su alrededor en busca de Uri, pero no lo vio. Inquieta, se levantó de un salto. Había despertado en un lugar paradisíaco, sí, pero la noche anterior había estado a punto de ser devorada por un depredador al que no podía poner nombre.

Se cubrió los hombros con su manto, con la incómoda sensación de que la estaban observando.

En aquel momento llegó Uri, sonriente, abriéndose paso entre los árboles.

–Viana –saludó–. Buenos días.

–Uri –dijo ella, sonriendo a su vez–. ¿Dónde estamos? ¿Hemos llegado a tu tierra?

Él rio.

–Aún no –respondió–. Nosotros lejos.

Viana se sintió desanimada. Naturalmente, no esperaba que llegaran en pocos días, pero quería creer que en su primer viaje había estado a punto alcanzar su destino, que lo habría conseguido de no haber sido por aquella inoportuna lesión.

—Vamos —dijo Uri, tomándola de la mano y tirando de ella—. No debemos quedar mucho tiempo. No les gusta.

—¿A quiénes? —preguntó Viana, intrigada. Miró a su alrededor, pero no vio a nadie.

—Yo les digo nosotros estamos en viaje —trató de explicar él—. Nos vamos. No quedamos aquí mucho tiempo.

—Pero ¿de quién estás hablando?

Uri se rio.

—No los ves —constató, risueño.

—No —replicó la muchacha, que estaba empezando a enfadarse—. Aquí solo estamos tú y yo.

Uri volvió a reírse.

—Tú no vives aquí —dijo simplemente. Pareció que trataba de añadir algo más, pero no debió de encontrar las palabras, porque se encogió de hombros con una sonrisa.

Viana se resignó a seguir a Uri a través de la espesura, intentando entender qué estaba insinuando. Quizá se estaba burlando de ella, o tal vez creyera de verdad que había seres invisibles que los espiaban desde los árboles. No sabía qué la inquietaba más: la posibilidad de que Uri estuviera en lo cierto o que fueran solo imaginaciones suyas. ¿Debía dejarse guiar por él entonces?

Viana decidió darle un voto de confianza; después de todo, era cierto que vivían criaturas extrañas y peligrosas en aquel bosque, ella misma lo había comprobado la noche anterior. Y Uri la había salvado. ¿Acaso no era más que probable que supiera de qué estaba hablando?

Desde aquel momento, la joven no pudo dejar de lanzar nerviosas miradas de reojo a la maleza, con aprensión. En alguna ocasión le pareció distinguir un fugaz movimiento por el rabillo del ojo, tal vez el breve temblor de una hoja, quizá una tenue sombra sobre una rama, pero no podía asegurar que no se tratara de su imaginación jugándole malas pasadas.

Sin embargo, en el bosque había algo. Lo notaba en su piel, en la forma en que se le erizaba el vello de la nuca, en su instinto de cazadora, que la llevaba a cargar el arco sin saber muy bien hacia dónde disparar. Uri la calmaba siempre y le decía que no había nada que temer siempre que respetara las reglas. Pero Viana no sabía qué reglas eran aquellas. Solo podía confiar en que Uri evitaría que cometiese algún error en aquella tierra extraña.

Porque lo era, y de qué forma. Los árboles seguían siendo árboles, la hierba y la maleza aún eran reconocibles, pero adoptaban formas desconocidas y colores salvajes, y había cientos de especies de flores, plantas e insectos que Viana no había visto jamás. Incluso el curioso musgo que cubría algunos árboles, de un tono malva apagado, le resultaba insólito. Se sentía como si estuviera adentrándose en un mundo nuevo, en un bosque que tenía mil maravillas que mostrarle.

La caza también empezó a cambiar. Cuando, tres días después de haber escapado de la muerte junto al río, Viana abatió lo que le había parecido una perdiz, se sorprendió al descubrir que era en realidad un ave desconocida, cuyo sedoso plumaje, de rara belleza, parecía casi fundirse con el manto vegetal que la rodeaba. Un penacho de plumas amarillas recorría su cabeza y la parte posterior de su cuello, casi como las crines de los caballos, y sus patas estaban cubiertas de una suave pelusilla rojiza. Viana lamentó haber matado un ejemplar tan raro.

—Come —dijo Uri.

—¿Se puede? —preguntó ella, dubitativa.

—Tú matas, tú comes —respondió él—. No debes matar para nada.

Viana lo entendió. Asaron el pájaro, pues, en un lugar despejado y alejado de la maleza. Según las indicaciones de Uri, había que obrar con infinitas precauciones cada vez que pretendían encender una hoguera, por lo que Viana procuraba hacerlo solo cuando era estrictamente necesario. Los dos racionaban su comida y trataban de alimentarse de bayas, frutos o raíces en la medida de lo posible. En este aspecto, Uri sorprendió a Viana una vez más: parecía saberlo todo sobre la zona del bosque que atravesaban, pero no qué especies eran comestibles y cuáles no lo eran. A la muchacha le extrañó mucho este hecho, pero su compañero no fue capaz de explicarle la razón por la cual podía orientarse en su propio mundo pero habría sido incapaz de alimentarse de él.

Por todos estos motivos, el trayecto a través del bosque estaba empezando a afectar los nervios de Viana. No sabía qué iba a encontrarse tras la siguiente fila de árboles ni si podía comer sin peligro los frutos de aquel árbol, por apetitosos que le pareciesen. Ignoraba si estaban siguiendo la ruta correcta y cuánto faltaba para llegar a su destino. Y, lo peor de todo, seguía teniendo la molesta sensación de que los estaban observando siempre, a todas horas. Uri no le concedía importancia, pero tampoco negaba que, en efecto, había algo o alguien invisible en aquel bosque que llevaba vigilándolos desde hacía varios días.

La muchacha se decía a sí misma que, fuera lo que fuese, no podía ser peligroso; de lo contrario, los habría atacado tiempo atrás.

Sin embargo, en dos ocasiones se sintió realmente amenazada.

La primera se produjo una tarde en que avanzaba tras Uri, afectada ya por el cansancio de la jornada. Dio un traspié y, al apoyarse en el tronco de un árbol para guardar el equilibrio, rozó sin quererlo una mata de espinos que Uri había evitado cuidadosamente.

Fue instantáneo. De pronto, los espinos se lanzaron hacia ella como tentáculos erizados de agujas, arañando y desgarrando su piel. Viana chilló y retrocedió, alarmada. El arbusto alzó sus ramas, agitándolas amenazadoramente.

—¿Qué... es... eso? —jadeó Viana horrorizada.

—Planta pica —respondió Uri, apartándola del arbusto—. Cuidado.

—Podrías haberlo dicho antes, ¿no? —protestó ella.

—Muchas plantas peligrosas —replicó él—. Muerden o pican o duelen si tú tocas o comes. Tú debes hacer como yo.

—Ya lo sé —replicó Viana, sintiéndose un poco tonta—. Lo siento.

Uri parecía algo preocupado. Acarició los cortes de la cara de Viana, pero no hizo ademán de curarlos de ninguna manera. Ella se sintió algo decepcionada, aunque había otro sentimiento que aún aleteaba en su corazón: el miedo.

Siguió a Uri a través del bosque, lanzando una última mirada atemorizada hacia el espino viviente. Nunca en su vida había visto nada semejante, y deseaba no volver a hacerlo.

Pero la siguiente prueba a la que tuvo que enfrentarse la aterrorizó todavía más.

Sucedió dos días después. Los dos jóvenes se habían detenido a descansar en un pequeño claro, junto a un arroyo que era poco más que un hilillo de agua cristalina resbalando entre las piedras cubiertas de musgo purpúreo. Mientras Uri hurgaba en el zurrón de su compañera en busca de algo para almorzar, Viana reconoció un poco más allá un arbusto de bayas comestibles. Se acercó a recoger unas cuantas y sus dedos fueron automáticamente hacia la más grande y redonda de todas.

No llegó a tocarla. Súbitamente, la baya se retiró de su alcance, y Viana vio, con horror, cómo se daba la vuelta para mostrar un pequeño rostro de color pardo que le siseó con furia desde el arbusto. La criatura era humanoide, tan alta como su dedo índice, y la parte posterior de su cabeza parecía una baya perfecta. Sus ropas estaban hechas con hojas de la misma planta entre la que se camuflaba. ¿Era un hada, un espíritu del bosque o algo parecido? Viana no lo sabía, pero no tuvo tiempo de pensar en ello. Retrocedió con el corazón latiéndole con fuerza. Aquella criatura le mostraba unos pequeños dientes afilados y, a pesar de su pequeño tamaño, parecía peligrosa. La vio alejarse, revoloteando entre el follaje con unas alas semejantes a las de una libélula, y no sintió deseos de seguirla.

–Uri... –murmuró.

El muchacho estaba junto a ella, contemplando la escena con seriedad. Era evidente que había visto al pequeño ser que se ocultaba en el matorral. Y no parecía sorprendido.

–¿Hay... muchas más criaturas como esta en el bosque?

El muchacho sonrió.

–Todo lleno –dijo, señalando a su alrededor.

Viana siempre había soñado con descubrir que los cuentos de hadas que le contaba su madre cuando era niña tenían algo real. Imaginaba que algún día conocería a los habitantes del Gran Bosque y que sería un momento lleno de magia. Nunca había creído que experimentaría aquel terror al saberse observada por cientos de ojillos desde la espesura. Nunca había pensado que las hadas, o lo que fueran, le inspirarían tanta aprensión.

Se pegó al cuerpo de Uri, temblando. Él la rodeó con un brazo protector.

–No tengas miedo –dijo–. No son malos. No debes asustarlos. No debes molestarlos. Ellos no hacen daño.

La información parecía contradictoria, pero Viana creyó entender que aquellas criaturas no la atacarían si ella no las importunaba. Lo cual implicaba que sí podían herirla en el caso de que se sintieran amenazadas. Sacudió la cabeza. Si todas eran tan pequeñas como el ser que había descubierto entre las bayas, no había nada que temer. ¿O sí?

Aún temblaba de miedo cuando reemprendieron la marcha. No podía evitar mirar a su alrededor con recelo, tratando de descubrir a los seres que los acechaban. No vio nada fuera de lo normal, pero eso no la tranquilizó. Estaban por todas partes aunque ella no pudiera verlos. Por todas partes. Camuflados en el bosque, entre los arbustos, entre las ramas, entre las raíces y los hongos que crecían sobre los húmedos troncos. ¿Cuántos serían? ¿Docenas? ¿Cientos? ¿Miles?

Uri percibió su desasosiego y la tomó de la mano.

Aún pasaron varios días más antes de que llegaran a su destino. Durante aquellas jornadas, Viana se fue relajando poco a poco. Empezó a ver más criaturas: casi todas eran pequeñas y se confundían con el entorno. Sus pieles tenían la textura de la corteza y sus cabellos parecían manojos de ramitas o pequeñas matas de hierba. Algunos exhibían antenas o patas como los insectos; otros, alas de libélula o de mariposa. Sus cabezas tenían forma de baya o de hongo. Sus rostros mostraban rasgos humanos, pero sus expresiones no eran de este mundo. Algunos le dedicaban muecas salvajes, otros reían de forma desquiciada. Había unos cuantos, en cambio, que sonreían tan dulce y enigmáticamente que Viana se sentía conmovida y aterrorizada al mismo tiempo. Sin embargo, unos y otros tenían algo en común: la chica no podría haber visto nada si ellos no se hubieran mostrado ante sus ojos voluntariamente. Algunos se asomaban con curiosidad para verlos pasar, otros jugaban a confundirla o asustarla, pero no parecía que lo hicieran con malicia. Viana comprendió que llevaban tiempo observándola y habían decidido que no era una amenaza. Quizá la presencia de Uri, tan tranquilo y confiado, había influido en aquella impresión.

El chico no hablaba con los seres, ni parecía que estos tuvieran interés en comunicarse con él. Parecía como si uno y otros fueran, simplemente, elementos del mismo decorado, acostumbrados a su mutua presencia. Viana era el intruso, el extraño. Por eso al principio la miraban con desconfianza. Ella, a su vez, reaccionaba dando un respingo y agarrándose a Uri con aprensión cada vez que distinguía un rostro moteado entre la maleza o cuando escuchaba susurros o risas inhumanas. Poco a poco, los gestos de las criaturas se volvieron cada vez más amables, y Viana acabó por acostumbrarse a ellas.

Las últimas jornadas de viaje transcurrieron como en un sueño. Viana seguía a Uri sin preocuparse ya por la ruta o por los días que faltaban para llegar hasta su destino. Habría jurado que los árboles se movían para abrirles camino, y a veces volvían a unir sus troncos tras ellos, impidiéndoles retroceder. A menudo sentía que las ramas se apartaban ligeramente para facilitarle el paso, y que incluso las raíces se retiraban un poco para no hacerla tropezar. «No puede ser», pensaba una parte de ella; pero era una vocecita a la que ya apenas prestaba atención. Se limitaba a dejarse llevar, y así, comenzó a apreciar la belleza del bosque encantado; por las noches, pequeñas criaturas feéricas brillaban entre los árboles como luciérnagas. Al amanecer, algunas entonaban cánticos que transmitían una profunda y misteriosa alegría. Macizos enteros de flores se desplegaban en una lluvia de alas multicolores al paso de los dos intrusos. Perlas de rocío relucían en las telarañas que colgaban bajo el sol del atardecer. Seres diminutos saltaban entre enormes hongos de fantásticas formas. Pronto, la actitud de las criaturas del bosque se volvió mucho más amistosa, y Viana se dio cuenta de que competían entre ellas para mostrarle las maravillas de su mundo. Algunas volaban hasta ella para entregarle una flor, una baya o un brote verde; otras la guiaban hasta el recodo más bello y salvaje de un arroyo, hasta una cascada umbría, envuelta en un centelleante arco iris, o hasta un claro tapizado de flores silvestres.

Así, una mañana, Uri despertó a Viana y le dijo:

—Estamos cerca.

La muchacha se levantó de un salto, con el corazón palpitándole con fuerza. Uri se llevó un dedo a los labios cuando se pusieron en marcha, y Viana asintió, en tensión.

Durante aquel viaje se había familiarizado con el sorprendente paisaje del Gran Bosque, y apenas prestó atención a los dos seres que revoloteaban tras ellos, envueltos en una vestimenta que simulaba el capullo de una flor de grandes pétalos blancos.

Tras seguir adelante un rato más, Uri la guio por un terraplén bordeado de arbolillos. Cuando subieron la hondonada, Viana se detuvo de golpe.

Había notado un extraño y pesado silencio en el ambiente, pero ahora comenzaba a percibir algo que se elevaba por encima de él: parecía un silbido formado por múltiples instrumentos de viento tocando al compás.

Miró a su alrededor, desconcertada.

Se hallaba en una explanada salpicada de árboles cuyas raíces sobresalían del suelo musgoso y se entrelazaban unas con otras formando una tupida red que parecía unirlos a todos. Sus troncos estaban parcialmente ocultos por una corteza rojiza llena de desconchones, como si estuviesen mudando de piel. También las ramas, que se elevaban con orgullo hacia lo alto, se enredaban unas con otras. Y sus hojas...

Viana lanzó una exclamación de asombro.

Las hojas de aquellos árboles eran muy grandes; tanto, que cualquiera de las más pequeñas podría cubrir ampliamente el rostro de una persona, como una máscara. Pero cada una de ellas parecía orientada en una dirección diferente, y muchas se rizaban sobre sí mismas o formaban curiosas espirales. Tras observarlas durante un rato, Viana descubrió, asombrada, que se movían lenta y cuidadosamente. Y no era a causa del viento.

Viana habría jurado que los árboles giraban voluntariamente cada una de sus hojas, como una bailarina movería sus dedos al son de la música. Solo que, en este caso, la música la producían ellos mismos. El aire silbaba entre sus hojas, y los árboles las hacían repiquetear como campanillas o las enrollaban para que sonaran como pequeñas flautas, o las sacudían y retorcían para obtener sonidos extraños y maravillosos. Todo ello conformaba un fascinante coro que mantuvo a Viana extasiada durante un buen rato, hasta que comprendió lo que estaba sucediendo.

El viento jamás había sonado de aquella manera en ningún otro lugar del mundo.

Eran los árboles. Estaban cantando.

Viana parpadeó, pero no pudo evitar que las lágrimas desbordaran sus ojos y rodaran por sus mejillas. Se dejó caer sobre el suelo –sintió el estremecimiento de las raíces sobre las que se había sentado– y permaneció un buen rato, no habría sabido decir cuánto, escuchando la canción de los árboles. Aquella música parecía hablar de todo lo que sucedía bajo el cielo, desde el subsuelo hasta las nubes más altas; cantaba a la lluvia, a la tierra, al viento y al sol; se colaba por todos los resquicios del alma y la elevaba, como si tuviera alas, hasta el lugar donde nacían las estrellas.

Y mientras tanto, las hadas bailaban, bailaban al son de los árboles, embriagadas por su cautivadora melodía.

Cuando por fin los árboles dejaron sus hojas inmóviles, Viana pareció despertar de un sueño. Se dio cuenta entonces de que tenía hambre, y se preguntó cuánto tiempo habría permanecido allí, escuchando a los árboles que cantaban. Le vinieron a la memoria historias acerca de incautos que se habían internado en el Gran Bosque y habían permanecido encantados durante siglos, atrapados por los

373

hechizos de las hadas. Se miró las manos en un arranque de pánico, temiendo encontrarlas arrugadas como las de una anciana. Pero todo parecía estar igual que siempre.

Descubrió entonces que junto a ella se hallaba Uri, visiblemente emocionado.

—Aquí, Viana —dijo con voz ronca—. Esta es mi casa.

Ella lo observó mientras se ponía en pie de un salto e iba de un árbol a otro, acariciando sus troncos como si saludara a viejos amigos.

Se levantó y caminó tras él, a la sombra de los árboles cantores, que parecían inclinar sus ramas hacia ella como si quisieran darle la bienvenida al lugar.

No tardó en alcanzarlo. El muchacho se había detenido junto a un árbol un poco más grande. Al principio, Viana pensó que se trataba de un ejemplar diferente a los que la habían conmovido tan profundamente; pero al acercarse más, se dio cuenta de su error: sí que era uno de los árboles cantores... pero estaba muerto. Ya no le quedaban hojas, su tronco estaba seco y había perdido su hermoso color rojizo: ahora mostraba un tono gris ceniciento. Además, Viana descubrió consternada una cicatriz horizontal, como el golpe de un hacha, que marcaba profundamente su corteza. Los dedos de Uri la recorrían como si quisiera sanar al árbol con su toque mágico. Sus ojos estaban llenos de lágrimas.

—¿Quién ha hecho esto? —susurró Viana; por alguna razón, no se atrevía a levantar la voz en aquel lugar.

—Ellos —respondió Uri. No dio más detalles, pero la joven entendió que se refería a los bárbaros. Se estremeció.

¿Qué clase de persona sería capaz de agredir así a un árbol tan extraordinario?

Prosiguieron la marcha. Encontraron, aquí y allá, más árboles muertos; todos ellos mostraban aquella horrible señal en el tronco, como si alguien hubiese querido talarlos pero se hubiese quedado a medias. Viana no comprendía por qué razón querría nadie señalarlos de aquella forma.

No tardó en entenderlo, sin embargo. Momentos más tarde, Uri dejó escapar una exclamación consternada y se lanzó hacia uno de los árboles más grandes. Viana lo siguió, y lo que vio la dejó con la boca abierta y el corazón en un puño.

El árbol estaba vivo... todavía. Alguien había practicado en su tronco el mismo corte que había matado a los demás. De él fluía, lentamente, un hilillo de savia blanquecina que iba a caer en un balde colocado a sus pies.

Viana parpadeó, un poco desconcertada. De modo que se trataba de eso... Alguien estaba exprimiendo a los árboles, arrebatándoles la savia hasta que se secaban por completo... hasta que no podían cantar ya más. ¿Por qué?

Miró a Uri buscando respuestas, pero él estaba profundamente preocupado por la suerte del árbol. Había apartado el balde, volcándolo con rabia, y ahora trataba de detener el flujo de la savia. Solo consiguió embadurnarse las manos, y las dejó caer, desconsolado.

Viana quiso ayudarlo. Buscó su capa e hizo ademán de rodear con ella el tronco del árbol, como quien venda un miembro herido para que deje de sangrar. Pero Uri la detuvo y sacudió la cabeza.

–No sirve –dijo–. Mira.

Viana miró a su alrededor, y lo que vio la dejó sobrecogida.

Había muchos más árboles en la misma situación. Los más grandes, los de tronco más grueso y raíces más profundas. A todos los habían herido de forma similar, y su savia estaba siendo diligentemente recogida en recipientes colocados de forma que no dejaran caer una sola gota.

–Pero... –empezó la muchacha.

No pudo seguir; de pronto, Uri la hizo callar y tiró de ella para ocultarla tras el tronco del árbol.

Viana entendió inmediatamente que estaban en peligro. Preparó su arco y se asomó con precaución por detrás del árbol.

Vio a un par de mujeres bárbaras revisando los baldes de savia. Cargaban con aquellos que ya estaban llenos y los sustituían por recipientes vacíos. Viana las mantuvo a tiro durante un buen rato, sin decidirse a soltar la cuerda, hasta que finalmente ellas se perdieron en la espesura del bosque. La joven bajó el arco.

–De modo que es esto –murmuró–. Están recogiendo la savia de los árboles que cantan. Pero ¿por qué razón?

Uri la miró; una profunda tristeza se adivinaba en el fondo de sus ojos verdes.

–Ellos curan –explicó–. Los árboles.

Viana tardó apenas unos instantes en asimilar lo que implicaban las palabras de Uri.

Cuando lo hizo, comprendió de golpe que por fin había encontrado el manantial de la eterna juventud del que hablaban las leyendas. Y no era la fuente que había imaginado.

Brotaba de los árboles cantores.

CAPÍTULO XIII

n el que se describe una expedición de catastróficas consecuencias.

URI Y VIANA dedicaron el resto del día a espiar a los bárbaros, que habían montado un campamento en una hondonada, un poco más lejos. Hasta allí llegaba un sendero abierto a fuego y espada en el bosque, hollado por carromatos que iban y venían cargados con enormes barriles de savia. Viana se preguntó cuánto tiempo habían necesitado los bárbaros para ganar la partida al Gran Bosque; quizá meses, tal vez años. Ni siquiera una tradición centenaria de cuentos escalofriantes acerca de sus peligros había bastado para templar su insensata locura y su ambición desmedida. Se habían abierto paso a través de los árboles y la maleza, desafiando a sus habitantes y derrotando a los monstruos que se ocultaban entre la espesura, creando un camino para sus carros que los conducía hasta el mismo corazón de la floresta... hasta el lugar donde los árboles cantaban.

Viana observó a los bárbaros, sobrecogida, durante toda la jornada. Vio a sus mujeres vaciar los baldes una y otra vez, mientras los hombres cargaban toneles en los carromatos y los muchachos arreaban a los bueyes para que los condujeran fuera del bosque cuanto antes. Estaba claro que necesitaban grandes cantidades de savia, pero ¿para qué? ¿Acaso Harak debía bañarse en ella todos los días para ser imbatible? ¿Quizá tenía por costumbre mezclarla con su bebida? ¿O tal vez estuviera haciendo acopio del preciado líquido simplemente para tener garantizado su suministro para el resto de su vida?

Había muchas preguntas sin respuesta. ¿Por qué los árboles no se defendían de aquella agresión? ¿Qué habían hecho los bárbaros con el pueblo de Uri? ¿Los habían exterminado a todos? Pero Viana no se atrevió a plantearle todas estas cuestiones. Uri estaba tan afectado por todo lo que estaba viendo que ella no quiso hacerle sentir peor.

En cualquier caso, debía informar a Lobo de lo que estaba sucediendo allí. Llenó una cantimplora con savia de uno de los baldes; aquella sería la prueba que lo convencería de que su historia era cierta. Cuando comprobase las propiedades de aquella sustancia extraordinaria, pensó Viana, Lobo estaría más dispuesto a escuchar lo que tenía que contarle.

Cuando cayó la noche, los bárbaros encendieron un fuego y se reunieron en torno a él. Cantaron en su áspera lengua y bebieron y brindaron a la salud del gran Harak, y Viana los odió por pisotear todo lo que hallaban a su paso. Pero entonces una figura baja y enjuta salió de una de las tiendas, y todos callaron como por arte de magia. Se trataba de un hombre de mediana edad que llevaba trenzado su largo cabello gris; iba envuelto en un manto de color pardo y adornado con múltiples abalorios como dientes o garras de animales diversos, y se apoyaba en un bastón de madera laboriosamente tallado. Su rostro estaba pintado con signos que Viana desconocía, y que hacían resaltar la penetrante mirada de sus ojos oscuros.

A la joven le dio un vuelco el corazón al reconocerlo: era el brujo que había casado a las doncellas de Nortia. El que la había entregado al bruto de Holdar.

Apretó los puños con rabia. Desde su escondite trató de oír lo que estaba diciendo, pero apenas pudo entender sus palabras, porque hablaba en susurros. No le hacía falta levantar la voz: todos los presentes, incluso los hombretones más fieros, lo escuchaban con atención y reverencia.

–¿Qué estará haciendo aquí? –se preguntó Viana en voz baja.

–Él ata los árboles –dijo Uri en el mismo tono–. Ellos no pueden mover.

La joven se volvió hacia él, sorprendida.

–¿Qué quieres decir?

Uri respiró hondo, como si tratara de ordenar sus pensamientos o de encontrar la forma de expresarlos correctamente.

–Ellos vienen hace tiempo –explicó–. Quieren sacar la sangre de los árboles. Pero ellos no dejan.

–¿Se defendieron?

Viana se imaginó a los árboles presentando batalla, azotando a los bárbaros con sus ramas. Pero, de todas formas, no debían de haber tenido muchas oportunidades. Después de todo, no podían escapar. Y los humanos tenían armas tan terribles como las hachas o el fuego. ¿Podrían haber movido sus ramas o raíces para volcar los baldes que recogían su preciada savia... aunque solo fuera para rebelarse contra aquel destino?

—Él hace cosas y dice cosas y los árboles duermen —concluyó Uri señalando al brujo.

—Los hechizó —murmuró Viana estremeciéndose—. ¿Qué clase de cosas hizo el brujo, Uri?

El muchacho suspiró y se frotó un ojo. Parecía muy cansado, como si recordar todo aquello le costara un tremendo esfuerzo.

—Él tiene agua y mete cosas dentro, como una sopa. Luego mete su dedo en la sopa y dibuja cosas en los árboles.

Viana iba a hacer un comentario cuando el brujo dejó de hablar y los otros bárbaros entonaron al unísono un cántico victorioso.

Viana se quedó paralizada al oír lo que decían.

Hablaban de un ejército invencible al que nada podría dañar. Una marea de bárbaros que conquistaría las tierras del sur, y después el mundo entero.

Se llevó las manos a la boca para ahogar una exclamación horrorizada.

Los baldes de savia no eran para Harak. Eran para todos sus guerreros. Se bañarían en ella antes de cada batalla y serían invulnerables.

Se incorporó de golpe.

—Tenemos que volver —dijo con urgencia—. Hay que avisar a Lobo y a los demás. Garrid tenía razón: no se puede derrotar a los bárbaros en una guerra abierta. Hay que encontrar otra manera.

Uri la miró sin comprender, al principio, pero luego se fue pintando en su rostro una expresión de angustia.

–¡No! –exclamó–. Tú debes ayudar a mi gente. ¡Estamos aquí para ayudar a mi gente!

Habló en voz demasiado alta y, antes de que Viana pudiera evitarlo, los bárbaros volvieron la mirada hacia el lugar donde ellos se ocultaban. Además, Uri se había incorporado y resultaba ahora claramente visible a la luz del fuego. La muchacha maldijo para sus adentros.

–Tenemos que escapar de aquí, Uri. Nos han visto.

Habría jurado, además, que los ojos inquisitivos del brujo se clavaban en su compañero con un siniestro interés.

Allí terminó la jornada de espionaje. Uri y Viana huyeron a través de la espesura, con los bárbaros pisándoles los talones. Por fortuna, el propio bosque cubrió sus pasos. Uri corría como un gamo en la oscuridad, arrastrando a Viana tras de sí, mientras que los bárbaros dependían de la luz de sus antorchas para orientarse. Por otra parte, los árboles y la maleza parecían abrir caminos para los fugitivos, pero entorpecían los pasos de sus perseguidores. Y así, poco antes del amanecer, los dos jóvenes se detuvieron por fin a descansar, seguros de que los habían dejado atrás.

–No podemos volver, Uri –dijo ella, al ver que el muchacho se volvía a mirar el lugar que dejaban atrás.

–Pero mi gente...

–Lo sé –cortó Viana–. Yo no puedo hacer nada para ayudarlos. Solo soy una muchacha, ¿recuerdas?

–Tú eres fuerte –dijo Uri mirándola con fe inquebrantable–. Yo te amo.

Viana se recostó contra el tronco de un árbol, tratando
de pensar, mientras procuraba que no se le notara la turbación que habían provocado en ella sus palabras.

–Te... te diré lo que vamos a hacer –balbuceó por fin–.
Iré a buscar a Lobo y le pediré que traiga refuerzos. Volveremos con un montón de soldados y combatiremos al brujo
y a sus bárbaros. Buscaremos entonces a tu pueblo, ¿de
acuerdo? Trataremos de averiguar qué ha sido de ellos. Pero,
ante todo, tenemos que detener el suministro de savia; si
lo hacemos, el ejército de Harak ya no será tan invencible.
Y si conseguimos el apoyo de los reyes del sur, podremos
expulsarlos de Nortia y del Gran Bosque para siempre.

Uri había seguido su razonamiento con atención, frunciendo el ceño mientras trataba de comprender todo lo que
ella decía. Finalmente asintió.

–Nosotros volvemos con tu gente –dijo–. Después, ellos
ayudan a mi gente.

–Eso es –sonrió Viana–. Sí, eso es.

Uri se rio como un niño y la besó.

–Gracias, Viana –dijo, feliz.

–En marcha, pues. Tenemos que regresar cuanto antes.

Y así, tras un largo viaje, Uri y Viana regresaron al
campamento de los rebeldes. Ambos llegaban cansados
y hambrientos, pues no habían querido detenerse más de

lo necesario. Sus ropas estaban sucias y presentaban múltiples desgarrones. Pero estaban en casa, y eso era lo más importante.

Sin embargo, cuando penetraron en el claro se encontraron con una estampa inesperada: el lugar estaba desierto, y algunas chozas parecían abandonadas. El fuego del campamento se había apagado, y solamente se apreciaban los restos de una pequeña hoguera cerca de la cabaña de las mujeres.

–¿Qué ha pasado aquí? –exclamó Viana.

Corrió hasta el centro del claro, seguida por Uri.

–¿Holaaaa? –gritó–. ¿Dónde está todo el mundo?

–Se han ido, mi señora –dijo una voz tras ella.

Viana se volvió. Allí estaba Dorea, de pie ante la puerta de su cabaña.

La muchacha se reunió con ella y se refugió entre sus brazos. Dorea la estrechó con fuerza. Parecía feliz y emocionada por volver al verla, pero al mismo tiempo Viana percibió en ella una sombra de tristeza y preocupación.

–Pensé que no volvería a veros, niña –dijo la mujer, con los ojos llenos de lágrimas–. Cuando os marchasteis con Uri... ¿por qué os marchasteis con Uri? –le preguntó de pronto, con un brillo de sospecha en la mirada.

–Hemos ido al corazón del bosque –respondió Viana atropelladamente, eludiendo la pregunta– y hemos visto a los árboles que cantan. Los bárbaros están allí, Dorea. Tengo que hablar con Lobo. ¿Dónde está? Harak prepara un ataque contra los reinos del sur...

–Lo sé –cortó Dorea–. Por eso se han ido todos, Viana. Lobo preparó a su ejército y partieron hacia la frontera sur de Nortia para detenerlos junto al río Piedrafría. La mayoría de las mujeres se fueron de aquí, porque ya no se sentían seguras sin la protección de los hombres. Pero yo me quedé a aguardar vuestro regreso. Aunque Lobo dijo que os había echado del campamento, yo nunca perdí la esperanza de que regresarais... Oh, Viana, ¿por qué no me lo dijisteis? Si no queríais que yo os acompañara, ¿por qué no os despedisteis, al menos?

Pero Viana no la estaba escuchando. Las noticias sobre la partida del ejército rebelde habían caído sobre ella como un cubo de agua fría.

–No, no –murmuró–. No puede ser, Dorea. No pueden haberse marchado ya.

–Sí, Viana –confirmó ella–. Se fueron hace casi dos semanas. Lobo no quería aguardar más. Vos misma le dijisteis que los bárbaros tenían previsto atacar los reinos del sur cuando comenzara el invierno, de modo que se han movilizado para salirles al paso antes de que eso ocurra.

–Pero... pero... no podrán derrotarlos, Dorea. Nadie puede vencerlos ahora. Será una masacre.

–Tened fe, niña. El ejército rebelde no está tan desamparado como pensáis. Lobo lleva tiempo manteniendo conversaciones con algunos de los reyes del sur; aunque se aliaron con Harak para mantener su independencia, enviarán tropas en secreto para apoyarnos, y tienen también un ejército preparado para actuar en el mismo instante en que los bárbaros traten de cruzar el Piedrafría. Lobo dice...

–No importa lo que diga Lobo ni cuántos guerreros se movilicen para luchar contra los bárbaros –cortó Viana angustiada–, porque no podrán derrotarlos. Ay, ¿qué voy a hacer? Jamás podré alcanzarlos a tiempo. Pero si no los aviso...

–Mi señora, calmaos. Estáis muy alterada. Confiad en Lobo. Entiende de asuntos de guerra más que nosotras, las mujeres. Sabe lo que hace.

Pero Viana se desasió de su contacto, exasperada.

–¡No, no lo sabe! –sacudió la cabeza con desesperación–. Escucha, Dorea: hemos descubierto un plan secreto de los bárbaros que Lobo no conoce, ¿entiendes? Si no le contamos lo que sabemos, los bárbaros vencerán otra vez, y será la definitiva.

Dorea inspiró profundamente.

–Comprendo –murmuró–. Entonces, debéis partir de inmediato, mi señora. Si contáis con un corcel rápido, tal vez los alcancéis antes de que se enfrenten a las tropas de Harak.

–Las tropas de Harak –repitió Viana, pensando intensamente–. No se han puesto en marcha todavía, ¿verdad?

–Lo ignoro, Viana. Pero el pueblo está tranquilo. Si el señor de Torrespino y sus vasallos tienen planeado unirse al ejército del rey, sin duda no tardarán en hacerlo. De momento, no han abandonado estas tierras.

Viana asintió, más animada.

–Entonces, quizá tengamos una oportunidad. Iré a buscar a Lobo, Dorea. Y tendrá que escucharme porque, de lo contrario, ya no habrá esperanza para Nortia.

La nodriza suspiró.

–Lo entiendo, Viana. Y sé que no podré deteneros. Cuando se os mete algo en la cabeza, nadie es capaz de haceros cambiar de opinión; es así desde que erais muy pequeña. Pero decidme: ¿qué vais a hacer con Uri? No sabe montar a caballo, y si os lo lleváis con vos, os retrasará.

Preocupada por el destino de las fuerzas rebeldes, Viana se había olvidado completamente de Uri. Lo sintió a su lado, y su presencia la reconfortó, pero al mismo tiempo sembró la duda en su corazón. Después de pasar tanto tiempo juntos, la idea de separarse de él se le hacía insoportable. Pero Dorea estaba mirando fijamente al muchacho y no pareció notar su inquietud.

–¿Qué te ha pasado en el pelo? –le preguntó de pronto–. ¿Por qué te ha cambiado de color?

Viana se volvió para mirar a Uri, y fue entonces cuando se dio cuenta, sorprendida, de que, en efecto, él ya no era rubio: su cabello se había vuelto de un cálido tono castaño. ¿Cuándo había sucedido aquello? No podía haber ocurrido de repente, puesto que ella lo habría notado. Quizá el pelo se le había ido oscureciendo poco a poco, con el paso de los días. Pero ¿por qué razón? Maravillada, alzó la mano para acariciarle el cabello. Uri, sin embargo, parecía inquieto.

–¿Viana? –preguntó, inseguro.

–Uri, Dorea tiene razón –dijo ella–. Tu pelo ha cambiado de color. ¿Es normal? ¿Les pasa a todos los que son como tú?

Pero Uri no respondió. Se llevó la mano a la cabeza, muy nervioso, y se revolvió el pelo mientras alzaba la mirada con desesperación, como si así pudiera verse la cabeza.

—No, no, no —murmuró, y salió corriendo en dirección al río.

—¡Uri! —llamó Viana—. ¿Qué le pasa? —se preguntó—. ¿Por qué le importa tanto el hecho de no ser rubio?

—¿Rubio? —repitió Dorea riéndose—. Mi señora, Uri nunca ha sido rubio. Todos hemos visto claramente que antes tenía el pelo de color verde. Un verde un poco peculiar, quizá podía ser algo dorado cuando le daba el sol, pero ¿rubio? —sacudió la cabeza.

Viana enrojeció.

—A mí me pareció... No importa —concluyó—. Voy a buscarlo. Luego comeremos algo y partiré de inmediato hacia el sur. Y en cuanto a Uri... —hizo una pausa—. Ya lo decidiré después.

—Como deseéis —respondió Dorea—. Prepararé un buen guiso; imagino que estaréis hambrienta. Y también el muchacho —añadió. Lanzó una mirada de sospecha a Viana cuando lo mencionó, pero ella ya se marchaba en pos de Uri.

Con un gran suspiro, Dorea la vio marchar. Empezaba a comprender que había algo más que amistad entre su señora y el chico del bosque. En otras circunstancias, la buena mujer habría hecho todo lo posible por convencerla de que pusiera fin a aquella relación, por resultar del todo inapropiada para una dama... Pero debía ser realista: estaban viviendo en el bosque, los bárbaros habían usurpado su castillo y, después de todo, a nadie le importaría ya el hecho de que Viana y Uri estuvieran juntos. Salvo, probablemente, a Harak, que todavía podía tener interés en casarla con alguno de sus guerreros, y, quizá, a Robian. Pero ninguno de ellos merecía besar siquiera la tierra que pisaba su señora, se dijo Dorea despectivamente, así que tampoco tenían derecho a opinar al respecto. De modo que suspiró de nuevo y entró en la cabaña en busca de los ingredientes que necesitaba para cocinar.

Viana halló a Uri a la orilla del río, tratando de vislumbrar el reflejo de su rostro en la rápida corriente. Aún seguía murmurando:

—No, no, no...

La muchacha lo contempló un momento, preguntándose qué había en su cabello que lo alteraba tanto. Finalmente, con un suspiro, hurgó en su zurrón hasta hallar el estuche de terciopelo con las joyas de su madre. Encontró lo que buscaba: un precioso guardapelo de oro labrado con perlas.

—Uri —lo llamó.

El chico se volvió para mirarla con una sonrisa. Siempre tenía una sonrisa para ella, pensó Viana. En cualquier momento. En cualquier situación.

—¿Ves esta joya? —le dijo; Uri se sentó junto a ella para observarla mejor—. Era de mi madre. Se la regaló mi padre, el día que la conquistó. No por la joya, aunque es muy bonita y valiosa, sino por la forma en que se la dio. Mi madre le preguntó si suspiraba por alguna dama. Mi padre le dijo que sí, y que la mujer a la que amaba era la más hermosa de Nortia, que su corazón le pertenecía a ella por completo y que jamás podría mirar a otra dama de la misma forma. Mi madre, como es natural, se sintió algo despechada y quiso saber quién era la afortunada. «Aquí la podréis ver», respondió mi padre dándole este medallón. Mi madre lo abrió, esperando hallar en él el retrato de alguna hermosa doncella. Y... –Viana abrió el guardapelo; en su interior había un pequeño espejo, y la muchacha sonrió al verlo–. Cuando vio su imagen reflejada aquí, mi madre comprendió que mi padre se le había declarado de una forma discreta y muy ingeniosa. Y cayó rendida ante su encanto.

Viana guardó silencio, recordando las veces que su madre le había contado aquella historia cuando era pequeña. Entonces le había parecido un relato muy romántico. Ahora, sin embargo, pensó que era una lástima que las relaciones entre los jóvenes nobles de Nortia tuvieran que depender de ardides, juegos de palabras y dobles sentidos. Y pensó en lo sencilla y sincera que había sido la declaración de Uri: «Te amo», había dicho, sin más.

–Bueno –concluyó, volviendo al presente–. Lo que quiero decir es que esto es un espejo, y que puedes verte mejor aquí.

Uri contempló el pequeño cristal que atesoraba el guardapelo, asombrado ante el hecho de que le devolviera su propia imagen con tanta nitidez. Pero su mirada se detuvo en su cabello, y cerró de golpe el medallón, casi con rabia.

–¿Qué sucede? –quiso saber Viana, recuperando la joya.

–Mi pelo es marrón –explicó Uri con aspecto de sentirse muy desdichado.

–Ya lo he visto. ¿Por qué ha cambiado de color? ¿Qué significa eso?

Uri no respondió.

–El pelo de las personas cambia de color a veces –prosiguió Viana, tratando de animarlo para que hablara–. Cuando se hacen mayores, se vuelve gris, y después blanco. ¿También os pasa eso a vosotros? ¿A ti y a la gente que es como tú?

Uri asintió.

–El tiempo, sí –dijo–. El tiempo cambia el color. Pero es demasiado pronto para mí –gimió.

–¿Quieres decir que te estás haciendo viejo pero eres joven, o algo parecido?

–Yo debo volver –explicó Uri–. Tengo el pelo marrón porque debo volver.

–¿Volver, a dónde? ¿Con tu gente?

Uri asintió.

–Tengo poco tiempo. Pelo marrón es poco tiempo. Cuando llega el frío, yo vuelvo a casa.

Viana respiró hondo.

–A casa –repitió en voz baja–. ¿Quieres decir que vas a... dejarme?

Uri la miró con evidente angustia.

–No... Viana, dejarte no... No quiero...

Ella entendió entonces su dilema, aunque no comprendía por qué razón debía marcharse con la llegada del invierno. Por algún motivo, el viaje de Uri fuera de los límites del Gran Bosque tenía una fecha de finalización. En algún momento debería regresar a su mundo... y no quería, porque aquello significaría tener que abandonar a Viana.

Pero ¿a dónde pensaba volver? ¿Qué habrían hecho los bárbaros con su gente? ¿Y si habían arrasado su aldea y asesinado a todos sus habitantes?

–Y... ¿no puedo ir contigo? –le preguntó tragando saliva.

–No, Viana.

–Entonces, quédate. ¿Qué puede pasarte si no regresas? Cuando la guerra acabe, recobraré mis tierras y tendré un ejército propio. Podré defenderte de cualquier cosa. Estarás seguro y a salvo a mi lado.

«¿Y te casarás con él entonces?», dijo una vocecita insidiosa en su interior. Viana la ignoró.

Como Uri no decía nada, ella trató de buscar otra solución:

–O podemos escapar juntos, muy lejos, donde nadie nos encuentre. Renunciaría a mi herencia por ti, Uri –declaró, y en cuanto hubo pronunciado aquellas palabras, supo que lo decía de verdad–. Empezaremos de nuevo en otro lugar, donde yo no sea Viana de Rocagrís y tú no seas el héroe que debía salvar a su pueblo.

Pero Uri negó con la cabeza.

–No lo entiendes –dijo; la miró con sus extraños ojos verdes cargados de sufrimiento, y el corazón de Viana se estremeció una vez más–. Yo...

–¡Viana! –los interrumpió entonces una voz–. Viana, ¿estáis aquí?

Airic emergió de entre la espesura.

–Viana, sabía que volveríais –dijo el chico, deteniéndose junto a ellos, jadeante–. Le dije a Lobo que hacía mal echándoos del campamento; que vos, más que nadie, teníais derecho a estar aquí, y también le dije que no podían marcharse sin vos. Pero no me escuchó.

–Airic, ¿tú también te has quedado a esperarme? –preguntó Viana, sintiéndose conmovida.

–¡Por supuesto que sí! –declaró el muchacho, ofendido ante la posibilidad de que ella pensara que podía abandonarla–. Y os habría acompañado a dondequiera que hayáis ido estos días –añadió, lanzando una mirada desconfiada hacia Uri.

–Era demasiado peligroso, Airic. Dime, ¿qué ha sido de tu familia? ¿Se han ido también?

–Han regresado al pueblo. Como se han ido todos los soldados, aquí no se sentían seguros y, además, ya nadie los está buscando por la muerte de Holdar. A Robian Culo al... quiero decir, al señor duque de Castelmar poco le importa eso, en realidad. Ahora está ocupado preparando a su gente para la guerra.

Viana entornó los ojos.

–¿Qué sabes de la guerra, Airic? ¿Qué se dice por ahí?

El chico se encogió de hombros.

–Poca cosa –dijo–. Solo sé que los jefes bárbaros van a ir a la capital para reunirse con Harak antes de la batalla. Nadie tiene muy claro contra quién van a luchar ni por qué. En el pueblo dicen que en realidad van a celebrar en la ciudad una especie de torneo o algo así.

Viana negó con la cabeza.

–Van a reunirse todos para cruzar el Piedrafría –dijo–. Quieren conquistar los reinos del sur.

–Entonces, ¿por qué van a Normont? –preguntó Airic–. ¿No sería más fácil reunirse en la frontera? Nortia es grande, ¿no? ¿Acaso Normont les pilla a todos de camino?

–No –respondió Viana frunciendo el ceño–. No, tienes razón. Si todos los jefes bárbaros han sido convocados en la corte real... eso supondría una demora importante. Solo se me ocurre un motivo por el que Harak quiera reunir a su ejército en su castillo antes de partir a la guerra... y puede que eso nos dé una oportunidad.

–¿Mi señora?

–¿Tienes hambre, Airic? Porque creo que Dorea ha preparado guiso para un batallón. Ven a comer con nosotros; tenemos mucho que planear.

–¿Qué vamos a planear? –preguntó Airic, entusiasmado.

–Un golpe al imperio de Harak. Y si lo hacemos bien, puede que sea el definitivo.

Un rato más tarde, Airic partía hacia Campoespino para tratar de conseguir un caballo que lo llevara hasta la frontera meridional de Nortia. Con un poco de suerte, alcanzaría al ejército rebelde antes de que llegaran allí. Después de todo, era un muchacho y cabalgaría rápido, mientras que los hombres de Lobo debían moverse por las lindes del bosque, tratando de no llamar demasiado la atención. Si pretendían sorprender a los bárbaros en el Piedrafría, no podían dejarse ver antes del día de la batalla.

Su misión consistía en contar a Lobo lo que Uri y Viana habían visto en el corazón del Gran Bosque. La joven se había ahorrado algunos detalles como, por ejemplo, la descripción de las criaturas que habían encontrado allí o el hecho de que los árboles parecieran tener vida propia. Pero sí le había explicado a Airic, con pelos y señales, que los bárbaros estaban extrayendo la savia de unos árboles de propiedades extraordinarias. Le había entregado también la cantimplora en la que había recogido la savia mágica para que se la entregara a Lobo, como prueba de que lo que decía era verdad.

Y también debía hablarle de lo que Uri y Viana pretendían hacer en Normont.

Porque, en efecto, ambos iban a viajar hasta la capital del reino. Allí buscarían el lugar donde Harak almacenaba los barriles de savia que sacaba del bosque y los destruirían. Viana estaba segura de que los guardaban en algún lugar del castillo; por esta razón, Harak tenía tanto interés en reunir a sus tropas allí antes de iniciar la conquista de los reinos del sur. La joven aún no había decidido cómo se las arreglarían para cruzar la ciudad sin llamar la atención, infiltrarse en el castillo, localizar la provisión de savia y privar a Harak de ella (¿incendiando los barriles?, ¿vaciándolos todos en el foso del castillo?), pero se dijo a sí misma que tenía tiempo por delante para decidirlo. Sin embargo, tanto a Dorea como a Airic les hizo creer que tenía un buen plan y, además, contaba con que Lobo enviaría refuerzos cuando conociera la situación. Ahora lo más importante ya no era enfrentarse a los bárbaros en el Piedrafría para impedir que invadieran los reinos del sur, sino asediar Normont para acabar con la fuente de la imbatibilidad de Harak, y evitar así que el resto de los bárbaros fueran también invencibles.

Cuando, tras despedirse de Dorea, se pusieron en camino, Viana confesó a Uri que no tenía ni la más remota idea de cómo llevar a cabo su plan. Pero a él no pareció importarle. Con lealtad inquebrantable, la siguió hasta que dejaron atrás la última fila de árboles.

Allí, sin embargo, se detuvo un momento a contemplar el paisaje, asombrado. Viana comprendió que Uri jamás había salido del bosque, y que los campos y llanuras de Nortia le resultaban extraños. El hecho de que no hubiera árboles por todas partes, de poder ver el horizonte, de no tener una cúpula de hojas sobre su cabeza... todas esas sensaciones eran nuevas para él. Viana se preguntó si hacía bien pidiéndole que la acompañara. Probablemente, lo más seguro para él fuera quedarse en el bosque. Además, y a pesar de que ya no tenía el pelo del color del trigo joven, su aspecto seguía llamando mucho la atención. Le planteó aquella disyuntiva, pero Uri fue categórico: no pensaba separarse de Viana ni un solo momento.

–Ya no tengo tiempo –le dijo, angustiado–. Quiero estar contigo. Y ayudar a salvar a mi pueblo.

No hubo forma de hacerle cambiar de opinión, de modo que Viana resolvió que lo llevaría consigo hasta Normont y ya se las arreglarían como pudieran.

Y emprendieron el viaje. Viana le había proporcionado a Uri un manto con capucha para que ocultara su aspecto en la medida de lo posible. Aún hacía calor, pero ellos trataban de avanzar de noche o al atardecer, y en aquella época del año empezaba ya a refrescar cuando el sol se ponía por el horizonte. Viajaron por el camino principal, suponiendo que los bárbaros estaban demasiado ocupados para preocuparse en buscar a una fugitiva como Viana de Rocagrís, y que incluso los hombres de Robian tenían cosas más importantes en que pensar. Fue una decisión acertada, porque no se encontraron con ninguno de ellos y, además, pudieron hacer buena parte del viaje montados en la parte trasera de un carro de heno que se dirigía a Normont.

Cuando llegaron por fin a la ciudad, Viana extremó las precauciones y trató de evitar las calles principales. No parecía que las cosas hubiesen cambiado mucho durante el reinado de Harak, se dijo. Quizá había más tabernas y más herrerías, y muchos comercios estaban regentados por bárbaros; pero, por lo demás, todo parecía igual que siempre, aunque no podía estar muy segura, ya que en sus anteriores visitas se había alojado siempre en el castillo y apenas había visitado la ciudad.

Reconoció, eso sí, el mercado que solía formarse al pie del castillo durante las celebraciones del solsticio. No parecía tan grande y animado como en otras ocasiones, pero ahí estaba. Perpleja, Viana le preguntó a un ganadero el motivo por el cual se habían reunido allí.

−¿No te has enterado, zagal? −replicó el hombre−. Están llegando a Normont todos los barones del rey Harak

400

con sus tropas. Hay quien dice que se prepara un torneo, pero no se han publicado las normas todavía ni se ha convocado a los caballeros del reino. Quizá la gente de las estepas hace las cosas de otro modo, pero, si quieres mi opinión, pienso que se están preparando para la guerra –añadió bajando un poco la voz–. En uno u otro caso, es buena época para los negocios. Estos días, la ciudad estará repleta de gente. Hombres que tienen que comer o que han de avituallarse para la batalla.

–Entiendo –murmuró Viana.

–No sois de aquí, ¿verdad? –preguntó el ganadero, lanzando una mirada inquisitiva al rostro que Uri ocultaba bajo la capucha.

–No, señor, somos de Campoespino –respondió Viana–. Mi hermano y yo hemos venido a visitar a unos parientes y nos ha sorprendido tanta animación, eso es todo.

Por suerte para ambos, en aquel momento se presentó un cliente, y el hombre se olvidó de los dos muchachos que habían acudido a Normont sin saber que era día de mercado.

Viana deambuló por los alrededores del castillo, incómoda. Aquello estaba lleno de bárbaros. Las tropas de Harak ya habían empezado a llegar a la ciudad y, tal y como los comerciantes habían previsto, repartían su tiempo entre la taberna y el mercado.

Había demasiada gente, y el castillo estaba bien vigilado y fortificado. No tenía nada que ver con Rocagrís. No lograría entrar con una treta tan sencilla como hacerse pasar por el primo del porquero. Cuando comprendió esto,

Viana sintió crecer su angustia y su desesperación. Se le acababa el tiempo; tenía que encontrar la forma de llegar hasta los toneles de savia y destruirlos antes de que Harak reuniera a todo su ejército.

Pero le costaba trabajo pensar en un plan, porque estaba experimentando toda una serie de sentimientos encontrados. El castillo de Normont le traía muchos recuerdos. Allí había asistido a las celebraciones del solsticio desde que tenía memoria; sus amplios salones habían sido testigos de sus encuentros con Robian, aquellos primeros besos furtivos, aquellas promesas de amor eterno. Allí, el duque de Castelmar y el padre de Viana habían comprometido el futuro de sus hijos, un futuro que imaginaban brillante y repleto de felicidad.

Pero, también entre aquellos muros, Viana había visto cómo su mundo se desmoronaba pedazo a pedazo. Su padre había muerto, su prometido la había traicionado y el usurpador la había entregado en matrimonio a un hombre brutal y desagradable. Toda su vida se había vuelto del revés... quizá no tanto el día del reparto de doncellas, sino antes... la noche del solsticio de invierno en la que Oki les había contado la leyenda del manantial de la eterna juventud y Lobo había anunciado que los bárbaros preparaban la invasión de Nortia.

—Viana, ¿estás bien? —le preguntó Uri, preocupado por su silencio.

Ella volvió a la realidad.

—Sí, estoy... estoy bien. Se hace de noche, Uri; busquemos un lugar donde dormir. Quizá entonces se me ocurra cómo entrar en el castillo, o tal vez mañana, a la luz de un nuevo día.

Uri se mostró conforme.

Cuando ya se alejaban del castillo, tuvieron que apartarse para dejar paso a un carromato que venía por la calle principal. Viana se quedó observándolo con interés porque le resultaba familiar. Enseguida descubrió por qué, y el corazón empezó a latirle con fuerza: se trataba de uno de los carros cargados de barriles que procedían del Gran Bosque. Lo siguió con la mirada, preguntándose si sería capaz de ir tras él hasta el castillo, al menos para tratar de averiguar el destino de aquellos toneles. Pero entonces sintió que alguien la miraba fijamente y alzó la vista, sobresaltada.

Era el brujo. Venía sentado junto al bárbaro que conducía la carreta, y los observaba por debajo de sus espesas cejas grises. Los había visto, no cabía duda. Había mucha gente a su alrededor, pero solo se había fijado en ellos. Los había reconocido.

–¡Vámonos de aquí! –susurró Viana tirando de la manga de Uri.

No tardaron en perderse entre la multitud. Nadie los siguió, pero Viana escuchó la risa del brujo tras ellos.

No era un sonido agradable.

Encontraron alojamiento en el establo de la posada, donde un mozo los dejó pernoctar con la condición de que el amo no los viera... y a cambio de una de las joyas que Viana llevaba en su zurrón. No era más que un anillo de plata, de poco valor en comparación con las otras alhajas, pero, aun así, a la muchacha le dolió entregárselo. Después de todo, había pertenecido a su madre.

Buscaron un rincón apartado y se prepararon para pasar la noche. Viana se acurrucó entre los brazos de Uri y cerró los ojos para sentir el latido de su corazón.

—No quiero perderte —susurró.

El muchacho no dijo nada. No habían retomado el tema durante el viaje, y Viana se preguntó si hacía mal mencionándolo de nuevo. Quizá debía pasar por alto el hecho de que él tendría que regresar a su bosque tarde o temprano, y limitarse a disfrutar de los escasos momentos de tranquilidad que podían compartir antes de que los acontecimientos se precipitaran.

Pero Uri respondió finalmente:

—No está bien.

Viana se incorporó un poco.

—¿El qué no está bien? ¿Te refieres al hecho de que estemos juntos?

Uri sacudió la cabeza.

—Somos distintos, Viana. Yo... no puedo estar contigo. Debo volver...

—Ya sé que somos diferentes. Tú tienes la piel rara y el pelo verde... o tenías el pelo verde. Y has salido del bosque, mientras que yo me he criado en un castillo. Pero ¿y qué? Ambos tenemos dos ojos y una nariz y una boca, tenemos brazos y piernas... No somos tan distintos como crees...

Pero Uri la silenció posando un dedo sobre sus labios.

—No lo entiendes —dijo, y había una intensa angustia en su mirada—. Yo no soy como piensas.

—Bueno, es verdad que nos conocemos desde hace poco. Pero eso no me importa, ¿sabes? Yo conocía a Robian desde que éramos niños y, aun así, mira lo que pasó...

Uri negó con la cabeza.

—Viana, te amo —dijo, casi con desesperación—. Pero no puedo. No debo. Y si tú sabes todo... tú no me amas nunca más.

—No puede ser tan terrible eso que me ocultas, Uri, sea lo que sea —musitó ella, con los ojos llenos de lágrimas—. Tú eres bueno. Eres una buena persona, yo lo sé, lo he visto. Y te querré siempre, pase lo que pase. Pero ¿por qué...?

No pudo terminar de formular la pregunta, porque en aquel momento se oyó un bullicio procedente del exterior, y Uri se incorporó, alerta.

—¿Qué es lo que pasa? —susurró Viana, y se llevó la mano al cinto, donde guardaba su cuchillo de caza.

No tardó en descubrirlo: el mozo y el posadero entraron por la puerta del establo, seguidos, para horror de Viana, de un grupo de bárbaros. La muchacha se puso en pie inmediatamente y buscó una forma de escapar; pero la única salida estaba ocupada por los hombres que acababan de entrar.

—Están allí, majestad —dijo el posadero señalando a Uri y Viana con el dedo.

—¿Majestad? —repitió Viana, aterrorizada.

—Es así como deben llamarme mis súbditos —se oyó entonces la voz serena de Harak, rey de los bárbaros—. Y tú eres una de ellos, aunque insistas en creer que estás por encima de mi autoridad.

Los bárbaros abrieron paso a su soberano, que entró en el establo sin preocuparse por el olor y la suciedad. Viana retrocedió, alerta, con el cuchillo a punto. Pero sabía que estaba perdida. Lanzó una mirada incendiaria al mozo que los había delatado. Descubrió entonces a otra persona que había entrado justo detrás de Harak: el brujo. Se estremeció al comprender que, tal y como había imaginado, aquel hombre los había reconocido al cruzarse con ellos en la calle principal, y había avisado a Harak de su presencia en la ciudad. Lo miró con profundo odio, pero él no se inmutó. Apenas le prestaba atención: sus ojos estaban clavados en Uri, que se alzaba junto a Viana, desafiante.

–Apresadlos –dijo Harak–. A los dos.

Viana reaccionó.

–¡Espera! –protesto, debatiéndose entre los bárbaros que trataban de inmovilizarla–. Entiendo que tengas algo contra mí, ¡pero Uri no ha hecho nada malo! Déjalo marchar...

–¿Uri? –repitió el brujo, volviéndose para mirarla con un brillo divertido en los ojos; hablaba con un acento profundo y tosco–. ¿Es así como llamas a este ser? Interesante...

Viana seguía forcejeando, aunque sabía de sobra que no había nada que hacer. Pero en aquel momento, sin embargo, estaba más preocupada por Uri. Los bárbaros lo habían alejado de ella, arrastrándolo hasta los pies del brujo y del usurpador del trono de Nortia.

–No es un «ser», es una persona –replicó–. Deja de mirarlo como si fuera un saco de oro.

El brujo se rio. Era una risa seca, ácida. A Viana le puso los pelos de punta.

—Oh, entonces no lo sabes...

—No lo sabe —corroboró Harak, sonriendo con evidente regocijo—. No habrá cometido la estupidez de enamorarse de él, ¿verdad? ¿Qué diría nuestro apreciado Robian si supiera que su encantadora prometida ha caído tan bajo?

—Ya no soy su prometida —saltó Viana, hirviendo de ira—. Y no vas a confundirme. Sé todo lo que hay que saber acerca de Uri.

Pero no era cierto, y todos eran conscientes de ello. Viana trataba de aparentar un aplomo que no sentía en realidad. Porque si bien estaba al tanto de que, en efecto, Uri le ocultaba algo muy importante, se negaba a aceptar que los bárbaros hubieran descubierto su secreto antes que ella.

Harak y el brujo se rieron otra vez.

—¿De veras? —dijo Harak, extrayendo una daga del cinto—. Me parece que ha llegado la hora de sacarte de tu error.

Mientras hablaba, le hizo un tajo a Uri en el brazo. El chico gritó y Viana gritó con él, angustiada:

—¡No le hagáis daño!

Sentía que su corazón sangraba por él. En ese momento fue plenamente consciente de lo mucho que lo quería.

—No le hagáis daño... —repitió, y no pudo reprimir un sollozo—. Haré lo que sea... lo que sea...

«Incluso casarme con otro horrible y apestoso bárbaro», pensó de pronto. Cualquier cosa con tal de ver a Uri libre y a salvo. Con tal de volver a contemplar aquella sonrisa en su exótico rostro.

Harak sonrió desdeñosamente.

–¿Qué te hace pensar que todo esto es por ti? –le espetó–. No eres más que una mujer descarada que no sabe cuál es su sitio.

Viana lo miró sin comprender. El brujo se había inclinado junto a Uri, que temblaba como una hoja, y examinaba con cierta ansiedad el corte que Harak le había hecho.

–Pero reconozco que tienes valor, para ser mujer –siguió el rey bárbaro–, y creo que mereces saber la verdad. Serás ejecutada mañana al atardecer, en la plaza principal, ante todo aquel que quiera acercarse a verte morir. Tu destino servirá de escarmiento a todos aquellos que osan oponerse a mi poder.

Viana apenas lo escuchaba. Todos sus sentidos estaban puestos en Uri y en el brujo.

–Haz lo que quieras –murmuró a media voz–, pero deja marchar a Uri.

–Aún no lo has entendido –suspiró el brujo; se retiró un poco, y Viana pudo ver por fin, a la tenue luz de las lámparas, la herida sangrante de Uri.

Al principio no comprendió lo que veía. El brazo de Uri estaba embadurnado de una sustancia blanquecina, y Viana pensó que se la había puesto el brujo. Enseguida tuvo que corregir su primera impresión: aquello manaba de la herida de Uri.

–Qué... –pudo decir, desconcertada.

–¿Te parece que un humano puede sangrar así? –dijo el brujo, y cada una de sus palabras resonó en la cabeza de Viana como el golpe de una maza.

–No entiendo...

Se topó con la mirada de los ojos verdes de Uri, cargada de dolor y de culpa.

–Viana... perdóname... –le suplicó–. Por favor... salva a mi pueblo...

Harak chasqueó la lengua con disgusto y dio media vuelta para salir del establo. Los bárbaros levantaron a Uri con brutalidad y lo llevaron a rastras, siguiendo a su rey. El brujo caminaba junto a su valioso prisionero, sin quitarle ojo de encima.

–¡No! ¡Uri! –gritó Viana; trató de abalanzarse tras ellos, pero sus captores no se lo permitieron–. ¿Qué vais a hacer con él? –exigió saber.

Le llegó la voz del brujo, amortiguada por el sonido de las pisadas de los bárbaros mientras salían del recinto.

–Arrancar su corazón de su pecho y exprimirlo hasta la última gota... igual que hemos hecho con todos los demás.

«... igual que hemos hecho con todos los demás».

Las palabras del brujo flotaron un instante más en el aire antes de desvanecerse por completo.

Viana fue apenas consciente de que la sacaban a rastras y la llevaban lejos de Harak, del brujo y de Uri, por calles estrechas y oscuras, hasta que desembocaron en la vía que llevaba al castillo. Por fin cruzaba sus muros, pensó con cierta amargura cuando se encontró en el patio. Pero no de la manera que había planeado.

La bajaron por una escalera húmeda y resbaladiza hasta los calabozos. En aquel tétrico lugar había encerrado el rey Radis a los enemigos de Nortia en tiempos pasados, tiempos que ahora parecían muy lejanos. Viana y Belicia habían imaginado que allí habitaba todo tipo de individuos de mala catadura, y se estremecían de horror cada vez que pensaban en él. A menudo inventaban historias en las que sus amados, el apuesto Robian y el valiente príncipe Beriac, derrotaban a caballeros desaprensivos o a bandidos malcarados y los llevaban a aquellas mazmorras, por el bien del reino y de todas las doncellas en apuros del mundo.

Pero Viana jamás había soñado algo así, ni en sus peores pesadillas: nunca habría imaginado que, tiempo después, Belicia estaría muerta y ella se vería conducida hasta aquellas mazmorras por una pareja de rudos bárbaros.

Sin embargo, cuando la arrojaron al interior de un calabozo pequeño y maloliente, Viana había dejado ya de pensar en las ironías del destino.

La imagen de Uri sangrando no se le iba de la cabeza; aquella extraña sustancia blanca fluyendo del corte que Harak le había hecho, tan similar a la savia de los árboles cantores...

«¿Te parece que un humano podría sangrar así?», había dicho el brujo.

Naturalmente que no, reconoció Viana para sus adentros.

Cerró los ojos, inspiró profundamente, contó hasta tres y asumió que tendría que aceptar lo imposible.

Que Uri no era una persona.

Que era un árbol.

Y todas las piezas encajaron de golpe.

«Pero ¿cómo es posible?», se preguntaba Viana, encogida sobre sí misma en un rincón de su mazmorra. «¿Cómo podría un árbol transformarse en un ser humano... aunque se tratara de un árbol que canta?».

Sin embargo, era la única explicación que tenía algún sentido. Los árboles cantores se habían visto atacados por los bárbaros, sin posibilidad de huir ni de defenderse. Por esta razón habían enviado a uno de los suyos a buscar ayuda, un árbol joven que se había transformado en ser humano, adoptando la forma de sus enemigos para encontrar la manera de luchar contra ellos. Un humano un tanto extraño: con la piel del tono de la corteza de los árboles, y el pelo del color de sus ramas en primavera... y en otoño, comprendió de pronto Viana, excitada, al recordar el cambio en el pelo de Uri: se había oscurecido al final del verano, como sucedía con las hojas de los árboles. ¿Se le caería también? Viana apartó de su mente la imagen de Uri totalmente calvo; tenía cosas más importantes en que pensar.

Entendió también por qué, cuando había hallado al extraño muchacho en el bosque, este no sabía hablar, ni comer, ni tampoco caminar: después de todo, no lo había hecho nunca. Había logrado arrastrarse hasta el río, experimentando por primera vez sensaciones como el hambre, la sed o el cansancio. Había metido sus pies en el agua, de la misma manera que habría buscado el preciado líquido con sus raíces, sin saber que debía beber por la boca, ya que jamás antes había tenido una. Y probablemente habría muerto de sed en mitad del río si Viana no lo hubiese encontrado allí.

De modo que todas las cosas que había ido aprendiendo... realmente las aprendía, como un bebé recién nacido. No las recordaba. No tenía nada que recordar, puesto que no había olvidado su pasado, ni su misión. Sencillamente necesitaba descubrir cómo comportarse en un mundo de humanos antes de ser capaz de ayudar a los suyos.

Por este motivo, también, había sido siempre Uri: porque como árbol, y dado que su especie carecía de lenguaje articulado, nunca había tenido más nombre que el que Viana le había regalado.

La muchacha se estremeció entre las sombras de su prisión. Uri había experimentado muchas cosas como humano... había aprendido muy deprisa... y también había conocido el amor.

Ignoraba si los árboles tenían sentimientos a la manera de los humanos. Al menos en lo que tocaba a los árboles cantores, sí poseían cierta inteligencia. ¿Podrían amar sin corazón? «Mi gente no siente esto», había dicho Uri. «No siente así». Pero ahora era humano... y se había enamorado de una humana.

¿Cuánto había de árbol en Uri, y cuánto de hombre? Ya hablaba y reía como un humano. Y, posiblemente, amaba como tal.

Pero no tenía sangre, sino savia.

La misma preciada savia que los bárbaros extraían a los árboles para mayor gloria de su rey.

Y Uri lo sabía. Era muy consciente de cuáles eran las propiedades de su sangre, de su savia: con ella había curado la herida del hombro de Viana.

La muchacha se preguntó, con un poco de amargura, por qué Uri le había ocultado tantas cosas acerca de su origen. Quería pensar que al principio el chico no sabía expresarse bien y, por otro lado, tampoco ella había sabido formular las preguntas adecuadas ni comprender la verdad que subyacía en sus comentarios chapurreados a medias. Y más adelante... más adelante, quizá, el amor que sentía por Viana y el dolor que le producía la idea de separarse de ella habían influido, sin duda, en su decisión de guardar silencio.

Porque Uri era un árbol, y Viana era humana.

Inspiró profundamente. Sentía un agudo dolor en el corazón cada vez que pensaba en ello: en que ambos eran diferentes y no podrían estar juntos. Quizá era eso lo que Uri había comprendido y no quería compartir con ella... para no hacerla sufrir de forma innecesaria. Pero él parecía convencido de que tendrían que separarse tarde o temprano. ¿Cuándo había pensado decírselo?

«Tal vez nunca», pensó Viana, alicaída. «Quizá tenía intención de desaparecer misteriosamente en la noche, regresar a su bosque y no volver a mi lado nunca más».

Luchó por contener las lágrimas. Una parte de ella se sentía todavía sumamente confusa ante lo que acababa de descubrir, pero otra se rebelaba contra el destino. Sí, Uri podía ser un árbol... o haberlo sido en sus orígenes. Pero ahora... ahora era humano, como ella. Ahora podían estar juntos. Nada podría impedírselo salvo, quizá, la lealtad de Uri hacia los suyos y sus propios reparos al respecto. Viana estaba dispuesta a obviar la verdadera naturaleza de Uri, a no decírselo a nadie, a fingir que siempre había sido humano... con tal de estar con él. Pero ¿sería capaz él de renunciar a su bosque... por ella?

«Salva a mi pueblo», le había pedido. Al llegar al corazón del bosque, Viana había creído que los suyos habían desaparecido, quizá huyendo de los bárbaros, tal vez exterminados por ellos.

No había comprendido lo que Uri estaba tratando de decirle: aquel era su pueblo. Los árboles cantores que sufrían un horrible tormento a manos de los bárbaros que los desangraban lentamente. Era a ellos a quienes había que salvar.

Quizá... si ayudaba a Uri a cumplir su misión... entonces él quedaría libre y podría estar con ella.

Pero primero tendría que rescatarlo.

Era extraño, pensó. El brujo había entendido desde el principio quién era Uri. Pero ¿por qué tenía tanto interés en él? Después de todo, ya disponía de muchos otros árboles en el Gran Bosque. Ninguno de ellos tenía forma humana, eso era cierto... Sin embargo... ¿en qué lo diferenciaba eso de los demás? ¿Era su sangre... su savia... mejor que la de los otros? ¿Qué pensaba hacer el brujo con él? ¿A dónde se lo había llevado, y por qué? Había dicho que le arrancaría el corazón del pecho. Pero, sin duda, era solo una forma de hablar. No podía estar diciéndolo en serio. ¿O sí?

Comprendió de pronto, angustiada, que ella no podía hacer nada por él. Estaba prisionera de los bárbaros, y Harak la había condenado a muerte.

Respiró hondo, asustada. Por ella, por Uri... por Nortia. Había descubierto la verdad acerca de Uri demasiado tarde. Si lo hubiese sabido antes... tal vez habría actuado de otra manera. Pero todas las decisiones que tomaba, todo lo que hacía... acababa conduciéndola al desastre, de una manera o de otra.

«No todo», se recordó de pronto, esbozando una sonrisa cansada. «He conocido a Uri. Me he enamorado otra vez. Algunos dirían que Uri no es un pretendiente adecuado para una dama de mi linaje, pero Robian sí lo era y, sin embargo...».

Cerró los ojos. No se arrepentía de lo que sentía por Uri. Fuera quien fuese. Él valía la pena. Lo que habían compartido juntos... no tenía precio.

Pensó entonces que quizá no volviera a verlo nunca más, y en esta ocasión no fue capaz de reprimir las lágrimas.

Capítulo XIV

el final
que tuvo la historia
de la doncella Viana
de Rocagrís.

SIGUIÓ LLORANDO durante buena parte de la noche y el día siguiente. Sus carceleros creyeron que se quejaba del cruel destino que la aguardaba y que se haría efectivo al ponerse el sol. Pero Viana lloraba por Uri, por lo que habían vivido juntos y por los instantes que ya no compartirían.

Durante un instante de lucidez, trató de buscar la forma de escapar de su prisión, pero enseguida se dio cuenta de que resultaba inútil. La puerta estaba firmemente cerrada y era sólida y pesada. El minúsculo ventanuco, por el cual se filtraba un rayo de luz, estaba demasiado alto y, de todas formas, era demasiado pequeño como para que pudiera salir por él. Las paredes carecían de grietas o de losas sueltas. El techo estaba hecho de piedra maciza.

No había modo de salir de allí. De lo contrario, las historias que había inventado junto a Belicia, cuando ambas eran niñas, no habrían incluido un final feliz: el encierro de los rufianes del reino en las mazmorras de Normont había sido siempre definitivo.

Cuando los bárbaros acudieron a buscarla para su ejecución, Viana ya se había resignado a su destino. Una parte de ella incluso se sentía aliviada, porque por fin podría dejar de luchar. Lo cierto era que estaba cansada de ir siempre a contracorriente. Pero lo sentía mucho por Uri. Lo que más deseaba en aquellos momentos, pensó mientras la conducían al cadalso, era saber que él iba a estar bien, que alguien lo rescataría de las garras de Harak y lo devolvería a su bosque. Odiaba la idea de tener que morir sin haber podido hacer nada por él. No solo no lo había ayudado a salvar a su pueblo, sino que además lo había entregado involuntariamente a sus enemigos.

Mientras subía al estrado, paseó la mirada por la multitud que se había reunido en la plaza buscando algún rostro amigo al que poder gritarle: «¡Salva a Uri!», y expresar así su última voluntad. No vio a nadie conocido, pero se sorprendió al descubrir numerosos gestos de compasión y simpatía hacia ella. Muchas mujeres lloraban, y algunas personas parecían querer transmitirle su apoyo. Había, en general, mucha tensión en el ambiente. Los bárbaros, y especialmente el verdugo, que esperaba con su hacha junto al tajo cubierto de sangre seca, eran el blanco de miradas abiertamente hostiles.

«Están conmigo», comprendió Viana, sintiendo una extraña calidez por dentro. «Lamentan mi suerte. Me aprecian. Eso significa que... ¿me conocen? ¿Saben acaso quién soy?».

Buscó a Harak con la mirada, deseando descubrir si aquello lo alteraba o molestaba de alguna manera, pero ni él ni el brujo estaban presentes. Viana interpretó este hecho como una manera de demostrar al pueblo que la muchacha rebelde no era importante para él. Ni siquiera merecía que la considerara un enemigo. No era mejor ni peor que un criminal común, nadie por quien un rey debiera preocuparse.

Era también una forma de decirle a Viana que todo lo que había hecho no había servido para nada.

Sintió de nuevo ganas de llorar y apretó los dientes con rabia. No debía desfallecer ahora, pese a que Harak le había asestado un último golpe con el que no contaba. Trastabilló cuando la obligaron a arrodillarse y casi cayó de bruces sobre el tajo. El verdugo la colocó correctamente y aferró el mango de su hacha.

«Todo ha terminado», pensó Viana, afligida. «Madre, padre, Lobo... Uri... Lo siento tanto...».

—¡Larga vida a Viana de Rocagrís! —se oyó de pronto una voz estentórea entre la multitud.

—¡Larga vida... larga vida! —corearon varias.

Viana abrió los ojos, pensando que aquella consigna no tenía mucho sentido, dadas las circunstancias. Descubrió que el público parecía enfurecido, como si no se resignara a ver morir a su heroína ante sus ojos. Un huevo podrido voló desde algún lugar de las primeras filas; Viana no llegó a ver dónde acertaba, pero oyó el impacto y la subsiguiente maldición del verdugo. De pronto, y como si se hubiesen puesto de acuerdo, los ciudadanos de Normont empezaron a lanzar más huevos a los bárbaros del cadalso. La propia Viana estuvo a punto de recibir un impacto, pero no le importó. Sonrió para sí y volvió a lamentar que Harak no estuviese presente. Le habría encantado verlo reaccionar ante aquella lluvia de huevos pestilentes.

Los bárbaros rugieron ante la afrenta y trataron de contener a la multitud. El verdugo, intentando recobrar la dignidad perdida, hizo caso omiso de la insurrección de su público y tomó de nuevo el hacha.

Y justo en aquel momento, algo voló hacia él con rapidez y precisión letales.

No era un huevo, pero los bárbaros no lo descubrieron hasta que fue demasiado tarde. El verdugo no tuvo tiempo de emitir el menor sonido. Sus ojos se abrieron con sorpresa y el mango del hacha resbaló entre sus dedos. Aún pudo bajar la cabeza para contemplar, incrédulo, el astil de la flecha que sobresalía de su pecho, antes de desplomarse pesadamente sobre Viana.

La joven ahogó un gemido. No entendía qué estaba sucediendo porque, arrodillada como estaba con la cabeza sobre el tajo, tenía una visión muy limitada de la situación. Pero sintió el peso del cuerpo del verdugo sobre ella, y su primera reacción fue tratar de sacudírselo de encima.

Los guardias no se lo impidieron. Estaban demasiado desconcertados, divididos entre sus denodados esfuerzos por contener a la multitud y el hecho de que no entendían por qué se había derrumbado el verdugo.

Entonces más flechas silbaron en el aire y fueron ensartando a los bárbaros, uno tras otro. Los asistentes a la ejecución soltaron un grito unánime:

–¡Larga vida a Viana de Rocagrís!

Y asaltaron el cadalso. Sacaron los garrotes, porras y dagas que habían estado ocultando bajo sus ropas y se abalanzaron contra los pocos guardias que quedaban con vida.

Viana, sin comprender aún lo que estaba pasando, logró quitarse de encima el cuerpo sin vida del verdugo y contempló, confundida, la flecha que adornaba su pecho. Alguien la empujó a un lado en medio de la turba, y sintió de pronto que la agarraban con fuerza por el brazo.

–¡Ay! –protestó.

–¿Te vas a dejar rescatar, o no? –le espetó entonces una voz que conocía muy bien.

Viana lo miró, incrédula. Su salvador ocultaba su rostro bajo una capucha oscura, pero ella sabía quién era.

–¿Lobo?

–Los agradecimientos después, pequeña. Salgamos de este nido de bárbaros.

–Pero Uri... –pronunció, todavía confusa.

–Diablos, Viana, ¿es que no eres capaz de mantener la boca cerrada ni siquiera en un momento como este? –gruñó Lobo, exasperado.

La joven no tuvo ocasión de replicar porque él se la llevó a rastras del cadalso. La muchedumbre les abrió paso y se cerró tras ellos para cubrir su huida, hasta que encontraron un refugio en un callejón alejado del bullicio. Viana se detuvo para recuperar el aliento.

–Lobo –pudo decir, aún perpleja–. ¿Qué estás haciendo aquí?

423

–Salvarte el pellejo una vez más. Y de nada, por cierto.

–No, no... Quiero decir... que te lo agradezco mucho... Pero es que no te esperaba. ¿Cómo has podido llegar tan rápido? Dorea dijo que os fuisteis del campamento hace casi dos semanas. ¿Cómo ha podido alcanzaros Airic?

–¿Airic? –repitió Lobo–. No he visto a ese muchacho desde que se empeñó en quedarse en el bosque a esperarte. Para alivio de su madre, debo decir. Ya se ha metido en demasiados líos por tu culpa.

Viana enrojeció.

–Yo no pretendía... –empezó a decir; se detuvo un momento al atar cabos–. Espera... Si no has venido porque Airic te ha dado mi mensaje...

–¿Qué mensaje?

Viana respiró hondo, tratando de poner en orden sus ideas. Era demasiada información para contársela de golpe. Además, Airic se había llevado consigo la cantimplora llena de savia mágica que probaría sus argumentos ante Lobo.

–He descubierto... algo acerca de los bárbaros –empezó con prudencia–. Estuve en el Gran Bosque, con Uri. Y los vi. Ellos están allí también, y han conseguido algo... una especie de arma secreta que les dará ventaja en la guerra, incluso si contamos con el apoyo de los reyes del sur.

–¿Qué clase de arma?

Viana enrojeció todavía más.

–No lo tengo muy claro –respondió evasivamente–, pero sé que Harak ha reunido aquí a su ejército porque quiere compartirla con ellos.

Esperaba que Lobo le dedicara algún comentario sarcástico, pero, para su sorpresa, se quedó pensativo.

–He oído que ha convocado a los jefes de todas las tribus para un gran banquete esta noche –comentó frunciendo el ceño–. Podría ser algún tipo de costumbre bárbara: los jefes brindan por la victoria en una épica noche de borrachera. Después de todo, en los últimos días no han hecho otra cosa que meter en el castillo carros y más carros cargados de barriles. Pero puede que haya algo más. Por lo que sé, se trata de algo muy exclusivo. No habrá esclavos ni sirvientes, ni siquiera mujeres. Solo Harak y los jefes bárbaros. Y eso me dio mala espina desde el principio.

Viana sintió crecer su desasosiego.

–Tenemos que entrar en el castillo –urgió–. Han capturado a Uri. Quizá podamos rescatarlo mientras Harak y los suyos están en el banquete.

–¿Cuántas veces tendré que repetírtelo? –saltó Lobo–. No formamos un equipo. No perteneces a la rebelión. Llevo varios días planeando este asalto y tú no... espera un momento –se interrumpió–. ¿Te refieres a ese pequeño salvaje que te acompaña a todas partes? ¿Para qué querrían capturarlo los bárbaros?

Pero Viana estaba formulando una pregunta a su vez:

–¿Vas a entrar en el castillo? ¿Cómo es posible que lleves varios días planeando el asalto si nosotros llegamos ayer?

Ambos se detuvieron y se miraron, confusos.

–¿Qué te hace pensar que todo gira en torno a ti y a tu chico salvaje? –gruñó Lobo.

–Yo... –Viana se calló al escuchar fuertes voces procedentes de la calle principal.

–Te buscan –dijo Lobo entre dientes–. Vámonos.

De nuevo, Viana se dejó arrastrar por las callejuelas de la ciudad. Finalmente, Lobo la condujo hasta un sótano en las afueras en el que aguardaban Garrid y algunos otros hombres.

–Viana –saludó este sonriendo–. Me alegro de ver que el rescate ha tenido éxito.

–¿Qué hacéis todos aquí? –preguntó ella, aún desconcertada–. ¿Y cómo sabíais que me iban a ejecutar?

–Los pregoneros lo han anunciado a los cuatro vientos –dijo Lobo–. Está claro que Harak quería asegurarse de que todo el mundo se enteraba de que había capturado por fin a esa molesta chica de los bosques. Y nosotros, en realidad, estábamos aquí por otro motivo. Solo espero que el numerito de esta tarde no alerte a los bárbaros sobre nuestros planes. Se suponía que nuestra presencia en la ciudad era secreta –concluyó, disparándole una mirada de pocos amigos.

Viana agachó la cabeza, algo avergonzada.

–Lo siento mucho –dijo–. Yo también debía estar aquí de incógnito. Pero nos topamos con el brujo, y él reconoció a Uri... –se le quebró la voz. De pronto, todo a su alrededor pareció derrumbarse. La tensión que había acumulado en las últimas horas dejó paso a un profundo cansancio. Ocultó la cara entre las manos, temblando. De nuevo deseaba llorar y tenía que luchar para contener las lágrimas.

Lobo la ignoró deliberadamente.

—¿Y bien? —preguntó a sus hombres—. ¿Cómo han acabado las cosas en la plaza?

—La multitud se ha dispersado a tiempo —respondió Garrid—. Solo hemos de lamentar un par de narices rotas, un ojo a la funerala y un brazo dislocado. Ya hemos avisado a los que participaron en la revuelta de que deben abandonar la ciudad unos días, por si los bárbaros toman represalias.

—Pero parece que están más preocupados por la reunión de esta noche —añadió otro de los rebeldes—. Además, Harak no puede mostrar al pueblo que está molesto por la fuga de Viana. Se ha esforzado mucho en fingir que no es más que una mosca inoportuna y no una verdadera amenaza.

—¿Soy una verdadera amenaza? —murmuró ella.

—Lo has desafiado varias veces, y además eres mujer —dijo Lobo—. No le has hecho verdadero daño, claro, pero para el pueblo eres un símbolo de la resistencia contra los bárbaros. Admiran tu valor y tu descaro. No se puede esperar del pueblo que entienda de guerras y estrategias, claro —añadió desdeñosamente—. Cualquier cosa los impresiona.

Viana pensaba con rapidez.

—¿Quieres decir... que si yo iniciara una rebelión, la gente me seguiría?

—Es probable —admitió Lobo—. Y sería una masacre. No cometas más locuras, Viana. Prometí a tu padre que cuidaría de ti y no pienso permitir que te precipites hacia el desastre... otra vez.

427

Viana sonrió para sí. En su último encuentro, Lobo había dejado claro que no tenía intención de seguir manteniendo su promesa. Quizá el tiempo había templado su enfado.

Por si acaso, ella no insistió.

—Pero hay algo que no entiendo —murmuró—. Dorea dijo que ibais en dirección al sur para esperar al ejército de Harak al otro lado del Piedrafría. ¿Qué hacéis aquí?

—Hemos venido a rescatar a una dama —respondió Garrid con orgullo; Lobo le dirigió una mirada asesina.

—¿A una dama? —repitió Viana sin comprender.

—No se refiere a ti —se apresuró a aclarar Lobo—. Lo de esta tarde ha sido un imprevisto. En realidad...

—Vamos a salvar a Analisa de Belrosal de las zarpas del rey Harak —concluyó Garrid, al parecer sin advertir que Lobo no tenía intención de compartir aquella información con Viana.

Pero ella lo entendió enseguida.

—Es la niña a la que casaron con Harak —murmuró—. La nueva reina de Nortia. Pero después de las bodas, la abandonasteis a su suerte. ¿Por qué queréis rescatarla ahora, después de todo este tiempo?

Garrid pareció algo confuso.

—Viana... —empezó Lobo, con un cierto tono de advertencia. Pero ella se enfadaba por momentos.

—¿Y por qué a ella y no a mí, o a Belicia? Es porque tiene sangre real, ¿verdad? ¿O es para darle a Harak en las narices? ¿Y qué pasa con todas las demás doncellas de Nortia que se ven obligadas todas las noches a compartir su lecho con un esposo bárbaro? ¿Por qué no habéis pensado antes en ellas?

–¡Viana, basta ya! –exclamó Lobo–. Luchamos por vosotras en la guerra. Peleamos hasta la muerte precisamente para evitar que los bárbaros os pusieran la mano encima. Muchos caballeros y soldados murieron entonces, mientras las damas bordaban y tañían sus laúdes, bien protegidas entre los muros de sus castillos. Pero, por si no lo recuerdas, perdimos esa guerra. Y no es tan sencillo volver a levantar un ejército con los despojos de la derrota.

–No es culpa nuestra si los hombres nos han obligado a mantenernos al margen de todos los asuntos importantes –se defendió Viana.

–¿Por qué crees que insistí en enseñarte a luchar? Y si no recuerdo mal, tú misma te sentiste ofendida ante la idea, por considerarlo impropio de una doncella.

Viana enrojeció.

–Es lo que me habían enseñado.

Lobo suspiró, cansado.

–Bien –dijo–. Como imagino que no vas a conformarte con haberte dejado rescatar, te informo de que esta noche entraremos en el castillo y sacaremos de allí a la joven reina. Y –añadió tras pensarlo un instante– tú vendrás conmigo; trataremos de buscar también a tu muchacho salvaje.

El corazón de Viana dio un salto de alegría.

–¿De verdad?

–Si no lo hacemos así –replicó Lobo–, seguro que te las arreglarás para seguirnos por tu cuenta y arruinar la expedición.

Viana abrió la boca para protestar, pero en el último momento decidió callar. Si hacía enfadar a Lobo, tal vez él cambiase de opinión y no le permitiese acompañarlo.

Y la vida de Uri dependía de aquella incursión.

No tardaron en ponerse en marcha. Viana apenas tuvo tiempo de cenar algo y descansar un poco, porque ya había anochecido y la reunión de los bárbaros estaba a punto de comenzar. La joven se sintió un poco desconcertada cuando descubrió que Lobo guiaba a los rebeldes hasta las afueras de la ciudad, dejando atrás el castillo real. Se detuvieron en el primer cruce de caminos. Allí los aguardaba otro de los rebeldes con un par de caballos ensillados.

—Esperadnos aquí —ordenó Lobo—. Volveremos antes del amanecer.

Viana tenía muchísimas preguntas, pero se obligó a sí misma a guardar silencio. Siguió a Lobo a través de un terreno abrupto que se alejaba de cualquier zona habitada. Sin embargo, cuando Lobo hizo un alto en medio de la nada, Viana no pudo evitar preguntar:

—¿Qué hacemos aquí? Se supone que tenemos que entrar en el castillo...

—Siempre tienes que cuestionarlo todo —gruñó Lobo—. Calla y observa, y a ver si aprendes algo de una vez.

Viana se sintió algo molesta, pero obedeció. Observó con curiosidad cómo Lobo miraba a su alrededor. Finalmente, pareció encontrar lo que buscaba, porque avanzó hasta el pie de un enorme roble y empezó a manipular algo en la base del tronco.

Viana acarició la corteza del gran árbol y se estremeció al recordar a Uri. Una parte de ella todavía se resistía a creer que la conclusión a la que había llegado fuera la acertada. Era demasiado fantástico, demasiado descabellado. Y, por otra parte... Contempló la silenciosa sombra del roble a la luz de la luna. No era posible que una persona se enamorase de un árbol. ¿O sí?

La voz de Lobo la sobresaltó y la hizo volver a la realidad.

–Parece que ya está.

Sonó un breve chirrido. Viana se acercó con curiosidad y descubrió con sorpresa que había una pequeña puerta disimulada entre las raíces del gran roble. Su imaginación se disparó y no pudo contener su emoción.

–¡Un pasadizo secreto!

Lobo le dirigió una breve mirada.

–Veo que tu padre no exageraba cuando decía que leías demasiadas novelas.

–¿No es un pasadizo secreto? –dijo Viana, decepcionada.

Lobo dejó escapar una carcajada.

–Sí, lo es –admitió, agachándose para introducirse por el túnel–. Pero las jovencitas como tú no deberían saber estas cosas.

–¿Por qué? –quiso saber Viana, entrando tras él–. Los pasadizos secretos están en todas las historias emocionantes. Sirven para que los enamorados puedan encontrarse en secreto y para que los reyes y reinas puedan escapar del castillo en momentos de peligro.

Se detuvo un momento en la oscuridad, hasta que Lobo encendió una antorcha que iluminó el estrecho pasadizo que se abría ante ellos.

–Sí, bueno... También sirven para que los príncipes aburridos escapen de sus tediosas obligaciones y vayan al pueblo de incógnito a correrse juergas con sus amigotes.

–No creo que... vaya –se interrumpió Viana al comprender lo que Lobo quería decir–. ¿De modo que tú, mi padre y el rey Radis...?

–Cuando era el príncipe Radis –puntualizó Lobo–. En cualquier caso, esto lleva aquí desde tiempos de los primeros reyes de Nortia, de modo que seguramente ha tenido usos diversos.

Viana recordó entonces que Belicia le había contado que, el día de la invasión bárbara, la reina había tratado de salvar a su hijo menor sacándolo de la ciudad por un pasadizo secreto.

–Lobo, ¿sabes que el príncipe Elim intentó escapar por aquí?

–Lo había oído –asintió él–. Pero creo que lo interceptaron en el camino. Este pasaje sigue siendo seguro; de lo contrario, Harak lo habría hecho cerrar.

«Eso espero», se dijo Viana.

El túnel daba vueltas y más vueltas entre raíces retorcidas y enormes bloques de piedra. Más adelante lo cruzaba un hilillo de agua, como un riachuelo. Alguien –quizá el mismo rey Radis en su juventud– se había molestado en colocar un tablón a modo de puente para que los que hiciesen uso del pasadizo no tuviesen que mojarse las botas.

–Lobo –dijo entonces Viana para romper el denso silencio–, ¿qué hay detrás de este rescate? ¿Por qué vas a sacar a Analisa del palacio ahora? ¿Por qué no esperas hasta que los bárbaros partan a la guerra y todo esto esté más tranquilo?

Lobo tardó un poco en contestar.

–Hace ya tiempo –le llegó entonces su voz desde la penumbra– que estoy en contacto con la marquesa de Belrosal.

Viana asintió. Recordaba a la marquesa, la prima del rey Radis, que se había arrojado a los pies de Harak para suplicarle que la tomase a ella por esposa, en lugar de a su hija de diez años.

–Ella vive en la corte –prosiguió Lobo–. Le permitieron quedarse con la pequeña reina como dama de compañía. Y encontró el modo de ponerse en contacto conmigo porque se enteró de que estábamos preparando una rebelión.

»Durante todo este tiempo, he estado recibiendo informes cifrados a través de un mensajero de confianza. La marquesa ha sido mi espía en la corte y ha prestado una ayuda inestimable a la rebelión. Pero hace una semana, me llegó un mensaje suyo en el que me pedía ayuda.

–Te suplicaba que rescatases a su hija, ¿verdad? –adivinó Viana.

Lobo asintió.

–Analisa ya no es una niña –dijo solamente.

Viana tardó un poco en comprender lo que quería decir.

433

–¿Ya no es una niña? Quieres decir... que la ha visitado la doncella de rojo, ¿no?

–¿Es así como las damas finas llamáis al menstruo? –preguntó Lobo a bocajarro, y Viana se ruborizó a su pesar.

–No se considera apropiado hablar tan abiertamente de asuntos femeninos, Lobo –lo reprendió–. Pero... –añadió reflexionando sobre aquella nueva información–, si la reina ya no es una niña... significa eso que podría concebir... un heredero para Harak. ¿Es eso?

Lobo asintió de nuevo.

–Harak no ha mostrado el menor interés por su esposa desde que se celebraron las nupcias –explicó–. La ha mantenido en el castillo como una posesión más, como un objeto decorativo. Pero no tardará en enterarse de que ella ya podría quedar embarazada, y en tal caso...

Viana se sintió horrorizada al imaginar a la pequeña Analisa entre las garras de aquel bruto.

–¡Hay que sacarla de allí cuanto antes! –exclamó.

–Sí, yo había llegado a la misma conclusión.

–¿Para que Harak no engendre un bastardo de sangre real que tenga derechos sobre el trono de Nortia? –adivinó Viana. Su voz tenía cierto tono acusador, y Lobo lo notó.

–Por eso... y también porque no soporto la idea de abandonar a esa niña a su suerte. No pude rescataros ni a ti ni a Belicia –añadió en voz baja–. He de hacer algo por Analisa. Y si pudiera...

No terminó la frase, pero no fue necesario. Viana se sintió conmovida y resolvió no hacer más preguntas sobre el tema.

Siguieron avanzando. Cuando la joven ya empezaba a desesperarse, el túnel acabó en una escalerilla herrumbrosa clavada en la roca. Lobo subió por ella y Viana lo hizo también.

Desembocaron en otro pasadizo. Este, sin embargo, no estaba excavado en la roca, sino que había sido construido entre paredes de enormes losas de piedra. También era estrecho, aunque parecía más confortable y menos húmedo. Pequeños rayos de luz bañaban el camino, procedentes de diminutos agujeros practicados en el muro que se alzaba a su derecha.

—Ya estamos en el castillo —susurró Lobo.

—Lo había supuesto —respondió Viana en el mismo tono—. Y ahora, ¿qué?

—No te hagas la lista. Debemos llegar hasta las dependencias reales sin que nos oigan. Una vez allí, pasaremos a la segunda parte del plan.

Viana no preguntó en qué consistía. Estaba nerviosa ante la posibilidad de volver a ver a Uri.

Mientras avanzaban por el pasadizo, les llegó a lo lejos un estruendo de voces y risotadas amortiguado por los muros de piedra.

—Nos acercamos al salón del trono —informó Lobo.

Viana asintió, con los cinco sentidos alerta.

El bullicio se oía cada vez con más intensidad. Entonces Lobo se detuvo junto a un par de pequeños agujeros practicados en la pared y espió a través de ellos. Viana recordó que, en algunas de sus historias favoritas, las paredes de los pasadizos secretos estaban salpicadas de orificios a través de los cuales se podía mirar. A menudo estaban disimulados en los ojos de los cuadros que adornaban las estancias de los palacios. Este detalle siempre se le había antojado un tanto siniestro, pero, en aquel momento, la posibilidad de poder dirigirle a Harak una mirada terrible desde el retrato de algún antiguo rey de Nortia le pareció de lo más excitante.

–Están reunidos –murmuró Lobo–, bebiendo y vociferando como siempre. Y, por lo que parece, solo están Harak, los jefes de los clanes y un par de criados sirviendo las mesas. Me pregunto qué se traerán entre manos. Los bárbaros nunca se andan con secretos, prefieren atacar de frente.

–Déjame ver –respondió Viana, apartándolo de un empujón.

Tuvo que ponerse de puntillas para alcanzar la mirilla. Atisbó a través de los orificios para observar la escena que Lobo acababa de describirle.

Repartidos a lo largo de una mesa rectangular, los jefes de los clanes bárbaros disfrutaban de un opíparo banquete. Harak presidía la reunión con una sonrisa de autosuficiencia. A su lado se sentaba el brujo, que, sin embargo, no estaba disfrutando de la comida. Tenía ante sí una solitaria escudilla de caldo que no parecía haber tocado.

Viana detectó, además, dos detalles que Lobo parecía haber pasado por alto.

En primer lugar, al fondo de la sala había varios toneles como los que habían usado en el Gran Bosque para recoger la savia mágica.

En segundo lugar, atado a la pata de la silla de Harak... estaba Uri.

A Viana se le rompió el corazón al verlo. La mayoría de los bárbaros hacían caso omiso de él, pero algunos lo trataban como a un perro: le lanzaban restos de comida, le hacían gestos burlones e intentaban provocarlo para que los mordiera. Uri apenas reaccionaba. Se había hecho un ovillo en el suelo, lo más lejos posible de Harak. Cuando alguien le dio una patada al pasar, Viana rugió de furia. Por fortuna, el estruendo de la sala era tal que nadie la oyó.

—¡Tienen a Uri! —gimió, lanzando una mirada suplicante a Lobo—. ¡Tenemos que sacarlo de ahí

El caballero volvió a espiar por la mirilla y descubrió a Uri a los pies de Harak.

—Le gustarán las mascotas exóticas —murmuró, para indignación de Viana—. Me gustaría poder decirte que vamos a ayudarlo, pero no veo cómo vamos a poder sacarlo de un salón lleno de bárbaros.

—Pero... —empezó Viana; sin embargo, se calló al darse cuenta de que, al otro lado de la pared, el salón del trono parecía haber enmudecido.

Lobo y Viana forcejearon para mirar al mismo tiempo y terminaron apropiándose cada uno de un agujero.

Los bárbaros guardaban silencio porque Harak se había levantado de su asiento y se disponía a hablar.

—Hemos llegado justo a tiempo —dijo Lobo, satisfecho—. Por fin podré enterarme de lo que trama ese chacal.

Viana ya lo sospechaba, pero permaneció en silencio.

Harak estaba dirigiendo un discurso a los jefes de los clanes en la tosca lengua de su tierra. No era un parlamento muy florido; los bárbaros no solían hablar de más. Lobo fruncía el entrecejo para tratar de entender lo que decía, pero le resultaba difícil, puesto que solo conocía unas pocas palabras en el idioma de los invasores. Viana, por el contrario, había convivido con ellos durante varios meses y pudo comprender mejor el discurso del rey.

Hablaba de un arma que los haría invencibles. De algo que les permitiría conquistar el mundo entero. Cuando les dijo a sus invitados que iba a compartir con ellos el mágico secreto de su imbatibilidad, todos rugieron mostrando su acuerdo.

—¿De qué diablos está hablando? —gruñó Lobo.

—Espera y lo verás —susurró Viana; no se le había escapado que, a una seña de Harak, dos sirvientes arrastraban uno de los barriles hasta la mesa.

Los bárbaros guardaron silencio mientras observaban, con curiosidad, cómo los criados destapaban el barril. Entonces Harak les ordenó que permanecieran de pie junto a la mesa, introdujo su manaza en el interior y la sacó embadurnada de un líquido blanquecino. «Savia del Gran Bosque», pensó Viana con un estremecimiento.

—¿Qué es eso? ¿Qué es eso? —decía Lobo con frustración, tratando de obtener una perspectiva más amplia.

—Espera y lo verás —repitió Viana.

Pero no estaba preparada para lo que sucedió a continuación. Harak ordenó a los dos sirvientes que se quitaran la camisa y untó de savia el pecho de uno de ellos. Solo de uno.

Acto seguido, y antes de que nadie pudiese adivinar sus intenciones, extrajo una daga de su cinto y atravesó sucesivamente el corazón de los dos.

Algunos bárbaros lanzaron una exclamación de sorpresa; otros rieron, pensando que había sido un capricho de su rey que había que celebrar. Pero todos contemplaron impasibles cómo ambos criados agonizaban ante ellos. Uno se desplomó en el suelo, muerto, con los ojos abiertos de par en par, fijos en el techo. El otro, sin embargo, se estremeció y volvió a levantarse, confuso y maravillado. Harak le arrojó una jarra de agua por encima para limpiarle la sangre. Y todos los demás bárbaros dejaron escapar un grito de asombro: la herida de su pecho había sanado milagrosamente.

—Aquí tenéis el ungüento mágico que nos hará invencibles —declaró Harak—. Pero no inmortales —añadió.

Desenfundó el hacha y decapitó allí mismo al pobre criado, que ya sonreía, aliviado, al creer que había escapado de una muerte segura. Su cabeza rodó muy cerca de Uri, que dio un respingo y retrocedió, horrorizado, para no ver la espantosa mueca que había quedado congelada en ella para siempre.

Algunos de los jefes bárbaros aplaudieron la ocurrencia entre grandes risotadas. Pero Harak no había terminado de hablar.

—Cada clan —dijo— recibirá media docena de barriles como este antes de cada batalla. Usadlos bien y nadie podrá derrotaros. Y entonces los Pueblos de las Estepas conquistaremos el mundo entero.

439

Los bárbaros se quedaron un instante en silencio, meditando sus palabras, sin terminar de asimilar lo que acababan de contemplar. Pero después alguien lanzó un grito de alabanza a Harak, y todos los demás se le unieron con vítores y cánticos de victoria y brindaron por la gloria de los pueblos bárbaros.

En el pasadizo secreto, Lobo se había quedado blanco.

–¿Qué... qué ha pasado ahí dentro?

Viana sacudió la cabeza.

–Es lo que he tratado de decirte desde el principio –dijo–. Es un tipo de savia curativa. La obtienen de un árbol maravilloso que crece en el corazón del Gran Bosque. Llevan ya meses recolectándola; hasta hace poco, era solo para Harak, y por eso tenía fama de imbatible. Pero, por lo visto, ahora quiere compartirla con el resto de sus guerreros antes de iniciar la campaña del sur.

Lobo palideció todavía más.

–No puede ser –susurró–. ¿Y de cuántos barriles disponen?

–Por lo que sé, puede que varios centenares. Uri... –se detuvo un momento, tratando de controlar el dolor que sentía en el corazón cada vez que pensaba en él y en la situación en la que se encontraba–, Uri y yo los vimos en el Gran Bosque. Hay muchos de los suyos recolectando savia. Y parecía que llevaban allí bastante tiempo.

Lobo reflexionó.

–Pero eso significa... –dijo por fin–. Si es cierto lo que acabo de ver... no tenemos ninguna posibilidad frente a ellos.

—No —coincidió Viana—, a no ser que destruyamos esos barriles, o que asaltemos a Harak antes de que se unte con eso nuevamente.

Lobo la miró con ojos relucientes.

—Entonces, ¿crees que los efectos no son permanentes? —preguntó.

Viana lo pensó.

—No lo creo —dijo—, porque Harak les ha prometido a los jefes que tendrán más barriles antes de cada batalla. Eso significa que vuelven a ser vulnerables cada vez que se eliminan los restos de savia que queden en su piel. Quizá después de un baño... si es que se bañan alguna vez... o tras un intenso ejercicio físico que les haga sudar mucho.

—Es bueno saberlo —murmuró Lobo, y se separó de la pared con la evidente intención de proseguir su camino.

—¿Qué haces? —le recriminó Viana—. ¡Hay que salvar a Uri!

—Hay que salvar a la reina y a su madre —la corrigió Lobo—. Y he de aprovechar ahora que están todos reunidos en el salón.

—Pero...

—Por el camino —cortó él— seguiré pensando en lo que hemos visto. Y tal vez se me ocurra un plan.

Viana se resignó a dejarlo todo en manos de su mentor. Lo siguió por el pasadizo con docilidad, aunque una parte de ella se quedó atrás, en el salón donde tenían preso a Uri, y se juró a sí misma que no se marcharía del palacio sin él.

Torcieron un par de veces más y subieron por unas escaleras practicadas en el mismo pasadizo hasta lo que Viana adivinó que era el piso superior. Lobo se detuvo un poco más allá. Ante él, a mano derecha, se veía otro haz de luz a la altura de sus pies, mucho más amplio que los que habían visto hasta entonces.

—Es una chimenea —susurró Lobo—. Hace ya tiempo que la sellaron y ahora su función es meramente decorativa, pero nos conducirá hasta los aposentos reales —se volvió hacia ella y le lanzó un fardo de ropa que la muchacha agarró al vuelo—. Ponte esto, rápido.

—¿Qué es?

Lobo suspiró profundamente.

—¿No eres capaz de obedecer una orden sencilla sin hacer una maldita pregunta? ¿Y aún te extraña que te echara de mi ejército?

Viana no se inmutó ante sus palabras. Siguió mirándolo fijamente en la penumbra, con el lío de ropa en la mano, hasta que Lobo suspiró de nuevo y respondió con un gruñido:

—Es un vestido. Yo no puedo llegar hasta las habitaciones de la reina sin despertar sospechas, pero tú, sí.

Viana se llevó una mano al pelo, corto y rebelde. Lobo se adelantó a sus objeciones.

—He pensado en ello; ahí tienes una de esas cosas que usáis las mujeres para taparos la cabeza.

—¿Una redecilla? —preguntó Viana, desplegando el vestido. Varias piezas de ropa cayeron al suelo. Lobo hizo un gesto desdeñoso.

–Ya te gustaría. Hoy serás una criada, no una duquesa.

–Ah, una pañoleta –dijo Viana al localizar la prenda–. Date la vuelta. No quiero que mires.

Lobo puso los ojos en blanco, pero obedeció. Viana procedió a cambiarse en el estrecho pasadizo. Se sorprendió al encontrarse peleándose con las ropas femeninas, igual que tiempo atrás había tenido que esforzarse para embutirse en unas calzas y una camisa de hombre. «¿Tan pronto he olvidado quién soy en realidad?», se preguntó, e inmediatamente: «¿Y quién soy en realidad?». Pero apartó aquellos pensamientos de su mente. No era momento de planteárselos: tenía una misión por delante.

Cuando por fin se sintió cómoda con su vestido de criada, se volvió hacia Lobo, que la observó con aire crítico.

–Supongo que tendrá que servir –dijo finalmente–. Deprisa, sal por el hueco de la chimenea; llegarás a un saloncito cercano a las dependencias de la reina. Solo tienes que seguir el pasillo todo recto y luego torcer a la izquierda. Te estarán esperando.

–¿Y qué les digo? –preguntó Viana, insegura de pronto.

–El santo y seña de la rebelión: «El halcón ha de alzarse de nuevo».

Viana asintió. Sabía que el halcón peregrino era el símbolo de los reyes de Nortia, de modo que era fácil recordarlo. Escondió un puñal en la faltriquera –no pensaba aventurarse desarmada en un nido de bárbaros– y salió a gatas por la chimenea. Echó un vistazo rápido antes de emerger a la habitación, que estaba vacía. Se puso en pie y se deslizó hasta el pasillo.

Una vez allí, se puso en marcha sin perder un instante. Si debía hacerse pasar por una criada del castillo, no podía mostrar vacilaciones.

Trató de caminar con ligereza, pero la pesada falda entorpecía sus pasos. Se preguntó cómo había sido capaz de llevar vestidos durante tanto tiempo.

Siguió las indicaciones de Lobo y llegó hasta los aposentos de la reina. Dudó un instante. La puerta estaba entornada, pero en el interior permanecía a oscuras y en silencio. Quizá no hubiese nadie, o tal vez la niña estuviese durmiendo. Obviamente, ninguna doncella esperaría visita a altas horas de la madrugada.

Pero Viana recordó que Lobo había dicho que la estarían aguardando, de modo que inspiró profundamente y entró en la habitación. La puerta se abrió con un chirrido.

–¿Quién va? –se oyó de pronto la voz de la marquesa de Belrosal. Las cortinas de la cama estaban descorridas, y Viana entrevió, en la penumbra, que la pequeña Analisa se incorporaba entre las sábanas, expectante. Su madre estaba sentada en una silla junto a la chimenea apagada. Viana comprendió que ninguna de las dos había tenido intención de dormir aquella noche, aunque Analisa se hubiese acostado para fingir que la velada transcurría con normalidad.

–Yo... –empezó, un tanto insegura.

–¿Cómo te atreves a perturbar el sueño de la reina? –cortó la marquesa con disgusto–. Ya trajeron el calientacamas hace mucho rato, y hemos dejado claro que esta noche su majestad no tomaría ninguna infusión para dormir.

–Yo... –repitió Viana, desconcertada; recordó entonces el santo y seña, tomó aire y dijo de corrido–: «El halcón ha de alzarse de nuevo».

Sobrevino un silencio sorprendido.

–Madre... –empezó Analisa.

–Silencio –respondió la marquesa bajando la voz–. ¿Quién sois vos? –le preguntó a Viana–. ¿Y quién os envía?

La joven cerró la puerta tras de sí al penetrar en la habitación. Tardó un poco en contestar, porque lo primero que le vino a la mente fue decir: «Lobo». Pero ahora sabía que Lobo no se llamaba así en realidad.

–El conde Urtec, mi señora –susurró–. Está esperándoos para sacaros del castillo a vos y a vuestra hija.

–¡Por fin, madre! –exclamó la reina juntando las manos, sin poder ocultar su alegría.

–Todavía hemos de salir de aquí –replicó la marquesa.

Analisa apartó las mantas y bajó de la cama, y Viana comprobó con satisfacción que estaba completamente vestida.

–¿Cómo vamos a salir del palacio sin que nos vean? –preguntó la niña con nerviosismo.

–Existe un pasadizo oculto tras estos muros, majestad –respondió Viana en voz baja–, y los bárbaros están ocupados con uno de sus banquetes. No nos descubrirán.

Con todo, y a pesar de que el trayecto hasta la entrada del pasadizo era corto, la joven tuvo los nervios a flor de piel hasta que la marquesa y su hija hubieron desaparecido por el hueco de la chimenea.

Entró tras ellas.

–¡Por fin! –susurró Lobo en la penumbra–. Viana, ¿por qué habéis tardado tanto?

–Yo también me alegro de verte.

–¿Viana? –repitió Analisa, contemplando a la muchacha con ojos brillantes–. ¿Sois vos Viana de Rocagrís, la misma que escapó de su esposo bárbaro, que desafió a Harak y que rescató a Belicia de Valnevado de su horrible destino? –y, antes de que ella pudiese explicarle lo que le había sucedido a Belicia, la niña añadió–: Lamenté mucho la noticia de vuestra captura y sentencia de muerte. Pero me alegré de saber que habíais logrado escapar. Nunca había visto a Harak tan furioso.

Viana se permitió esbozar una sonrisa, pese a que el recuerdo de Belicia aún le resultaba doloroso.

–No tenemos tiempo para hablar de eso, majestad –cortó Lobo con cierta brusquedad–. Debemos poneros a salvo.

–Conde Urtec –saludó la marquesa con una breve inclinación–. Celebro que hayáis podido acudir en nuestro rescate.

–Un buen caballero siempre ha de cumplir sus promesas, mi señora –respondió Lobo con gravedad, abriendo la marcha por el estrecho pasadizo.

–Ah, conde Urtec –respondió ella, aligerando el paso para colocarse justo detrás de él–, qué bien sienta a los oídos de una dama volver a escuchar palabras gentiles, después de tanto tiempo habitando entre bárbaros –hizo una pausa y añadió, en voz más baja–: Sí, no me cabe duda de que sois un buen caballero. El destino del reino reposa sobre vuestros hombros y habéis demostrado que estáis a la altura de esa responsabilidad. Tal vez mi hermana erró al elegir pretendiente. O quizá... fuisteis vos quien cortejó a la hermana equivocada.

Analisa reprimió una risita cuando Lobo trastabilló en el pasadizo.

Pero Viana tenía otras cosas en que pensar, y apenas prestó atención a los requiebros de la marquesa.

–Lobo, ¿qué pasa con Uri? ¿Y con los barriles de savia?

–Viana, en estos momentos tenemos otra prioridad.

Ella se mordió la lengua para no exigir el rescate inmediato de Uri; sabía que Lobo no cambiaría sus planes por él.

–¿Vas a permitir entonces que el ejército de Harak se vuelva invencible? –le espetó–. Si entrega esos barriles a los jefes de los clanes...

–¿Barriles? –repitió la marquesa ladeando la cabeza.

Lobo se detuvo un momento.

–¿Sabéis algo de eso?

–Harak lleva varios meses almacenando barriles en los sótanos del castillo –arrugó la nariz–. Supongo que se trata de cerveza, aguardiente o alguna cosa parecida.

–¿En los sótanos? –repitió Lobo–. ¿Os referís a las mazmorras?

–Oh, no, no. En el ala norte del castillo hay una gran cámara subterránea que los antiguos reyes de Nortia utilizaban como almacén de reliquias. Armas y armaduras, trajes de gala, cetros, tapices... incluso algunas joyas. Esa cámara contenía una parte muy importante de la historia de Nortia –suspiró–, pero llegaron los bárbaros y lo saquearon todo. Vaciaron su contenido en el patio del castillo, se repartieron los objetos a los que encontraron algún valor y el resto lo quemaron en una hoguera.

Lobo se estremeció de rabia, pero no dijo nada. La marquesa prosiguió:

—Y todo para llenar la cámara real con sus apestosos barriles de licor.

—No es licor... –empezó Viana, pero Lobo la hizo callar con un gesto.

—Conozco esa cámara –dijo–. Entré en ella en una ocasión con el rey Radis, cuando era príncipe. Quiso enseñarme el manto que luciría durante su coronación. En teoría, solo los reyes de Nortia tienen la llave de la cámara real, pero Radis conocía otra manera de entrar... a través de estos mismos pasadizos –hizo una pausa–. Creo que valdría la pena hacer una visita a los sótanos del castillo antes de salir.

—¿Vos también sois aficionado a la bebida, conde Urtec? –le recriminó la marquesa con disgusto–. ¡Jamás lo habría imaginado!

—Os lo explicaré por el camino, mi señora. Démonos prisa; el banquete de los bárbaros estará a punto de finalizar.

Lobo trató de ponerse en marcha de nuevo, pero Viana le tiró de la manga.

—Espera. ¿Qué pasa con Uri?

—Ahora no podemos ocuparnos de él, Viana –fue la respuesta–. Lo siento.

Ella no dijo nada. Suspiró y siguió a Lobo y a las dos damas a través del pasadizo, fingiendo estar conforme con su decisión. Pero fue quedándose atrás poco a poco, deliberadamente, hasta que se detuvo por completo.

Ni Lobo ni la marquesa se percataron de este hecho. La joven reina Analisa, sin embargo, se volvió un momento y miró a Viana con expresión interrogante. Ella se puso un dedo sobre los labios, indicando silencio. Analisa asintió, con los ojos brillantes de emoción, y siguió a Lobo y a su madre por el túnel secreto, sin volver a preocuparse por el hecho de que Viana no los acompañaba. La joven comprendió que no la delataría.

Volvió, pues, sobre sus pasos, decidida a rescatar a Uri como fuera. Contaba, además, con la ventaja de que iba disfrazada de criada, por lo que le resultaría más fácil pasar desapercibida. De nuevo salió por el hueco de la chimenea y se deslizó por los pasillos del castillo.

En esta ocasión, sin embargo, no disponía de indicaciones que la ayudaran a llegar hasta su destino. Conocía el gran salón donde los bárbaros estaban celebrando su inminente conquista de los reinos del sur: era el mismo lugar donde, año tras año, los reyes de Nortia habían reunido a sus nobles para conmemorar el solsticio de invierno. Pero nunca, ni siquiera cuando había acudido allí como la heredera de Rocagrís, se le había permitido visitar las dependencias reales. De modo que recorrió las estancias del castillo, al azar, aguzando el oído por si captaba los sonoros cánticos de los bárbaros. Descendió por fin por una amplia escalera que la condujo hasta el piso inferior, que conocía bastante mejor. Respiró hondo y se dirigió a la cocina.

Dado que el banquete estaba tocando a su fin, no reinaba demasiada agitación. Toda la comida se había servido ya, y hacía rato que las puertas del gran salón se habían cerrado a cal y canto. Las criadas recogían la cocina y fregaban los pucheros, comentando entre ellas los pormenores de la jornada. Viana se quedó en la entrada, a sus espaldas, y paseó la mirada por la estancia. Descubrió una pesada jarra de vino sobre una de las mesas y se la llevó sin hacer ruido.

Así pertrechada, se encaminó al salón, esperando que la confundieran con una sirvienta y la dejaran pasar. Sabía que no permitían entrar a nadie, y que los criados que habían estado presentes durante la cena habían sido asesinados por Harak para que no revelaran a nadie lo que habían visto allí. Pero Viana tenía que intentarlo. No se le ocurría nada mejor.

Dobló una esquina y casi tropezó con un caballero. Viana murmuró una disculpa mientras sostenía mejor la jarra para que no salpicara, y bajó la cabeza rápidamente; había estado a punto de mirar al noble a los ojos, cuando se suponía que era una sirvienta. Iba a proseguir su camino cuando él la sujetó por el brazo.

–¡Espera!

–Mi señor, dejadme ir… –empezó Viana con el corazón desbocado.

–¿Viana? –dijo él.

Ella alzó la cabeza por fin y casi dejó caer la jarra de la sorpresa.

–¡Robian!

Era él, sin duda. No había pasado tanto tiempo desde su último encuentro en la cabaña del bosque, pero, aun así, a Viana le pareció un poco más cansado.

–¿Qué haces aquí? –preguntaron los dos a la vez.

–¡Baja la voz! –añadió Viana enseguida–. ¿Quieres que me descubran?

–¿Qué es lo que pretendes entrando en el castillo vestida de esta guisa? –quiso saber Robian–. ¿Acaso vas a servir a Harak una copa de vino envenenado?

Viana contempló la jarra que sostenía en sus manos y lamentó que no se le hubiese ocurrido esa posibilidad.

–He de entrar en el salón –dijo solamente.

–Nadie puede entrar en el salón, Viana. Solo los jefes bárbaros pueden estar presentes. A los caballeros del rey nos han encomendado la tarea de montar guardia.

Viana alzó la cabeza para mirarlo a los ojos.

–¿Me delatarás?

Seguramente Robian no había olvidado que ella lo había dejado en ridículo ante su criado, pero Viana esperaba que tampoco hubiera desaparecido de su memoria el tiempo que habían pasado juntos. O la forma en que él la había traicionado, entregándola a los bárbaros.

Sí, aún quedaban cuentas que saldar, se dijo con amargura.

–¿Se trata de algún descabellado plan de los rebeldes? –adivinó él, sin responder a la pregunta.

–Quizá –dijo ella; se le ocurrió una idea loca–. Únete a nosotros, Robian. Aún no es demasiado tarde. Únete a los rebeldes y lucha por la libertad de Nortia.

El joven suspiró con pesar.

–¿Crees que no lo he pensado una y mil veces? Pero debo velar por mi familia. Si Harak se enterase de mi traición...

Viana no dijo más. Reaccionó con disgusto y le dio la espalda, dispuesta a marcharse. Pero la voz del joven duque la detuvo en medio del pasillo:

–He de entregarte a Harak. Lo sabes, ¿verdad?

Viana se volvió hacia él, con el corazón latiéndole con fuerza.

–Conservo a mi familia, mi título y parte de mis tierras –prosiguió Robian–, pero nadie me respeta. Los nortianos me consideran un traidor, y los bárbaros, poco más que un bufón. ¿Crees que no sé lo que dicen sobre mí? El poderoso duque burlado por una chica rebelde –dijo con amargura–. Mi estancia en Torrespino no es un honor, sino un destierro. Ya no puedo regresar a Castelmar. No, al menos, hasta que haya acabado contigo.

Ella retrocedió un par de pasos.

–La rebelión no tiene ninguna posibilidad, Viana. Todo aquel que pruebe su lealtad al rey Harak tendrá un futuro brillante en la nueva Nortia. A todos los demás: a Lobo, y a ti, y al resto de los rebeldes... no os espera otra cosa que la muerte. Y yo sé en qué bando debo estar. No solo por mí, sino también por mi familia.

Ambos cruzaron una larga mirada. Viana fue más consciente que nunca del abismo que los separaba.

–Podría recuperarlo todo –dijo Robian–, y asegurar mi nombre y mi posición en la corte de Harak... si te entregase a él.

Viana tragó saliva. Sus ojos buscaron una salida, pero no la encontraron. Robian bloqueaba uno de los extremos del pasillo, y el otro conducía a un salón lleno de bárbaros.

–Pero no lo haré –concluyó finalmente–. Ve, sigue tu camino, vayas a donde vayas. Yo no te he visto. Y tú a mí tampoco –añadió tras una pausa.

Viana se sintió inundada por una oleada de alivio.

–Gracias, Robian –murmuró.

Pero él no respondió. Le dio la espalda y se alejó, pasillo abajo, con el paso cansado de un anciano.

Viana reanudó la marcha, con el corazón lleno de pena por todo lo que habían perdido. Si los bárbaros no hubiesen invadido Nortia..., pensó por enésima vez. Se compadeció de Robian por la difícil decisión que se había visto obligado a tomar entonces; sus consecuencias lo perseguirían el resto de su vida.

Para Viana, sin embargo, el joven duque de Castelmar formaba parte del pasado. Ahora debía pensar en Uri, y luchar por él para que ambos pudiesen disfrutar de un futuro juntos.

Por fin llegó ante las puertas del salón del trono. Ante él había dos hombres montando guardia; comprobó con alivio que no eran caballeros de Nortia, que podrían haberla reconocido fácilmente, sino guerreros bárbaros. Trató de aparentar seguridad cuando se encaminó hacia ellos con la jarra entre las manos.

–¿Qué quieres, mujer? –la interpeló uno de los guardias.

Viana alzó la jarra.

–Traigo vino para su majestad –respondió.

Los dos bárbaros se rieron.

–Estúpida mujer. Harak no bebe vino. El vino es para los débiles nortianos.

Viana pensó con rapidez. Había olvidado aquel detalle: los bárbaros preferían cerveza y licores fuertes.

–Este es un vino especial –respondió alzando la jarra ante ellos–. Una bebida exquisita solo destinada a los paladares de los reyes de Nortia. Se lo envía la reina con sus mejores deseos.

Los dos hombres miraron a Viana como si fuera un piojo.

–Harak no bebe vino –repitió uno de ellos.

Viana lo habría estrangulado.

–Este es el vino de los reyes –insistió–. Le gustará.

Los bárbaros cruzaron una mirada y se encogieron de hombros.

–Habrá que probarlo –dijo uno, y alargó la mano hacia la jarra que sostenía Viana. Ella dio un paso atrás para ponerla fuera de su alcance, lo que enfureció al bárbaro.

–Estúpida mujer –masculló.

Pero en aquel momento llegó un soldado corriendo.

–¡Alerta! ¡Alerta! –decía.

Viana se quedó paralizada de terror. ¿La habría delatado Robian, a pesar de haberle dicho que no lo haría?

–¿Qué pasa? ¡Habla! –ordenó uno de los guardias.

–¡La cámara real está ardiendo! –dijo.

Los dos se incorporaron inmediatamente.

–¡La cámara! ¡Los barriles!

Viana se retiró a un segundo plano y contempló cómo los guardias discutían si debían informar o no a Harak, ya que habían recibido órdenes de no interrumpir el banquete bajo ningún concepto. Finalmente optaron por entrar en el salón. La joven escuchó con regocijo el alboroto que se formó en el interior cuando los guardias transmitieron la noticia. No cabía duda de que Lobo había logrado llegar hasta la cámara donde guardaban los barriles y les había prendido fuego.

Cuando los bárbaros salieron corriendo del salón, encabezados por un Harak furioso que no dejaba de vociferar órdenes a todo el mundo, Viana se pegó a la pared, con el corazón latiéndole con fuerza. Pero estaban demasiado ocupados como para fijarse en una simple criada.

Parecía claro que el banquete había tocado a su fin. Viana suspiró, aliviada, porque un verdadero rey de Nortia habría enviado a sus sirvientes a apagar el fuego. Los bárbaros, en cambio, opinaban que las cosas importantes debían hacerlas ellos mismos, ya que un criado o un esclavo podrían estropearlas. Además, Harak no era un necio, y sin duda sospechaba que aquel incendio no se había producido por accidente: probablemente se debía a un ataque y, en tal caso, tendría que luchar.

Poco después, el corredor quedó en silencio. El rey bárbaro y los suyos habían bajado a los sótanos del castillo, y Viana no había visto a Uri con ellos. Respiró hondo y se atrevió a entrar en el salón.

Para su desencanto, descubrió que no todos habían abandonado la estancia. Dos de los jefes bárbaros seguían allí, sentados a la mesa, bebiendo y acabando con los restos de comida que quedaban en las fuentes. Viana comprobó que Uri permanecía encadenado a la pata del trono de Harak, en la misma posición que cuando lo había visto desde el pasadizo. Quizá estuviera herido o inconsciente; a Viana se le encogió el corazón.

No podía dejarlo allí. Avanzó hacia los dos hombres y supo que no tenía tiempo de repetir la pantomima del vino real.

–¿Qué buscas aquí, mujer? –preguntó uno de los bárbaros, con la voz pastosa y la mirada enturbiada por el alcohol.

Viana no respondió. Alzó la jarra con las dos manos y la rompió en la cabeza del bárbaro. Este se tambaleó, sorprendido, pero no cayó. Viana agarró una de las fuentes y volvió a golpearle una y otra vez hasta que se derrumbó por completo.

El otro tardó unos instantes en reaccionar.

–¡Eh! –dijo por fin, levantándose. Se llevó la mano al cinto y avanzó hacia Viana, que retrocedió, aterrada. Se había quedado sin ideas.

Pero el bárbaro tropezó con algo y cayó de bruces al suelo. Viana descubrió entonces que se trataba de la cadena de Uri: el muchacho no estaba tan inerte como aparentaba y la había usado para rodear los pies de su enemigo. Después, con un veloz movimiento, la pasó por el cuello del bárbaro y tiró para ahogarlo.

El bárbaro intentó resistirse. Viana se acordó entonces del puñal que guardaba en su faltriquera.

Dudó un momento; pero a Uri le empezaba a fallar las fuerzas, y la joven estaba convencida de que, si lograba liberarse, el bárbaro no vacilaría en matarlos a los dos. De modo que hundió el puñal en su pecho y no lo retiró hasta que, tras un par de sacudidas, el cuerpo del hombre cayó al suelo.

Viana se esforzó por contener las lágrimas. Se abrazó a Uri, temblando, y cerró los ojos.

–Uri... Uri, menos mal que estás bien... –murmuró–. ¿Por qué te han hecho esto?

El muchacho señaló su propio pecho.

–Él quiere esto –respondió.

Viana se acordó de las palabras del brujo.

–¿De verdad quiere tu corazón? –preguntó, horrorizada–. ¡No puede ser tan salvaje!

Pero, por si acaso, no debía perder un instante más. Examinó la cadena que ataba a Uri al enorme trono de Harak.

–Tengo que sacarte de aquí –murmuró. Echó un vistazo al hacha de uno de los bárbaros caídos, pero enseguida comprendió que era demasiado pesada para levantarla.

«No es posible», pensó, tratando de luchar contra la oleada de angustia y desánimo que amenazaba con apoderarse de su corazón. «No puedo haber llegado tan lejos para detenerme aquí. Tiene que haber alguna manera de soltar esta cadena».

La observó desde todos los ángulos, pero no encontró en ella ningún eslabón débil. Ni siquiera parecía tener cerradura. Era como si Harak lo hubiese encadenado para siempre, como si no tuviese intención de soltarlo nunca más.

–Quizá –dijo con voz temblorosa– podamos arrastrar el trono entre los dos.

–Lo dudo mucho, mi estimada muchacha –dijo una voz tras ellos–. Fue necesaria la colaboración de cuatro de mis hombres para desplazarlo desde la tribuna hasta la mesa.

Viana se volvió, aterrorizada. En la puerta de la sala, caminando lentamente hacia ellos como un león que acechase a su presa, estaba Harak, el rey bárbaro de Nortia.

–Otra vez tú –comentó–. He perdido la cuenta de las veces que has escapado de mi poder. Pero no habrá ninguna más.

Viana empuñó su cuchillo, lamentando no poder contar con su arco. Sin embargo, sabía que estaban perdidos. Aunque el salón era grande y tal vez podría escapar si echaba a correr con la suficiente rapidez, no podía dejar a Uri allí, encadenado al trono.

–Déjalo marchar, por favor –suplicó.

Harak sacudió la cabeza.

–¿Todavía no comprendes quién es?

–Sé lo que es –respondió ella con un estremecimiento–. Pero ya has arrasado a muchos de los suyos en el Gran Bosque. No necesitas otro más.

Harak rio suavemente.

–Te equivocas, querida muchacha. Precisamente ahora que tus amigos rebeldes han acabado con mis existencias de savia, tu amigo del bosque es más importante que nunca.

Avanzó unos pasos. Viana trató de proteger a Uri y este, a su vez, intentó interponerse entre ella y el rey bárbaro, que sonrió con desdén.

–La savia mágica –prosiguió– protege nuestra piel de golpes y heridas, pero no nos hace inmunes a cosas como el veneno, la vejez o la enfermedad. Si pudiéramos beberla, en cambio... nos otorgaría la inmortalidad. Lamentablemente, todo el que lo hace termina muriendo entre violentos espasmos –volvió a centrar su mirada en Uri–. Pero resulta que uno de los árboles mágicos se ha transformado en humano... con savia en las venas. ¿No lo entiendes? –añadió, sonriendo a Viana de una forma que ella encontró muy desagradable–. Su sangre no es un veneno para nosotros. Su sangre sí se puede beber.

Viana se quedó mirándolo, horrorizada, incapaz de pronunciar palabra.

–Mediante un antiguo ritual, que nuestro brujo está preparando con gran esmero –prosiguió Harak–, arrancaremos el corazón, todavía palpitante, de la criatura a la que tratas de proteger –sonrió de nuevo–. Será mi próxima cena.

–¡No puedes estar hablando en serio! –gritó Viana, blanca como la cera.

–¿Por qué no? –replicó Harak sin dejar de sonreír–. ¿Cómo puede echar de menos su corazón alguien que hasta hace poco jamás había tenido uno?

–Pero, pero... –balbuceó ella–. Ahora es un muchacho...

–¿De veras? ¿Por cuánto tiempo? Dime, ¿cuánto crees que tardará ese monstruo en volver a echar raíces?

Viana no se lo había planteado, pero tampoco quería hacerlo ahora.

–¡Tú eres el monstruo! –lo acusó ella, llena de rabia–. ¿Cómo puedes hablar siquiera de arrancarle el corazón a sangre fría... como un salvaje?

–Oh, pero eso es lo que somos los Pueblos de las Estepas para vosotros, las buenas gentes de Nortia, ¿no es así? Salvajes, incivilizados... bárbaros. Pero te diré una cosa, muchacha necia e impertinente: cualquier guerrero «bárbaro» es mucho más fuerte y poderoso que el más aclamado caballero de Nortia.

Entonces una sombra se deslizó por detrás de Harak y algo brilló a la luz de las antorchas. Se oyó un chapoteo y Harak se encontró de pronto completamente empapado en agua, de los pies a la cabeza. Se volvió, con un rugido de rabia, hacia la persona que acababa de sorprenderlo por la espalda. Era Lobo, que aún sostenía un balde vacío entre las manos.

–Puede que un guerrero bárbaro sea más fuerte que un caballero de Nortia –replicó con una sonrisa socarrona–, pero este siempre será más ingenioso.

Viana lanzó una exclamación de alegría. Lobo se llevó la mano al cinto y desenvainó la espada.

–Ahora estamos en igualdad de condiciones –lo desafió–. O quizá el poderoso rey bárbaro tema enfrentarse a un humilde y viejo caballero de Nortia sin la protección de su mágico bálsamo.

Harak entornó los ojos, pero luego sonrió.

–Muy bien –dijo–. Hagámoslo a la manera de los caballeros de Nortia.

Desenvainó una de sus armas, un enorme espadón de doble filo. Viana contuvo el aliento.

Harak lanzó un poderoso grito de guerra y arremetió contra Lobo. Este se puso en guardia.

El choque entre ambos fue terrible. Lobo tembló; su espada parecía espantosamente frágil comparada con la del rey bárbaro y, por un momento, parecía que este iba a ganar la partida. Pero Lobo empujó a su oponente con todas sus fuerzas y logró echarlo atrás.

La lucha continuó durante un buen rato. Harak era más fuerte, y sus golpes resultaban devastadores. Pero Lobo era más ágil y rápido, a pesar de que también lo aventajaba en años. Era evidente que el caballero sabía esgrima; fintaba, golpeaba y trataba de alcanzar a Harak con docenas de movimientos diferentes, mientras que este se limitaba a asestar mandobles a diestro y siniestro. Sin embargo, la superioridad técnica de Lobo no le valdría de nada si llegaba a alcanzarlo uno solo de los espadazos del bárbaro. Viana se percató de que su amigo estaba peleando sin armadura; hacía mucho tiempo, de hecho, que había dejado de usarla.

La joven contuvo el aliento cuando uno de los golpes de Harak pasó rozando la cabeza de Lobo.

—Eso sí que no —gruñó el caballero—. No pienso permitir que te lleves mi oreja buena por delante.

—De nada le va a servir a tu cadáver, nortiano —replicó el bárbaro.

Hizo un giro de cintura y lanzó la espada hacia adelante. Lobo fintó para esquivarla...

... Pero no fue lo bastante rápido.

Y la punta del espadón del rey bárbaro se hundió profundamente en el pecho del antiguo conde de Monteferro, que se desplomó sobre las baldosas de la sala del trono.

Viana dejó escapar un grito de angustia; hasta el último momento había esperado que Lobo resultase vencedor en una lucha que a priori parecía tan desigual. Una parte de ella no podía creer que Harak lo hubiese matado, que la historia del duro y cínico caballero hubiese encontrado su final de aquella manera... Quiso correr a ayudarlo, pero Uri la retuvo entre sus brazos.

—Déjame... —sollozó Viana debatiéndose, sin ser capaz de apartar la mirada del rostro sin vida de Lobo—. Tengo que ir... tengo que ir... Lobo...

—Estabas muy unida a este viejo, ¿verdad? —dijo Harak con indiferencia, limpiando la sangre de su espada en su pantalón de cuero—. Sé quién es: él y los suyos nos combatieron al pie de las Montañas Blancas, y ahora lidera ese grupo de rebeldes que ha acabado con mis reservas de savia.

Viana no lo escuchaba. Seguía con la vista fija en el cuerpo de Lobo, y por eso fue la primera en advertir que sus párpados temblaban. Reprimió una exclamación de sorpresa.

—Pero se acabó —concluyó Harak, dándole la espalda a Lobo—. Acéptalo, muchacha. Habéis perdido la...

No terminó la frase. Tras él, Lobo se había alzado de nuevo, silencioso y letal, y había clavado su arma entre sus omóplatos.

Viana jamás olvidaría el gesto de dolor y sorpresa que se reflejó en los duros rasgos del rey bárbaro. Aún pudo darse la vuelta, desconcertado, cuando Lobo sacó la espada de su cuerpo.

–Cómo... –balbuceó, tambaleándose, mientras la vida se le escapaba.

Lobo sacudió la cabeza.

–Te dije que un caballero de Nortia siempre sería más ingenioso que cualquier bárbaro –dijo–. ¿O es que creías que iba a prender fuego a tus barriles de savia sin untarme con ella primero?

Y, con un ágil movimiento, volvió a ensartar a Harak con su espada.

El usurpador se estremeció una vez más. Después, cayó al suelo como un árbol derribado.

Y ya no se movió.

Viana pudo respirar al fin.

–Lobo... oh, Lobo... ¿cómo has hecho...? Yo creí... habías dicho... que sería un combate en igualdad de condiciones...

Lobo le mostró una sonrisa llena de dientes que le recordó a Viana, más que nunca, el animal del que tomaba su apodo.

–Mentí –se limitó a responder–. Veinte años en el exilio luchando contra bárbaros, rufianes y bandoleros mugrientos me enseñaron algunas cosas que el código de caballería suele pasar por alto.

Viana todavía no podía creer lo que estaba sucediendo.

–Entonces... estás vivo... y él está muerto...

Lobo asintió con gravedad.

–Y eso significa, Viana, que Nortia va a ser liberada.

Ella no pudo responder. Abrazó a Uri y, esta vez sí, lloró de emoción y de alegría.

EPÍLOGO

De los herederos de Rocagrís.

Y NORTIA FUE LIBERADA.

El ejército rebelde llegó a Normont mucho antes de lo que Lobo había previsto. Airic les había mostrado a sus generales las propiedades de la savia mágica que portaba en su cantimplora, y todos ellos acordaron que no podían esperar a los bárbaros en los límites meridionales del reino: había que salirles al paso cuanto antes.

Por ello, apenas unos días después de la muerte del rey Harak, y cuando sus fuerzas todavía se hallaban inmersas en el caos de una lucha de poder entre los jefes de los clanes, los rebeldes atacaron.

Lo hacían en nombre de la reina Analisa, a quien, pese a haber sido coronada por el caudillo bárbaro, todos reconocían como legítima señora, quizá debido a la euforia que les produjo saber que había sido rescatada y se encontraba a salvo. Pero también evocaban a todos los hombres y mujeres de Nortia que habían padecido bajo el yugo de los invasores.

Viana no participó en aquellas luchas. Reunió un grupo de voluntarios, liderados por Airic, y siguió la senda abierta por los bárbaros hasta el corazón del Gran Bosque. Allí atacaron el campamento y expulsaron a sus ocupantes. Salvaron cuantos árboles pudieron, aunque ni Viana ni Airic, ni mucho menos Uri, contaron a nadie por qué eran tan importantes ni cuáles eran las extraordinarias propiedades de la savia que fluía por sus troncos.

Cuando regresaron a la civilización, se encontraron con que las tropas capitaneadas por Lobo habían logrado expulsar a los bárbaros de Nortia definitivamente. La mayoría de los jefes bárbaros habían huido, y una turba enfurecida había sorprendido al brujo tratando de escapar por el camino real y lo había hecho arder en la hoguera.

Ahora había que reconstruir el reino y reorganizar sus dominios, ya que casi todos los nobles habían muerto en la guerra. Por tal motivo se perdonó a traidores como Robian de Castelmar y se les permitió conservar sus tierras, si bien en el futuro sus linajes caerían en desgracia y tardarían mucho en recuperar el poder y la influencia de los que habían disfrutado en tiempos pasados.

Analisa se mantuvo en el trono de Nortia, y su madre fue declarada regente del reino. Ella solicitó que Lobo permaneciera en la corte como su asesor y consejero más cercano; en la práctica, compartiría con la marquesa la regencia del reino hasta la mayoría de edad de Analisa. Por este motivo se le devolvieron su título, su nombre y sus tierras, y de nuevo fue conocido como el conde Urtec de Monteferro, aunque nunca pudo deshacerse del sobrenombre por el que lo conocían quienes admiraban sus hechos y su leyenda: el Caballero del Lobo. Apenas un año más tarde, contraería matrimonio con la marquesa de Belrosal, uniendo así su linaje al de la realeza de Nortia.

Viana, ajena a todo esto, regresó a Rocagrís.

Lo hizo con Uri. Cuando cruzaron juntos, de la mano, las puertas del castillo, Viana se estremeció de emoción. Allí había nacido, crecido y vivido. Allí había visto por última vez a Belicia antes de aquel intento de rescate que había terminado tan trágicamente.

Ahora, el castillo estaba desierto. Los bárbaros lo habían abandonado para hacer frente a las tropas que los atacaban desde el sur, y los sirvientes habían huido, temiendo por sus vidas. Pero a ella no le importó.

Durante varias semanas, Uri y Viana vivieron solos en el castillo, disfrutando por fin de un amor que apenas habían tenido ocasión de compartir. Fueron días felices, y los aprovecharon al máximo, conscientes de que recordarían aquella época el resto de sus vidas.

−Cásate conmigo −dijo Viana una noche, mientras descansaba entre los brazos de Uri. Se sentía muy osada por haber planteado aquella pregunta, no solamente porque debía ser el enamorado quien la formulara a su dama, sino también porque podía imaginar la cara que pondría la reina, por no mencionar a Lobo, si se le ocurría solicitarles permiso para contraer matrimonio con el extraño chico de los bosques.

−¿Qué es... «cásate»? −preguntó él.

Viana sonrió.

−Significa que prometeremos estar juntos para siempre. Que nuestro amor no acabará nunca.

469

–No puedo, Viana –respondió él, con tal gesto de tristeza que a ella se le rompió el corazón–. No estaré contigo para siempre.

La joven cerró los ojos y suspiró.

–No debería haberlo preguntado –murmuró. Durante aquellos días, casi habían logrado olvidar que su historia no tardaría en llegar a su fin.

Uri la estrechó entre sus brazos y la miró a los ojos.

–Yo no puedo estar contigo para siempre –dijo–. No de esta manera. Pero prometo que te amaré... siempre... Siempre.

Viana se echó a llorar.

No volvieron a hablar del tema.

Pero una noche, Viana se despertó y no halló a Uri a su lado. Se levantó del lecho de un salto y se estremeció de frío, y comprendió que el otoño había llegado por fin a Nortia. Aún temblando, se echó un manto sobre los hombros y recorrió el castillo llamando a Uri.

Lo encontró en el patio, desnudo, tal y como lo había visto la primera vez. Estaba de pie y no parecía sentir el aire gélido que llegaba del norte. Había alzado sus ojos verdes hacia el cielo, aguardando el amanecer.

–Uri... –susurró ella.

El muchacho se volvió para mirarla.

Y sonrió.

Fue una sonrisa llena de tristeza y de felicidad al mismo tiempo.

–Viana –respondió él con sencillez–. Adiós.

–¿Qué...?

En aquel momento, los primeros rayos del alba treparon por encima de los muros del castillo y acariciaron el cabello salvaje de Uri.

–Adiós –dijo el muchacho–. Te quiero.

Y empezó a cambiar. Su piel se volvió más oscura y rugosa y el cabello comenzó a crecerle hacia arriba de forma desordenada. Sus pies se hundieron en la tierra, sus brazos se alzaron hacia el cielo, buscando la vivificante luz del sol.

–Uri... –susurró Viana–. ¡Uri, no! –gritó, desesperada, al comprender de pronto lo que estaba sucediendo.

Corrió hacia él gritando su nombre, mientras el muchacho era cada vez menos humano, mientras de su pelo y sus dedos brotaban hojas tiernas, mientras su rostro desaparecía bajo la corteza, mientras sus piernas se fusionaban y de sus pies nacían raíces que se asentaban firmemente en el suelo.

Viana se abrazó llorando a su cintura –a su tronco– sin dejar de repetir su nombre y de suplicarle que no se fuera, que no la dejara. Pero ni sus ruegos ni sus lágrimas lograron detener la transformación y, cuando el sol ya se alzaba en lo alto, Viana yacía a los pies de un árbol joven que erguía sus ramas con orgullo.

Lo contempló, con el rostro todavía húmedo. Era uno de los árboles cantores, y sus hojas se elevaron buscando el viento para generar una dulce melodía llena de nostalgia y melancolía.

Viana se acurrucó entre sus raíces y escuchó su canción, y después cantó con él.

–Gracias –dijo finalmente acariciando la rugosa corteza que un día fuera la piel moteada de Uri–. Gracias por todo lo que me has dado. Gracias por decidir permanecer aquí, a mi lado, en lugar de regresar a echar raíces a tu bosque, con los tuyos. Nunca te olvidaré. Nunca te abandonaré.

Y allí la encontraron Dorea, Airic y los demás cuando regresaron a Rocagrís. Todos se extrañaron de que un árbol tan extraordinario hubiese crecido en el patio del castillo en tan poco tiempo, y también de que su señora pareciera estar tan triste y afectada pese a que toda Nortia celebraba la caída del rey Harak y la expulsión de los bárbaros. Pero Viana no les habló de la causa de su congoja.

Retomó sus obligaciones como señora de Rocagrís y procedió a organizar su herencia y sus propiedades, y a tratar de arreglar el daño causado por meses de abandono y de gobierno bárbaro. Airic, Alda y Dorea se quedaron con ella; la apreciaban de corazón y deseaban continuar sirviendo en su castillo.

Pero todas las noches, después de la cena, acudía a sentarse a los pies de aquel maravilloso árbol para acariciar su corteza con ternura y cantar con él.

Y, mes a mes, su vientre se iba hinchando un poco más con cada luna, hasta que, cuando llegó el momento, dio a luz dos mellizos, hembra y varón. No dio nunca explicaciones acerca de quién era el padre y nadie se las pidió. Las casas nobles de Nortia necesitaban herederos; tendrían que pasar por alto el origen dudoso de algunos de ellos si querían subsistir. Viana llamó al niño Corven, como su padre, y a la pequeña, Belicia, como su mejor amiga. Ambos crecieron sanos y fuertes, y nada en ellos los hacía diferentes a los demás niños. No presentaban un extraño tono de pelo (sus cabellos eran de color rubio oscuro) ni tenían la piel moteada. Por sus venas corría sangre roja, como la de cualquier otro mortal. Incluso habían heredado el color de ojos de su madre.

Sin embargo, ella siempre temió que sus hijos salieran corriendo un día hasta el bosque para echar raíces allí, porque conocía muchas historias acerca de niños engendrados por las hadas que no podían resistir la llamada del mundo sobrenatural al que pertenecían en parte.

Pero Corven y Belicia crecieron entre humanos y nunca dieron muestras de querer abandonarlos. De niños, jugaron al escondite entre las ramas del gran árbol cantor del patio; cuando crecieron, el mismo árbol fue testigo de las primeras palabras de amor que salieron de sus labios. Y también presenció los primeros pasos de los hijos que nacieron de ellos.

Belicia contrajo matrimonio con el primogénito de la reina Analisa, que se había casado tiempo atrás con un apuesto príncipe del sur. De este modo, Belicia de Rocagrís llegó a ser, con los años, reina de Nortia, alcanzando el destino que había deseado para sí la muchacha de la que había tomado su nombre y cuyos sueños se habían visto tan trágicamente truncados.

Corven se quedó en el castillo de su familia; también casó con una doncella de buena familia, y ambos engendraron hijos que heredaron el dominio de Rocagrís.

Viana, en cambio, no se casó nunca. Dicen las malas lenguas que Robian de Castelmar acudió un día a cortejarla y tuvo que marcharse como había llegado; pero, si fue así, Viana no se lo contó a nadie.

En realidad, ambos mantuvieron una conversación larga y sincera, en la que Robian se había disculpado ante Viana, pero no había pedido su mano en matrimonio. Los dos eran ahora mayores y más sabios, podían hablar de los tiempos pasados sin ira ni dolor, y en adelante fueron siempre buenos amigos.

Viana bajó a cantar al pie de su árbol todas las noches de su vida. Cuentan que, incluso cuando su cabello se había tornado ya blanco y sus ojos estaban velados por las cataratas, cuando la artritis encogía sus dedos y hacía vacilar sus pasos, Viana todavía acudía a visitar a su árbol.

Y así la encontraron, muerta entre sus raíces, una gélida mañana de invierno.

Todo el mundo la lloró con amargura. Corven decidió enterrarla al pie del árbol porque sabía que eso es lo que ella habría querido. Mucha gente fue a visitar su tumba aquellos días, y hasta el propio árbol se mostró triste, con las ramas caídas y las hojas resecas, y permaneció mudo durante aquel largo invierno.

Una mañana de primavera, sin embargo, un tímido brote emergió de la tierra. Las primeras lluvias y los rayos del sol alentaron su crecimiento, y lo convirtieron en una planta verde y radiante que enrolló su tallo en torno al tronco del árbol cantor.

Este recobró parte de una lozanía que todos atribuyeron a la llegada de la primavera. Se le oyó cantar nuevamente, y la gente fue a visitarlo, como habían hecho hasta entonces, para escuchar la maravillosa música que producía.

Los años pasaron velozmente. Corven envejeció y murió, y sus herederos lo sucedieron. Mucho tiempo después, tanto el árbol cantor como la planta que había crecido a sus pies acabaron por secarse y morir.

Los descendientes de Viana mantuvieron el tronco seco en su lugar.

Y así, cuando ya habían transcurrido varias centurias desde la invasión bárbara, se dio la circunstancia de que el señor de Rocagrís celebró su cincuenta cumpleaños.

Acudieron muchos invitados de todas las partes de Nortia, porque el duque era muy querido, y el suyo, un linaje muy antiguo y respetado.

Él mismo recibió en la puerta a todos y cada uno de los invitados. El último de ellos llegó cuando el sol ya se ponía por el horizonte, pero al señor del castillo no le importó esperar: Oki era un juglar muy bien considerado y él se sentía orgulloso de que hubiese aceptado su invitación.

Lo vio llegar por el camino, envuelto en las luces del crepúsculo. Los años también habían pasado por él; su cabello era más gris y su paso un poco más lento, y su espalda se encorvaba sobre su nudoso bastón. Pero sus ojos conservaban la vivacidad de antaño.

El duque lo escoltó desde la entrada, deshaciéndose en agradecimientos y buenos deseos. El patio del castillo de Rocagrís albergaba ahora un cuidado jardín, y Oki se detuvo al pie de lo único que desentonaba: el tronco muerto y reseco de un árbol antiquísimo.

–Lo conservamos por tradición –explicó el duque, un poco incómodo–. Es parte del patrimonio familiar, podríamos decir, hasta el punto de que mis antepasados lo incluyeron en nuestro escudo de armas –le mostró el emblema de los Rocagrís, que llevaba bordado en el sobreveste: junto al roque de oro original se alzaba ahora la figura de un árbol de sinople–. Cuentan que ya estaba aquí en los tiempos de la reina Analisa. Algunos ancianos juran, incluso, que sabía cantar –añadió con una sonrisa de disculpa.

Oki contempló los restos del árbol.

–Uri –dijo solamente.

–¿Cómo habéis dicho?

Oki sacudió la cabeza.

–Os contaré la verdadera historia de ese árbol esta noche, mi señor, si estáis dispuestos a escuchar. Creo que os interesará, porque habla también de una de vuestras antepasadas: Viana de Rocagrís.

–Sí –asintió el duque–, conservamos su retrato en la galería. Una mujer hermosa, aunque siempre he pensado que muestra una mirada muy triste. Quizá se deba a que, según dicen, luchó en las guerras contra los bárbaros de las estepas. Debió de vivir experiencias terribles.

–No me cabe duda –sonrió Oki.

Aquella noche, como tantas otras veces, el gran salón del castillo se llenó de charlas, de risas y de canciones. Se sirvieron manjares que no tenían nada que envidiar a los que ofrecía el rey en su palacio la noche del solsticio de invierno, y el vino corrió generosamente. Y, cuando llegaron los postres, Oki comenzó su historia.

Todos lo escucharon atentamente. Y así, a través de la magia de las palabras, fueron transportados hasta un tiempo remoto, mítico, en el que las doncellas podían desafiar a los reyes bárbaros... y en el que los árboles podían cantar.

Y gracias a la voz de Oki, Uri y Viana renacieron una vez más, en la imaginación de sus oyentes, para volver a vivir su historia de amor sin fronteras.

FIN